Chrystine Brouillet

Double disparition

la courte échelle

Les éditions de la courte échelle inc.
160, rue Saint-Viateur Est, bureau 404
Montréal (Québec) H2T 1A8
www.courteechelle.com

Dépôt légal, 1er trimestre 2014
Bibliothèque nationale du Québec

La courte échelle reconnaît l'aide financière du gouvernement du Canada
par l'entremise du Fonds du livre du Canada pour ses activités d'édition.
La courte échelle est aussi inscrite au programme de subvention globale du
Conseil des arts du Canada et reçoit l'appui du gouvernement du Québec par
l'intermédiaire de la SODEC.

La courte échelle bénéficie également du Programme de crédit d'impôt pour
l'édition de livres — Gestion SODEC — du gouvernement du Québec.

**Catalogage avant publication de Bibliothèque et Archives nationales du
Québec et Bibliothèque et Archives Canada**

    Brouillet, Chrystine

    Double disparition

    Édition originale : 2011.

    ISBN 978-2-89695-683-8

    I. Titre.

    PS8553.R684D68 2014   C843'.54   C2013-942757-0
    PS9553.R684D68 2014

Imprimé au Canada sur les presses de l'imprimerie Gauvin, Gatineau

Pour leur aide précieuse autant qu'amicale, l'auteure tient vraiment à remercier Lucie Allard, Luc Asselin, Guy Cournoyer, Hélène Derome, Lise Duquette, Jacques Gagné, François Julien, Gilles Langlois, Sophie Sainte-Marie et toute l'équipe de la courte échelle.

À Isabelle Comtois et à Tara,
avec mon amitié

CHAPITRE 1

Rimouski, 5 mars 2011

Ses yeux. Ses yeux qui l'observent constamment. Ses yeux sur son corps et dans sa tête. Il ne veut plus qu'elle le regarde. Il ne veut plus la voir. Il veut la paix. Et il aura la paix quand il aura fermé ses yeux noirs comme l'enfer. Claude dit qu'elle est au paradis avec lui, mais lui est en enfer. Il brûle quand elle s'approche avec cet air qui signifie : « Tu crois que tu ne veux pas, mais au fond tu en as envie. Je le sais, car personne ne te connaît autant que moi. Ne l'oublie pas. » Trevor n'oublie pas. Pas ça, en tout cas. Pas cet air-là qui lui donne envie de lui écraser la figure jusqu'à ce qu'elle ne ressemble plus à rien. Avec un marteau. Il en ferait une bouillie sanguinolente. Se souviendrait-il ensuite de cette image de Claude défigurée, les yeux enfoncés dans le crâne ? Il se rappelle beaucoup de choses, en a oublié autant. Il ne sait pas où elles sont tapies dans son cerveau, ces choses, mais elles y sont, il suffit qu'il trouve le bon tiroir. Aujourd'hui, par exemple, il se souvient que son oncle avait loué un chalet après le décès de son père, il se rappelle le jour où son oncle lui a appris à tirer avec une carabine. Peut-être qu'il l'aura oublié demain, le jour où tout a commencé. Claude répète toujours que l'eau du lac est de la couleur de ses yeux à lui. Saphir. Et que les saphirs, ça vaut très cher. Qu'il est son trésor. Il ne s'appelle pas Trevor pour rien. Trevor-trésor, c'est pareil. Elle dit que personne ne peut aimer son trésor autant qu'elle. Mais il ne se sent pas comme un trésor. Il est un insecte prisonnier d'une toile d'araignée. Il pense que la mante religieuse finira par le dévorer s'il ne lui ferme pas les yeux définitivement. Pourquoi est-ce qu'il ne se décide pas à fermer ses yeux pour toujours ? Parce que Claude a raison, elle est la seule qui l'aime. Personne ne l'aimera jamais comme elle. Il la hait et il l'aime, et ça change toutes les heures dans sa tête. Ça l'épuise. Ça le tue.

21 avril

Trevor regarde le fleuve ; combien de fois avait-il été tenté de s'y jeter pour en finir ? Qu'est-ce qui l'avait retenu jusque-là ? Pourquoi n'avait-il pas choisi cette liberté ? Il avait souvent tenté d'imaginer la tête de Claude quand des enquêteurs lui apprendraient que son trésor s'était noyé et qu'elle serait dorénavant privée de son jouet favori.

Mais c'était lui que les policiers étaient venus voir. Ils lui avaient appris que le taxi dans lequel Claude était montée avait été heurté par un véhicule du côté du passager et avait dérapé sur une distance de dix mètres avant de capoter dans le fossé. Ils lui avaient proposé de l'emmener à l'urgence où on avait transporté Claude. Un des policiers avait voulu le rassurer en affirmant que la médecine, aujourd'hui, faisait des merveilles. Trevor avait acquiescé, alors qu'il ignorait s'il souhaitait le martyre à Claude ou s'il espérait qu'elle survive à ses blessures.

Est-ce que lui survivrait aux siennes ? Était-il vraiment vivant ?

— Ils vous expliqueront tout à l'hôpital.

Trevor est content que les policiers l'aient vouvoyé ; ils ne l'avaient pas traité comme un gamin. Peut-être savaient-ils qu'il aurait dix-huit ans demain ? Peut-être avaient-ils entré son nom dans un système informatique qui avait craché des informations sur lui ? Son adresse, son âge, le numéro de son permis de conduire. Le nom de son père. Marcus Duncan. C'était probablement pour cette raison qu'un des patrouilleurs s'était avancé vers le garage ; il avait voulu vérifier s'il y avait une voiture, et si cette voiture avait renversé Claude. L'auto était intacte. Aucune trace de choc. C'était un autre homme qui avait heurté Claude, qui avait fait le boulot à sa place. Un bon Samaritain. Qui conduisait une grosse voiture, ça lui revenait en mémoire. Comme celle de son père. Une Thunderbird. Une belle Américaine. Son père n'aurait jamais acheté une voiture étrangère. Il avait toujours choisi des automobiles usinées à Detroit. Une Thunderbird. Avec des vitres teintées. Toute noire et argent. Brillante. Comme l'arme qui se trouvait dans la boîte à gants. Luisante et lourde. Claude avait dit à Marcus qu'il devait la ranger ailleurs, qu'on ne laissait pas un revolver à la portée d'un enfant. C'était la seule fois où Claude avait élevé la voix contre Marcus Duncan.

En regardant le fleuve, Trevor s'étonne encore de l'apparence de Claude, inconsciente, sur le lit d'hôpital ; elle ressemblait à une pieuvre avec tous ces tubes. Heureusement, les fils tentaculaires en plastique ne pouvaient pas l'attraper, l'étouffer et le tenir serré contre elle, dans son odeur de lavande si entêtante. Claude ne bougeait plus. Dès qu'il était arrivé à l'hôpital, un médecin l'avait observé et lui avait juré qu'aucun effort n'était ménagé pour sauver Claude, mais que, étant donné la gravité de ses blessures, il ne pouvait se prononcer sur ses chances de survie.

— Elle a subi plusieurs fractures au bas du corps, à la hanche droite et aux jambes, et elle a fait une hémorragie interne qui nous inquiète, avait avoué le chirurgien. J'aimerais être plus optimiste…

Le médecin l'avait fixé et Trevor s'était senti obligé d'offrir son sang ; c'était sûrement ce qu'un fils attentionné devait faire. Le médecin avait souri, et l'infirmière qui l'accompagnait avait posé sa main sur le bras de Trevor, une main aux ongles fuchsia. Claude préférait des vernis plus discrets : rose pâle, saumon, beige clair.

Les vagues déferlant sur la grève avec régularité apaisent Trevor. Contempler l'eau l'avait toujours aidé à se ressaisir. Chaque fois qu'il s'approchait du fleuve, il se disait qu'il avait au moins cette ultime possibilité d'échapper à Claude. Aujourd'hui, cependant, c'est particulier. Il suit les mouvements du Saint-Laurent sans désir d'y plonger. Il le regarde comme tous ces touristes français qui l'admirent en guettant des baleines. Il respire l'odeur d'iode et de sable mouillé, note les dessins que forment le varech et les pierres, les coquillages brisés sur la grève, et pense qu'il vendra la maison de Rimouski quand Claude sera morte. Il déménagera dans une ville où ne coule aucun fleuve. Où plus rien ne lui rappellera Claude.

Mais mourrait-elle ? L'infirmière s'était tenue près de lui tandis qu'il observait Claude derrière la vitre et les médecins qui s'affairaient autour d'elle. L'infirmière lui avait murmuré de ne pas perdre espoir ; Claude voudrait sûrement se battre pour vivre, se battre pour lui.

— C'est très fort, un cœur de mère, avait dit l'infirmière.

À condition d'en avoir un.

Québec, 22 avril

Le vent s'était levé, et Maud Graham s'empressa d'aller chercher d'autres sacs-poubelles tout en appelant Maxime et son ami Michaël, qui étaient rentrés voilà une bonne quinzaine de minutes pour boire un thé glacé et qui étaient restés dans la cuisine. Espéraient-ils qu'elle les oublie et finisse seule de nettoyer la cour ?

— Venez m'aider, le vent va éparpiller tout ce que vous avez ramassé. J'imagine que vous n'avez pas envie de recommencer ?

— On arrive, on arrive, répondit Maxime d'un ton exagérément excédé.

— Il va pleuvoir. Je vous laisserai bientôt en paix, mes pauvres petits esclaves.

— Ça serait mieux si on habitait dans une tour. On n'aurait pas à s'occuper d'un terrain.

— Ne dis pas ça, protesta Michaël. Tu es chanceux d'avoir une cour. À Montréal, j'ai habité quelques mois dans un immeuble, avec juste un petit balcon.

Maud Graham se tourna vers l'ami de Maxime. Elle ignorait qu'il avait vécu dans la métropole. Dans quel quartier ?

— Dans NDG, puis à Outremont, la dernière année. On avait loué une maison. Là, il y avait une cour.

Michaël se pencha si brusquement pour prendre une brassée de feuilles que Graham se demanda si sa question l'avait gêné. Mais comment une question aussi anodine aurait-elle pu l'embarrasser ? Elle était lasse d'être continuellement en train de décoder tout ce qu'on lui disait, fatiguée d'elle-même, de sa manie de tout analyser. Alain avait raison, elle devait apprendre à laisser son travail au poste de police et changer d'attitude à la maison. Se détendre. Penser sérieusement à suivre des cours de yoga, comme le lui suggérait Tiffany McEwen.

Outremont. Michaël arborait-il déjà son look gothique quand il habitait ce quartier huppé ? Il devait attirer l'attention avec sa chevelure teinte d'un noir aux reflets bleutés, ses vêtements sombres et ses nombreuses bagues. Maxime l'imitait un peu, mais n'avait pas eu envie, heureusement, de se colorer aussi les cheveux.

— Tu nous conduiras au cinéma ?

— Vous allez voir cette histoire de vampires ? Ça ne se ressemble pas un peu, d'un film à l'autre ?

14

— Tu ne sais pas de quoi tu parles, rétorqua Maxime. Tu n'en as jamais vu. Tu nous emmèneras ?

— Mais oui, ne t'inquiète pas. Vous serez à l'heure. As-tu vraiment fini tes devoirs ?

— Presque.

Maxime poussa avec entrain les feuilles dans le grand sac orangé pour démontrer à Graham qu'il mettait du cœur à l'ouvrage et méritait bien de se détendre ensuite. Comme Maud gardait le silence, il finit par se tourner vers elle.

— J'ai dit « presque » et c'est vrai. On est vendredi. Notre travail est à remettre mardi. Et c'est Pâques, on a congé lundi… Mike et moi, on travaillera là-dessus en fin de semaine.

— Tu me jures que tu ne traîneras pas tes devoirs jusqu'à lundi soir ?

Maxime sourit, leva la main pour toper avec Michaël.

— Vous finissez de remplir les sacs et je vous emmène au cinéma.

— Merci, fit Maxime en lui offrant son plus beau sourire, ce sourire qui l'avait frappée quand elle l'avait vu pour la première fois à l'hôpital, alors qu'il parlait à un enfant plus jeune que lui.

Cela semblait si loin. Et si proche. Depuis que Maxime vivait avec elle, Graham avait l'impression que le temps ne passait pas à la même vitesse. Avant de recueillir Maxime, elle ne prêtait pas attention aux jours ; le lundi valait le jeudi. C'était si différent depuis que les lundis signifiaient le retour à l'école et les sempiternelles questions au sujet des

15

devoirs à terminer. Elle était contente que l'année scolaire s'achève enfin, même si elle craignait qu'un échec en mathématiques oblige Maxime à suivre des cours durant l'été. Heureusement, depuis qu'il était ami avec Michaël, ses notes s'étaient améliorées en français, en histoire et en anglais. Maxime avait dit récemment que son ami lisait au moins un livre par semaine, parfois deux.

Est-ce qu'ils se fréquenteraient encore longtemps? Elle avait rencontré plusieurs des copains de Maxime, mais il voyait plus souvent Michaël depuis quelque temps. Lui avait-il révélé que Maud était détective? À la rentrée scolaire, il avait déclaré qu'il ne voulait pas que ses nouveaux amis apprennent la vraie nature de son travail. Vince et Sébastien, ses copains d'avant, avaient changé d'école, et les autres n'y pensaient plus après les vacances d'été. Maxime n'apprendrait rien aux nouveaux.— S'ils savent que tu es dans la police, ils vont se méfier de moi. Ils vont me prendre pour un *stool*.

— Tu veux dire qu'ils n'oseront pas parler du prix du pot ou de l'ecstasy ni des trucs qu'ils s'injectent devant toi?

— C'est en plein ça, avait-il répondu en souriant. Tu sais que je ne prends pas de drogue, arrête de t'inquiéter avec ça. Je veux juste avoir la paix. J'ai vu ce que ça donne. Ou bien on me pose des questions sur tous les meurtres qui font les nouvelles, ou bien on pense que j'espionne tout le monde. C'est plus simple de dire que tu es…

— Fonctionnaire. Ce n'est pas un mensonge, je travaille pour la Ville.

Pourquoi s'interrogeait-elle sur le fait que Michaël sache ou non qu'elle était détective ? Maxime n'avait jamais évoqué le travail de la mère de Michaël. Les adolescents ne s'intéressaient pas aux parents de leurs amis. Ils n'étaient pas au cœur de leurs préoccupations. Mais quelles étaient justement ces préoccupations ? Alors qu'elle était si douée pour mener des interrogatoires, elle tâtonnait toujours pour questionner Maxime sur ses aspirations, ses désirs ou ses angoisses. Heureusement qu'Alain était là pour la renseigner sur Maxime. Communiquaient-ils mieux parce qu'Alain était un homme ou parce qu'il était plus jeune ?

— Arrête, avec ma jeunesse ! s'était impatienté Alain. Maxime me parle parce que ce n'est pas moi qui l'embête toute la semaine avec des règles, qui l'oblige à bien manger, à faire ses devoirs, à se coucher avant minuit. Moi, j'ai le beau rôle. C'est injuste, mais c'est comme ça.

L'avait-elle vraiment agacé en évoquant leur différence d'âge ?

— Biscuit ? dit Maxime.

S'il l'appelait Biscuit, c'est qu'il avait une autre faveur à lui demander. Elle sourit intérieurement. Légèrement manipulateur et si facile à deviner.

— Ça serait cool si tu m'avançais un peu d'argent pour le pop-corn et…

— Oui, mais n'exagérez pas ensuite dans les sucreries. Vous êtes en pleine croissance, ce n'est pas bon pour…

— Tu es pénible, lança Maxime en se dirigeant vers la salle de bain. Mon père ne me tanne pas avec ces niaiseries-là.

Graham se retint à temps de répondre que ce n'était pas Bruno qui payait les frais des visites chez le dentiste. Devenait-elle mesquine ?

— Ma mère aussi est comme ça, dit Michaël. Elle a toujours peur qu'il me manque quelque chose.

— C'est parce qu'elle tient à toi.

— Je suppose que oui.

Graham croisa son regard subitement empreint de tristesse et elle songea qu'il lui faudrait en apprendre plus sur la vie familiale du si gentil Michaël. Trop gentil ? Devait-il faire beaucoup d'efforts pour plaire à sa mère ? Maud ne l'avait rencontrée qu'une seule fois mais se souvenait de son exceptionnelle beauté : un visage à l'ovale délicat, des pommettes hautes, des paupières lourdes, sensuelles, une bouche un peu trop grande qui évitait une ennuyeuse perfection et des yeux d'un bleu étonnant, presque violacé.

Rimouski, 23 avril

Le fleuve gris se confondait avec le ciel sans nuages de couleur éléphant. Un jour, Claude avait emmené Trevor au zoo de Granby, et il avait constaté que les pachydermes étaient de la même teinte que les pierres qui ornaient le parterre devant la maison, presque anthracite. Et comme les pierres, ils ne bougeaient pas. Seules leurs queues qui s'agitaient mollement prouvaient qu'ils étaient toujours vivants. Il aurait aimé être comme ces éléphants, blocs monolithiques que rien ne semblait atteindre, forts, solides, puissants. Personne ne devait s'attaquer à ces éléphants.

Le ciel et le fleuve unis dans le gris. Pourquoi parle-t-on de la matière grise ? Est-ce que le cerveau est vraiment de cette couleur ? La cervelle de Claude était-elle grise ? Et sa moelle osseuse ? De quelle couleur est la moelle osseuse ? Pas de la même couleur que la sienne, en tout cas.

Parce que leurs moelles n'étaient pas compatibles. Ni leurs groupes sanguins.

C'est ce qu'on venait de lui apprendre à l'hôpital. Françoise, l'infirmière qui l'avait accueilli le premier jour et qu'il avait revue plusieurs fois en allant visiter Claude, lui avait révélé que sa mère avait rendez-vous en oncologie lorsqu'elle avait eu son accident. Françoise avait emmené Trevor dans un petit bureau, l'avait fait asseoir et lui avait offert un café. Puis ils avaient attendu le docteur Trudel qui avait traité Claude, et celui-ci lui avait dit qu'il l'admirait d'avoir si spontanément offert de donner son sang, sa moelle, mais que les tests sanguins pratiqués avant l'intervention avaient démontré qu'il y avait incompatibilité.

— Incompatibilité ?

Il savait depuis toujours qu'ils étaient incompatibles, même si Claude affirmait qu'ils étaient des âmes sœurs. Qu'il était elle et qu'elle était lui. Il avait cru à ce charabia au début, mais, si c'était vrai, il n'aurait pas été envahi par la honte et le dégoût d'elle. Et de lui.

— Incompatibilité ? répéta-t-il. C'est sûr à cent pour cent ?

— Tu as bien fait d'essayer, même si tu as été adopté. Ton groupe sanguin aurait pu être compatible. Et malheureusement, son état est grave.

Trevor sursauta, parvint à rester calme.

— Elle disait souvent qu'elle était fatiguée, sauf qu'elle ne m'a jamais parlé de son cancer.

— Elle a eu une longue rémission, mais maintenant…

— Une rémission? D'un autre cancer? Je m'en souviendrais…

— Tu n'étais même pas né. Elle avait vingt ans, expliqua le docteur Trudel. C'est mon propre père qui l'a opérée à l'époque pour une hystérectomie.

Claude lui avait donc toujours menti. Elle n'était pas sa mère? Quelle merveilleuse nouvelle! Il pourrait la détester jusqu'à la fin de ses jours sans se sentir coupable, sans être un mauvais fils. Il l'avait appris juste à temps.

— Ce n'est pas ma mère biologique, avait-il dit sur un ton qu'il souhaitait neutre, mi-affirmation, mi-interrogation.

— Tu n'y as pas pensé quand tu as proposé ta moelle, c'est normal, assura le médecin. Tu as agi avec ton cœur et on n'a pas songé à te demander si tu étais adopté.

— Je comprends que tu sois déçu de ne pas pouvoir l'aider, avait enchaîné Françoise. Il ne faut pas perdre espoir.

Il avait semblé à Trevor qu'elle manquait de conviction en prononçant ces mots. Il espérait que ce n'était pas seulement une impression, que Françoise avait ajouté cette phrase pour être polie, mais que personne n'irait fournir de la moelle à Claude-la-menteuse.

Devant Trevor, les vagues s'entrechoquaient comme ses idées. Le Saint-Laurent se soulevait, se cabrait tel un cheval rétif, et les pensées de Trevor ruaient de même dans tous les coins de son cerveau. Il avait peur de se désintégrer, il devait freiner tous ses mouvements. Se calmer. Se détacher de lui-même. Il y était parvenu dans d'autres circonstances, c'était maintenant le moment de recommencer, de se dissocier sans imploser. Entrer dans la peau de ce Trevor qui se tenait à bonne distance des épisodes trop pénibles, ces épisodes qui bouleversaient un Trevor trop émotif. Un Trevor qui aurait déplu à Marcus Duncan. Un homme doit savoir se contrôler. Il n'avait jamais vu son père ému. Il est vrai qu'il n'était pas souvent à la maison. Une fois, deux fois par mois ? Marcus Duncan rentrait de ses voyages d'affaires avec des cadeaux et le lendemain, à l'école, Trevor faisait l'envie de ses camarades. Mais le surlendemain, c'était lui qui jalousait les élèves dont les pères restaient à Rimouski. Il avait beau se forcer à l'école, foncer sur les terrains de foot pour impressionner son père, pour le satisfaire, celui-ci repartait toujours, le laissant seul avec Claude.

Une odeur fraîche montait du fleuve. Claude n'était pas sa mère ! D'où venait-il ? L'image d'une femme blonde qui surgissait parfois dans sa mémoire signifiait-elle quelque chose ? Comment et quand Claude avait-elle pu l'adopter ? Est-ce pour cette raison que son père ne s'intéressait pas à lui ? Il ne pourrait lui poser la question puisque Marcus était mort depuis des années, mais il interrogerait Claude avant qu'elle crève.

Allait-elle crever ?

Combien y avait-il de personnes sur la liste d'attente des donneurs ? La leucémie était-elle une maladie qui progressait rapidement ?

Serait-il frustré de ne pas l'avoir lui-même tuée ? Sûrement, mais l'important était d'être vraiment débarrassé d'elle.

Avant, il devrait écouter sa confession.

Quoi qu'elle lui dise, il était certain qu'il ne lui accorderait jamais son pardon.

Québec, 23 avril

Mario Frémont lut la carte postale que lui avait envoyée Riendeau et l'envia. Il l'aurait bien suivi à Cuba pour s'offrir quelques gâteries, mais il venait d'emménager dans un nouveau quartier et l'installation coûtait plus cher que prévu. C'était toujours la même chose. À chaque déménagement, Frémont s'étonnait qu'il y ait tant de frais. Il était partagé entre le désir de cesser de bouger et celui de continuer à passer d'un environnement à un autre, car il caressait toujours l'espoir de découvrir des enfants ouverts à ses désirs. Et silencieux. Il avait hâte que Riendeau rentre de voyage et lui raconte ce qui s'était passé avec les petites Cubaines. Lui, il aimait autant les garçons que les fillettes ; à cet âge, ils partageaient la même pureté.

Rimouski, 4 mai

Trevor regardait les moniteurs placés autour du lit de Claude, écoutait les bruits de l'hôpital qui lui étaient devenus familiers, tout comme ce fauteuil dans lequel il venait s'asseoir tous les jours depuis l'accident de Claude. Elle était encore aux soins intensifs, et on recommandait à Trevor de ne pas trop parler avec elle. Pourtant, dès que les infirmières s'éloignaient, il s'approchait afin de la questionner sur son passé, afin d'en apprendre le maximum avant qu'elle meure. Elle affirmait qu'elle lui avait tout raconté, mais il insistait, reposait les mêmes questions jusqu'à ce qu'elle lui redise qu'elle l'aimait.

Il avait la nausée lorsque Claude lui jurait son affection, lui expliquait que, n'étant pas sa mère biologique, elle avait toujours su que leur relation intime n'était pas incestueuse.

— On n'a aucun lien de sang, avait-elle répété. Tu es bien le fils de Marcus, mais tu n'es pas mon fils biologique. Je vais guérir, et tout sera différent… J'aurais dû t'avouer la vérité plus tôt.

Oui, elle aurait dû. Ça aurait tout changé. Et rien changé. Il l'aurait haïe et aimée de toute manière. Elle aurait dû se comporter en mère normale alors qu'elle avait semé le chaos en lui. Il se sentait sale, et seul, et vide, et absent à lui-même à cause d'elle. Il la regardait et ne comprenait pas comment il pouvait à la fois l'aimer et la détester. Comme aujourd'hui. Comme hier devant le fleuve. Comme la semaine dernière. Comme l'année dernière. Dans la confusion jusqu'à la nausée. Comme tous les jours et toutes les nuits où il se demandait lequel des Trevor dominerait l'autre : celui qui détestait Claude pour avoir abusé de lui ou celui qui l'aimait ? Le Trevor qui se laissait faire ou le Trevor qui prenait le contrôle ? Comment réagirait-il lorsque Claude mourrait ? Serait-il soulagé, ou peiné, ou frustré qu'elle n'ait pas demandé pardon ? Elle avait protesté quand il lui avait reproché tout le mal qu'elle lui avait fait. Il était injuste ! Elle avait eu du mérite d'élever l'enfant de la maîtresse de son mari. Était-il conscient de sa situation ? Ils vivraient encore de beaux moments ensemble, elle en était persuadée. Dans l'immédiat, il fallait qu'il lui apporte sa trousse de beauté ; elle devait être si cernée ! Elle ne voulait pas qu'il la voie ainsi, elle devait être belle pour lui. Il la maquillerait. Comme ils le faisaient ensemble à la maison. Et il n'oublierait pas la crème à la lavande.

— Je suis certaine que ça m'aiderait à guérir si je me sentais moins moche. Tu apporteras la trousse, promis ?

Il n'avait pas répondu ; Claude était en train de mourir et elle parlait de fard à paupières et de rouge à lèvres ! Ce rouge qu'il détestait tant ; il n'aimait ni sa couleur, ni son goût, ni sa texture qui collait à sa bouche des heures après que Claude l'eut embrassé.

— Tu es encore là ? s'étonna Françoise.

Trevor sursauta. Durant quelques secondes, il chercha le nom de l'infirmière avant de la saluer.

— Rentre chez toi pour dormir un peu, lui conseilla-t-elle. On s'occupe de ta mère.

Trevor avait envie de hurler que Claude n'était pas sa mère. Mais il se taisait. Il était tellement habitué à se taire. Personne n'avait jamais su ce qui se passait dans la chambre de Claude. Personne n'imaginait qu'elle l'entraînait dans son lit depuis des années. Au début, il avait été si bouleversé qu'il ne parvenait plus à se concentrer à l'école. Ses notes avaient chuté et deux de ses professeurs l'avaient interrogé ; avait-il des ennuis ? Pouvaient-ils l'aider ? C'est à ce moment-là qu'il aurait dû s'exprimer, mais il était persuadé que personne ne le croirait. Et probablement que les enseignants avaient posé ces questions pour la forme, qu'ils ne se souciaient pas vraiment de l'enfant d'un criminel. Un homme de la mafia. N'était-ce pas ce qu'on avait écrit dans les journaux quand Marcus Duncan était mort assassiné ? Trevor s'était demandé pourquoi il ne s'était pas défendu avec cette arme qu'il avait vue quand il était petit. Où était maintenant ce revolver ? L'avait-il perdu ? N'en avait-il pas d'autres ? Que faisait exactement Marcus Duncan dans la mafia ? S'il avait été très important, il aurait eu un garde du corps. Avait-il été trahi ? Claude avait caché les journaux, mais Trevor les avait lus à la bibliothèque municipale et il savait que son père avait été tué d'une balle en plein front. Il était face à son ennemi. Pourquoi n'avait-il pas riposté ? En tout cas, pour ses enseignants, Trevor acceptait mal la mort violente de son père. Heureusement, on n'avait pas vu souvent Marcus Duncan à Rimouski, il avait mené ses affaires ailleurs. Son fils et son épouse étaient plus à plaindre qu'à blâmer…

— Il faut que tu te reposes, répéta Françoise.

Trevor acquiesça ; il avait besoin de sommeil. Parviendrait-il à s'endormir ? Les révélations de Claude passaient en boucle dans son esprit. Seuls les somnifères lui permettaient de sombrer dans le sommeil. Et encore, il se réveillait de plus en plus tôt. Les pilules refoulaient de moins en moins les cauchemars. Il était pourtant habitué d'en faire. Éveillé ou non.

Mais aujourd'hui, il cherchait sa vraie mère dans cette femme qui apparaissait dans ses rêves et, maintenant qu'il savait enfin la vérité, le visage tant espéré fondait comme une guimauve au-dessus d'un feu, se recroquevillait en un masque sombre et menaçant.

Claude avait beau prétendre qu'elle lui avait tout dit, qu'elle ignorait qui était sa mère biologique, c'était impossible ! Il ne pouvait pas être le fils de Marcus sans qu'elle sache avec qui il avait couché. De quelle union il était issu. Elle essayait de lui faire croire que son mari était arrivé un beau matin à la maison avec un bébé et qu'elle n'avait posé aucune question. N'avait-elle jamais cherché à savoir qui était la maîtresse de Marcus ?

— Je ne voulais pas connaître la vérité, avait-elle plaidé. Marcus m'avait dit qu'elle était décédée et que moins j'en saurais, mieux c'était pour ta sécurité.

— La mienne ou la tienne ? Tu n'as jamais pensé que ma vraie mère n'était pas d'accord avec cette adoption ? Que tu étais peut-être complice d'un enlèvement ? Tu voulais un bébé, tu n'as pas posé de questions…

— C'était trop dangereux d'interroger Marcus. Il aurait pu mal réagir. Avec lui, tout était possible. Et n'oublie pas qu'il était ton père, il avait des droits, après tout ! Tu me crois quand je te dis que c'était ton père ?

Oui. Il croyait Claude sur ce point. Il ne pouvait nier qu'il avait hérité du large front de Marcus, de sa chevelure noire, de son nez droit et de ses lèvres fines. Mais il n'avait pas ses yeux. Ça devait être ceux de sa mère.

Cette femme blonde à laquelle il rêvait parfois. À qui il avait peut-être été enlevé, qui sait ? Son père était un criminel…

Si sa mère était vraiment décédée, pourquoi Claude s'entêtait-elle à taire son identité ? En quoi la menaçait-elle ? Avait-il des demi-frères, des demi-sœurs ? Sa mère avait-elle eu d'autres enfants ? Qui était-elle pour son père ?

Il rentra à la maison et se servit une bière. Une Éphémère aux pommes. Peut-être que c'était une bière de filles, comme l'assuraient Arnaud et Fabrice, au cégep, mais il aimait son goût et savait très bien que Fabrice ne le traiterait jamais de tapette. Il se souvenait sûrement de la raclée qu'avait reçue Cédric quand ils étaient encore au secondaire. Personne n'était assez fou pour insulter Trevor Duncan. Même si on devait chuchoter derrière son dos, murmurer que c'était bizarre qu'il ne s'intéresse pas à toutes ces filles qui s'approchaient de lui, qui se pâmaient sur son air mystérieux.

Si elles avaient su qu'il avait trop peur de se trahir pour faire un geste vers elles… Il avait toujours cru qu'il devrait s'éloigner de Claude afin de pouvoir aborder une fille. Il s'était juré de la quitter le jour de ses dix-huit ans. Ce jour-là était passé, et il était toujours à Rimouski parce que Claude était à l'hôpital et qu'elle détenait encore des informations. Sûrement. Même si elle affirmait le contraire. Comment croire cette femme qui lui avait menti durant toutes ces années ?

— Tu te souviens de ton père, Trésor…

— Ne m'appelle plus jamais Trésor !

— Ton père était un homme dangereux, avait plaidé Claude. Il m'avait fait jurer de garder le silence.

— Et quand il a été tué ? Tu aurais pu…

— J'étais trop habituée à me taire. À lui obéir. J'ai toujours fait ce qu'il voulait pour te protéger. Penses-tu que je me suis installée à Rimouski de gaieté de cœur ? J'aurais préféré vivre à Québec ou à Montréal, mais lorsque Marcus décidait quelque chose…

— Quand il est mort, tu aurais dû me parler, avait insisté Trevor.

— Il était trop tard. J'avais perdu l'habitude. Avec Marcus, on ne parlait pas tellement.

Il se rappelait les soupers en famille, rares, où ils regardaient la télé. Il n'y avait qu'en présence d'invités que Marcus devenait bavard. Ou quand son associé Teddy était là. Teddy qui connaissait peut-être la vérité sur sa naissance, mais qui avait disparu quelques mois après son père. Où était-il aujourd'hui ? En Floride, comme le prétendait Claude ? Ou mort, lui aussi ?

Il se souvenait de l'enterrement à Québec, des policiers postés en retrait, des hommes qui venaient saluer Claude, de Claude qui lui serrait la main trop fort, du soleil qui faisait briller la tombe au point de l'aveugler. Il n'avait jamais aimé le soleil. Il préférait la nuit. Il devait être un vampire dans une vie antérieure.

Il avait d'ailleurs eu plusieurs fois envie de mordre Claude jusqu'au sang. Juste au-dessus du grain de beauté entre son pubis et son nombril, ce grain qu'il ne pouvait s'empêcher de fixer lorsqu'elle se déshabillait. Elle riait quand elle le voyait fixer ce point, mais lui se souvenait que ce point était la dernière chose qu'il voyait avant qu'elle enfonce sa tête vers son sexe. Il le fixait et le point l'absorbait, il se perdait dans sa noirceur, se fondait dans les ténèbres ; Trevor disparaissait, s'absentait, s'annihilait dans ce grain de beauté même s'il se répétait que c'était lui, au fond, qui manipulait Claude, qui obtenait tout d'elle. Il avait la chance d'être traité comme un homme, de savoir toutes ces choses que les garçons de son école ignoraient. En même temps, il n'aimait pas entendre les gars parler de sexe, se vanter de leurs exploits. Quand on lui demandait avec quelle fille il voudrait sortir, il haussait les épaules, prétendait que le sport était bien mieux.

— Elle ne va pas mourir tout de suite ? s'enquit-il auprès de Françoise.

— Non, répondit doucement l'infirmière. Mais...

— Je veux juste me préparer, savoir combien de temps il nous reste.

Et combien il lui en restait pour tout apprendre.

— C'est difficile à dire... Sans l'accident, elle aurait eu une meilleure résistance, mais après ce choc et l'hémorragie... Et tout ce temps qu'elle a mis avant de consulter...

— Deux semaines ? Une semaine ?

— Il... il faut que tu en parles au docteur Trudel.

29

L'hésitation de Françoise n'avait pas échappé à Trevor. Il lui restait peu de temps. Son cœur se serra ; pourquoi éprouvait-il du chagrin à l'idée de la mort de Claude ? Pourquoi l'aimait-il encore ? Il grimaça en songeant qu'il ressemblait au chien du bonhomme Jobin qui revenait vers ce maître qui le maltraitait jour après jour. Parce que c'était son maître et qu'il n'en connaissait pas d'autre.

Comme lui ne se connaissait pas d'autre mère. Mais s'il retrouvait sa première mère ?

Il chassa de ses pensées l'image de Claude giflant le bonhomme Jobin après avoir détaché son chien pour l'amener dans un refuge de la SPCA. Il avait été si fier d'elle, ce jour-là, si fier d'avoir une maman courageuse qui aurait adopté la bête s'il n'avait pas été allergique aux animaux. Peut-être qu'il ne l'était plus aujourd'hui ? Claude lui avait expliqué que les allergies vont et viennent. Et s'il pouvait avoir un animal ? La maison lui semblerait moins vide. Il aurait quelqu'un à aimer et quelqu'un qui l'aimerait.

C'est un chien qu'aurait dû recueillir Claude.

— Je vais dire au docteur Trudel que tu veux lui parler, reprit Françoise.

— Quoi ?

— Le docteur Trudel…

Trevor dévisagea Françoise, secoua la tête avant de s'enfuir en courant sous son regard médusé. Elle ne pouvait pas deviner que Trevor s'était dissocié un instant, qu'il s'était vu s'approcher de Claude pour l'embrasser. Et l'étouffer ensuite avec son oreiller. Avait-il hérité des gènes criminels de son père ? Qui était-il vraiment ?

Québec, 10 mai

Mario Frémont adressa un signe de la main à Jocelyn Riendeau avant qu'il remonte dans sa voiture en souriant. Riendeau était partant ! Malgré son désir de conserver des souvenirs, Frémont n'avait jamais tenté de photographier des enfants lors de ses voyages en République dominicaine. Il le regrettait toujours quand il tentait de se remémorer les moments magiques qu'il vivait avec ces enfants si exotiques, mais il avait peur...

— Peur de quoi ? avait dit Riendeau. Tu fais comme moi, tu prends des photos d'adultes, de monuments, de restos, de plages, de n'importe quoi, les gamins sont noyés dans la masse d'images. T'es trop *chicken*, mon bon Mario.

— Pas tant que ça ! J'en ai eu plus que toi.

— C'est vrai, avait convenu Riendeau. Mais avec mon dernier voyage, on doit être à égalité.

Ils avaient ri, s'étaient resservi un scotch et avaient trinqué à leur chance. Car ça prenait de la chance pour approcher suffisamment un enfant. De la chance et de l'audace. Et de la patience.

CHAPITRE 2

Rimouski, 11 mai

Tout s'était passé si vite que Trevor en était encore hébété. On l'avait appelé en pleine nuit pour le prévenir que l'état de Claude s'était subitement détérioré. Il avait conduit comme un fou pour se rendre à son chevet, mais elle était comateuse à son arrivée et elle était morte quelques heures plus tard sans avoir repris connaissance. Sans lui avoir tout révélé. Il restait seul avec ses questions qui le tourmentaient nuit et jour : qui était sa mère biologique, l'avait-elle abandonné volontairement, était-elle la complice de Marcus Duncan ou sa victime ? Qui avait tué son père, qui était vraiment son père ?

Et qui l'aimerait à présent ? Il se détestait d'avoir cette pensée donnant raison à Claude qui avait tant de fois répété que personne ne pouvait le chérir comme elle. Il se sentait si seul.

— As-tu de la famille pour t'aider les prochains jours ? Des amis ? s'informa Françoise.

Elle avait rejoint Trevor dans la petite pièce où elle l'avait conduit une heure plus tôt, après qu'on eut emmené le corps de Claude. Trevor paraissait calme, maintenant.

— Non. Je vais m'arranger. Elle voulait être incinérée.

— Je pensais moins à l'enterrement qu'à toi-même. Tu es épuisé. Tu t'es beaucoup occupé d'elle, tu es venu chaque jour en sortant du cégep. Tu vivras le contrecoup du stress, du deuil. Tu es bien jeune pour tout assumer.

— Je suis l'homme de la maison, fit Trevor. Ça ira, Françoise, merci.

L'infirmière avait un regard d'une douceur infinie quand elle posa la main sur l'épaule de Trevor. Il réussit à supporter ce contact, car il avait appris à connaître cette femme au cours des derniers jours. Il l'avait vue un soir, en ville, avec ses deux fils, et il avait tout de suite compris, à la manière dont les gamins regardaient leur mère, qu'elle n'était pas perverse. Les rires de ces adolescents étaient francs.

— C'est vrai, admit Françoise, tu te comportes comme un adulte.

— J'ai dix-huit ans, je suis l'homme de la maison, répéta Trevor avant de prendre congé.

Il revint cependant sur ses pas pour demander à Françoise si elle connaissait un bon salon funéraire.

— Je t'appellerai pour te communiquer les coordonnées. File te reposer, maintenant.

L'homme de la maison. C'était ce qu'avait dit Claude ; qu'il fallait un homme dans la maison maintenant que Marcus était mort et qu'il le remplacerait. Et qu'il serait bien meilleur que lui, car elle lui apprendrait tout. Parce qu'il resterait à la maison au lieu d'être constamment à l'extérieur pour ses affaires. Il ne l'oublierait pas, lui.

Non, il ne l'oublierait pas. Mais il n'enterrerait pas l'urne au fond du jardin. Il ne la voulait pas près de lui. S'il le pouvait, il la balancerait dans le fleuve. Claude serait incinérée, même si le feu ne suffirait jamais à la purification. Il aurait fallu qu'il brûle lui-même pour se sentir libéré de cette souillure.

Claude était morte. Il se répétait ces trois mots sans parvenir à les intégrer. Il avait tant de fois souhaité sa disparition. Il avait vécu dans l'attente de ce moment, mais il n'éprouvait maintenant qu'une impression d'absurdité, d'incrédulité. Quand il l'avait touchée, sa peau était tiède. Peut-être qu'elle n'était pas complètement morte même si toutes les machines avaient été débranchées. Claude était trop puissante pour mourir !

Il vendrait sûrement la maison et louerait un appartement.

Où ? Rien ne le retenait ici. Rien ne l'attendait ailleurs. Il n'avait aucun ami, que des camarades de classe à qui il ne racontait rien. Comment aurait-il pu dire l'innommable ? Il n'avait jamais rien révélé et on chuchotait malgré tout à son sujet, il le savait bien. À cause de l'assassinat de son père. Son père qui n'avait pas été là pour le protéger de Claude.

Dans quelle ville avait vécu sa mère biologique ? Si elle était morte comme l'avait juré Claude, il pourrait peut-être trouver des gens qui l'avaient connue.

Comment découvrir son identité ? Quelles étaient les filières, les modalités pour les adoptions ? Sur Internet, il obtiendrait les informations désirées.

Il était idiot, il ne trouverait rien ; Marcus Duncan n'était certainement pas passé par le système social comme tout le monde. Marcus Duncan avait ses propres règles, sa propre loi. Avec toutes ses relations, il avait pu se procurer une carte d'assurance maladie sur le marché noir. Et il était de toute manière son père...

Trevor avait fouillé dans les affaires de Claude lorsqu'il avait appris qu'elle n'était pas sa mère biologique, sans résultat. Il devait recommencer ; il était impossible qu'elle et Marcus aient effacé toute trace de sa naissance, de sa vie avant son arrivée à Rimouski. Il avait déjà découvert que Claude cachait des milliers de dollars dans sa machine à coudre ; c'était un début. En comptant l'argent, il songeait qu'il achèterait la veste de cuir qui lui faisait envie depuis deux mois, celle que Claude lui avait promise sans la lui offrir.

Il n'avait plus besoin d'elle, plus besoin de ses cadeaux, il s'achèterait ce qu'il voudrait, maintenant. Il savait très bien que Claude remettait l'achat de la veste parce qu'elle lui irait parfaitement, attirerait le regard d'autres femmes sur lui. Et Claude ne voulait pas le partager. Il se sentit épuisé subitement et s'allongea sur le canapé de velours marron.

À son réveil, la maison lui parut anormalement calme ; il s'était pourtant accoutumé à ce silence ces derniers temps, à vivre seul. Il s'étira, but du jus, regarda l'argent sur la table du salon et le recompta. Il prit les deux clés qu'il avait découvertes avec l'argent. Il savait maintenant qu'elles ouvraient un coffre à la banque, Claude avait dicté un court message à Françoise avant de mourir. Le silence l'angoissa et il se décida à sortir. Il irait acheter la veste de cuir au centre commercial. Ce serait son premier geste d'homme libre.

Alors qu'il ressortait de la boutique, il croisa trois étudiants du cégep, qui s'immobilisèrent en le reconnaissant. Arnaud finit par dire qu'il avait appris pour la mort de sa mère et que c'était triste.

Trevor haussa les épaules en se demandant comment la nouvelle avait pu se répandre aussi vite et si Arnaud accepterait de lui vendre du pot ou du hasch.

Arnaud parut surpris mais indiqua les toilettes à Trevor ; il acceptait bien sûr de le dépanner. Ça tombait bien, il avait un peu de stock sur lui. Trevor paya sans discuter les vingt dollars exigés. Et s'il devenait un client régulier ? Il fallait le traiter gentiment.

— Eh ! On va fumer, justement. Viens-tu avec nous ?

— Moi ?

— Peut-être que tu ne peux pas à cause de ta mère…

— C'est ça, répondit Trevor.

À cause de sa mère. Parce qu'il avait peur de tout révéler s'il fumait avec Arnaud et Jamel. Il allait se geler en solitaire. En buvant de la bière.

Arnaud, Fabrice et Jamel le suivirent lorsqu'il sortit du centre commercial, et il se sentit obligé de leur proposer de les déposer où ils le souhaitaient. Ils sifflèrent en voyant la voiture de Claude.

— Wow ! C'est à toi, l'Acura ? s'exclama Jamel.

Arnaud lui donna un coup de coude dans les côtes ; si la voiture était à Trevor, on l'aurait vue avant au cégep.

— C'est à…

— Ta mère, compléta aussitôt Jamel. Excuse-moi, je n'ai pas réfléchi.

— Ce n'est pas grave. Ça ne change rien. Elle est morte de toute façon.

Jamel et Arnaud dévisagèrent Trevor tandis qu'il appuyait sur la commande pour déverrouiller les portières. Ils se glissèrent dans le véhicule en songeant que Trevor avait toujours été bizarre. Ils savaient que le père de Trevor avait été mêlé à toutes sortes d'histoires, qu'il avait été tué à Miami. Cependant, à Rimouski, tout le monde s'entendait pour dire qu'on n'avait rien à reprocher à sa veuve et à son fils. Des étudiants avaient bien essayé de faire parler Trevor de son père, sans réussir. Il restait dans son coin. Bizarre. Arnaud se demanda si des étudiants iraient à l'enterrement, s'il devait y aller, se montrer sympathique. Ce serait tout de même mieux si Trevor se fournissait auprès de lui plutôt qu'auprès du gros Frank. Peut-être qu'il hériterait? Qu'il aurait des milliers de dollars à dépenser…

En descendant de l'Acura, Arnaud remercia Trevor et ajouta qu'ils devraient manger ensemble, un soir.

Trevor hocha la tête sans répondre avant de redémarrer. Il s'arrêta au dépanneur, fit le plein de chips, de pizzas pochettes et de bière, et rentra à la maison. Le répondeur clignotait, mais Trevor attendit d'avoir bu une bière avant d'écouter les messages.

Françoise lui laissait le numéro d'un centre d'aide pour les personnes endeuillées, celui du psy attaché à l'hôpital et celui d'un complexe funéraire. Trois voisines lui offraient leurs condoléances et l'une d'entre elles, Jacqueline, proposait de l'aider à tout organiser pour la cérémonie. Il la rappela immédiatement. C'était la seule voisine qu'il appréciait parce qu'elle ne lui posait jamais de question. Paradoxalement, il avait parfois eu envie de se réfugier chez elle et de tout lui raconter, mais il avait trop peur qu'elle ne le croie pas. Elle aurait cessé de lui sourire, de lui prêter des livres. C'était une chance qu'elle soit plus âgée que Claude, sinon celle-ci aurait été jalouse et l'aurait empêché de lui emprunter des bouquins.

— Mon pauvre Trevor, dit Jacqueline. J'ai de la peine pour toi. Es-tu chez vous ? Veux-tu qu'on prenne un café ensemble ?

— Merci. Je veux seulement savoir ce qu'il faut faire.

— Je t'ai préparé une liste.

Le numéro du complexe funéraire était le même que celui que lui avait donné Françoise. Il refusa que Jacqueline se charge de cet appel, mais accepta qu'elle s'occupe de la cérémonie qui suivrait la crémation. Il raccrocha pour appeler le notaire à qui Claude avait confié ses dernières volontés. Il voulait prendre rendez-vous, espérant que celui-ci aurait des choses à lui révéler. Il s'entretint ensuite avec l'employé des services funéraires et convint de passer le lendemain choisir le cercueil. On lui donna le numéro du quotidien dans lequel on devrait annoncer la mort de Claude.

— Pourquoi l'annoncer ?

— Parce que ses amis voudront être avertis.

Trevor nota le numéro tout en songeant que c'étaiti-nutile ; Claude n'avait pas plus d'amis que lui. Néan-moins, quelques secondes plus tard, il téléphona aux services des annonces du *Rimouskois* au cas où sa mère biologique attendrait la mort de Claude pour se manifester, comme il l'avait vu dans un film améri-cain. Et si elle habitait Rimouski, s'il l'avait croisée plusieurs fois sans le savoir ? Si elle l'aimait mais avait été obligée de renoncer à lui à cause de Marcus ?

Oui, peut-être que tout était la faute de Marcus. Qui aurait résisté à son père, à cet homme aux colères dévastatrices et aux inquiétantes relations ?

Rimouski, 13 mai

La ceinture de l'imperméable de Trevor se coinça lorsqu'il referma la portière de la voiture, et il faillit perdre l'équilibre. Il rouvrit la portière, tira la ceinture en sacrant, mais elle demeura coincée. Il donna un coup sec, puis un autre, sentit son pouls s'accélérer ; il détestait que les objets lui résistent. Il eut subitement envie de découper cette ceinture en morceaux pour les brûler. Il aurait dû mettre son nouveau blouson. Pourquoi avait-il cru bon de porter le vieux Burberry de Marcus Duncan pour aller à la banque ? Pour se faire respecter ? Pour paraître plus âgé ? Il détenait les clés du coffre de Claude. Il était majeur ; de quoi d'autre devait-il se soucier ? Dans l'enveloppe laissée à son intention à Françoise, Claude lui avait indiqué le numéro du coffre, avait signé un document autorisant Trevor à y accéder, et donné le nom du directeur de la banque avec qui elle avait toujours fait affaire. Au cas où il y aurait un problème. Et pour le conseiller quand il aurait touché son héritage. Mais il ne pouvait pas y avoir de souci, car il détenait les clés. Elles étaient moites tant il les tenait serrées dans sa main gauche.

Il verrouilla la portière de l'Acura ; l'établissement bancaire lui parut plus vaste, plus écrasant. Il s'avança vers la succursale avec l'impression que tous ses gestes étaient au ralenti, qu'il marchait dans des sables mouvants, que ses jambes ne lui obéissaient plus. Il atteignit pourtant le comptoir où une femme l'accueillit avec le sourire. Trevor lui présenta le document où étaient inscrits le nom de sa mère et le numéro du coffre.

L'employée précéda Trevor, qui la suivit vers la salle des coffres.

— Je ne suis pas loin si vous avez besoin de moi, dit-elle après le déverrouillage.

Trevor s'efforça de sourire tandis que la femme se retirait.

Il dut s'y reprendre à deux fois pour ouvrir le coffre de métal et il sursauta quand il entendit le déclic du couvercle. Il vit des feuilles manuscrites ainsi qu'un sac en tissu noir, et un autre, en satin bleu pâle. Il le saisit délicatement et y découvrit un chausson en laine vert et bleu pâle, et une mèche de cheveux foncés. Avait-il porté ce chausson quand il était bébé ? Est-ce que c'étaient ses cheveux ? Il souleva le sac noir, étonnamment lourd, l'ouvrit et reconnut immédiatement l'arme de Marcus Duncan. Un frisson le parcourut lorsqu'il soupesa le revolver. L'arme de son père.

Apprendrait-il comment Claude l'avait récupérée en lisant les lettres déposées dans le coffre ? La première missive commençait par *Mon amour* ; c'était l'écriture de Claude. Il la laissa tomber, subitement étourdi, et, pour se ressaisir, s'efforça de consulter les documents où apparaissaient des colonnes de chiffres, des noms et des adresses. Quand il parvint à respirer plus normalement, il se pencha pour ramasser la lettre, la glissa avec les autres dans la serviette qu'il avait apportée, y mit les deux sacs avant de refermer le coffre.

En quittant la banque, il crut percevoir le regard admiratif de l'employée sur lui ; il pouvait avoir n'importe quelle femme, mais il voulait la paix.

Et lire les lettres en buvant une bière.

Il gara l'Acura dans l'allée et gravit les marches du perron de la maison en s'interrogeant sur les prochains propriétaires ; qui achèterait cette grande baraque ? Dès le lendemain, il engagerait un agent d'immeubles pour s'occuper de tout. Si les éventuels acheteurs le rencontraient, il ne pourrait faire semblant d'adorer cette demeure ni prétendre y avoir été heureux. De plus, ils se diraient qu'il était triste parce que sa mère était morte et comprendraient qu'il soit pressé de vendre. Il perdrait probablement de l'argent à cause de cette urgence. Tant pis. Tout ce qu'il voulait, c'était quitter cet endroit et ne jamais y revenir.

En ouvrant la porte arrière, il eut l'impression d'un mouvement dans la cuisine. Durant quelques secondes, il vit Claude devant le réfrigérateur et il recula, effaré, cessant de respirer. Il ferma les yeux :

Claude était morte. Il devait recevoir les condoléances des gens qui connaissaient sa mère le lendemain de dix heures à quatorze heures. La cérémonie aurait lieu à quinze heures.

Il s'avança, poussa un long soupir en voyant le rideau s'agiter à la fenêtre. Il éclata de rire avant d'arracher ce maudit voile qui lui avait fait croire au fantôme de Claude. Il revint vers le réfrigérateur, prit une bière et allait saisir un verre dans le vaisselier quand il suspendit son geste : Claude n'était pas là pour lui seriner qu'il était vulgaire de boire au goulot de la bouteille. Il avala la moitié de l'Éphémère d'un trait avant d'enlever l'imperméable de son père, le rouler en boule et le jeter au fond du garde-robe. Il y a longtemps que Claude aurait dû se débarrasser des affaires de Marcus. Pourquoi ne l'avait-elle pas fait ? Lui s'en chargerait rapidement. Il mettrait tous ses vêtements dans des cartons et irait les porter à un organisme de bienfaisance. Il passerait à la SAQ pour récupérer des boîtes qu'il remplirait avec les pantalons de son père, les robes de sa mère. Les jupes, les pulls, les soutiens-gorge, les culottes… Non, pas la lingerie. Il ne voulait pas qu'on voie les dessous de Claude, ces dessous qu'elle achetait à Québec deux fois par année. Il les brûlerait. Il brûlerait tout. Tout. Mais il garderait l'arme de Marcus Duncan. Son père avait-il tué plusieurs hommes avec ce revolver ? Où ? Quand ? Qui ?

Il termina la bière, hésita à en boire une autre, se rappela qu'il avait du pot. Fumer le détendrait. Il se ferait livrer du poulet et, en grignotant, il lirait les lettres de Claude. Quoi qu'elle ait écrit, quoi qu'elle prétende, il était maintenant libre. Libre de vivre sans obéir aux caprices de Claude, libéré de son chantage au suicide. Elle ne lui répéterait plus jamais qu'elle se tuerait s'il la quittait.

CHAPITRE 3

Québec, 13 mai

Maud Graham regardait les branches du lilas en rêvant du moment où il fleurirait. Elle adorait le parfum des grappes mauves. Encore trois semaines à attendre. Elle soupira en retournant à la cuisine, se demandant ce qu'elle préparerait à Maxime et Michaël pour souper. Le timide Michaël… Était-il réservé avec tout le monde ou seulement avec les adultes ? Ou était-elle malhabile lorsqu'elle tentait de communiquer avec lui ? Ou avec Maxime… Elle soupira avant de téléphoner à Léa pour l'inviter à souper. Ses enfants à elle étaient de jeunes adultes, maintenant ; elle pourrait l'aider à y voir plus clair.

— Qu'est-ce qui t'inquiète, au juste, avec ce Michaël ? s'enquit Léa en jetant un coup d'œil à la bouteille de vin.

— Je ne sais rien sur lui et je n'aime pas ne pas savoir.

— Déformation professionnelle…

— Tu ne t'interroges pas sur les amis de tes enfants ?

Léa acquiesça avant de prendre le verre de bourgogne rosé de la maison Colinot que lui tendait Maud.

— J'ai décidé de ne pas attendre l'été pour boire du rosé. Alain en avait gardé de l'année dernière.

Léa leva son verre, s'extasiant de la teinte si pâle du vin avant d'y goûter.

Elles trinquèrent en silence, puis se sourirent avant que Graham sorte les poitrines de poulet du réfrigérateur.

— Tu n'as pas répondu à ma question. Qu'est-ce qui te tracasse ?

— Michaël a l'air un peu perturbé.

— Perturbé ? Les adolescents sont souvent mal dans leur peau…

— C'est autre chose. Il nous regarde parfois avec une expression à la fois rêveuse et tourmentée. Je crois qu'il n'est pas content que sa mère se soit remariée parce qu'ils ont dû quitter Montréal. Mais si c'était plus que ça ? S'il avait un problème avec son beau-père ?

— Comme quoi ?

Maud haussa les épaules, elle l'ignorait.

— Je sais que Michaël a de bonnes notes à l'école. C'est même grâce à lui que Maxime a une meilleure moyenne. S'il était vraiment troublé, ça ne serait pas le cas. C'est peut-être son look gothique, ses vêtements qui lui donnent un air tragique. Ça m'agace un peu que Maxime le copie.

— Ils partagent simplement des secrets, comme tous les ados.

— Par rapport à leurs pères, je suppose. Celui de Michaël est mort quand il était bébé. Et celui de Maxime…

45

— Il a sûrement révélé à Michaël que Bruno est un ancien dealer.

— Mais pas aux autres élèves… Bruno vit au Saguenay, et Maxime ressemble à tous ces jeunes qui voient peu leur père. Il doit se contenter de dire qu'ils ne vivent plus ensemble depuis des années.

— Il reparle parfois de sa mère ?

— À peu près pas.

Léa s'empara des tomates et les coupa en quartiers en promettant à Maud d'observer attentivement Michaël.

Des bruits à la porte avertirent Léa et Maud que les adolescents étaient de retour.

Michaël tendit la main à Léa quand Maxime le lui présenta, et elle se souvint que Graham avait précisé que l'adolescent était bien élevé, très poli. Elle remarqua plus tard qu'il attendait que tout le monde ait commencé à manger avant d'attaquer le poulet basquaise, qu'il se servait de la serviette de table. Et qu'il aidait Maud à débarrasser les assiettes avant qu'elle le demande. Il paraissait désireux de plaire.

Graham venait tout juste de déposer sur la table le quatre-quarts qu'avait apporté Léa quand la sonnerie du téléphone interrompit la conversation.

Elle cessa de sourire dès qu'elle reconnut la voix de Joubert. Une fillette avait disparu dans un centre commercial.

— Depuis combien de temps ?

— Environ deux heures. La mère affirme qu'elle te connaît. Vous êtes allées à l'école ensemble. Claire Boileau. Tu t'en souviens ?

— Claire ? C'était la meilleure de la classe en anglais. Une fille gentille, tranquille.

— Elle est certaine que sa gamine a été enlevée.

— Quel âge ?

— Sept ans. Si j'ai bien compris, la mère a échappé son sac à main par terre parce qu'un jeune l'a bousculée à la sortie du centre commercial. Elle s'est penchée pour ramasser ce qui était tombé et, pendant qu'elle remettait tout dans son sac, sa fillette s'est éloignée. Et a disparu.

— Disparu ?

— C'était la folie au centre commercial, il y avait le lancement du disque d'une vedette d'albums pour enfants. Des centaines de gamins couraient partout…

— J'arrive.

Maud Graham raccrocha en se demandant ce qu'elle devait inventer comme prétexte pour quitter la maison si subitement sans dévoiler son métier à Michaël. Elle sentait que tous les regards étaient tournés vers elle.

— Je dois…

— C'est OK, Biscuit, Michaël est au courant pour tes enquêtes.

Pourquoi ne le lui avait-il jamais dit, alors ?

— Je vous laisse finir le souper. Je dois y aller.

— C'est un meurtre ? fit Michaël, les yeux brillants d'excitation.

— Non.

À cet instant, elle comprit pourquoi Maxime taisait la vraie nature de son travail ; il n'avait pas envie de passer en second, que son ami s'intéresse plus à elle

47

qu'à lui parce qu'elle exerçait un métier hors du commun. Avec toutes ces séries télévisées, Michaël devait imaginer qu'elle avait une vie passionnante.

Elle attrapa son imperméable et sortit après s'être excusée auprès de Léa.

— Tu ne touches à rien. Les garçons vont tout ramasser.

— Promis, dit Michaël sans noter le regard agacé de Maxime à son endroit.

Avant de monter dans sa voiture, Graham remarqua les nuages qui s'effilochaient à l'horizon et se réjouit que la nuit ne soit pas encore tombée. Il faisait froid, mais les jours allongeaient, promettant l'arrivée de l'été. En bouclant sa ceinture, elle se remémora Claire Boileau. Une fille calme qui n'attirait guère l'attention. Assise deux bancs derrière Graham, du côté des fenêtres. Elle réussissait bien en classe. Qu'était-elle devenue ?

Les cheveux de Claire Boileau étaient parsemés d'argent et elle parut plus petite à la détective. Elle se rua vers Maud dès qu'elle l'aperçut.

— Il faut que tu retrouves Tamara ! Il faut qu'elle revienne !

Graham s'étonna de la force avec laquelle Claire lui serrait les poignets tout en jetant un coup d'œil à Joubert qui discutait avec des policiers, établissant un plan d'intervention, une nouvelle exploration du périmètre, du quartier, vérifiant les notes qu'avaient prises les patrouilleurs en interrogeant des témoins, les commerçants.

— Je me suis baissée trente secondes pour ramasser mon sac à main, les crayons et la poupée de

Tamara. J'avais les mains pleines de sacs, mais ça n'a pas pu arriver si vite !

— Montre-moi où ça s'est passé, dit Graham en prenant Claire par le bras.

Joubert avait-il joint un des proches de Claire ? Il fallait qu'elle soit entourée des siens. Dans très peu de temps, la terreur la dominerait, elle imaginerait le pire pour Tamara.

— Est-ce que le père de Tamara est ici ?

— Non ! Dimitri est à Chicago pour son travail. Je lui ai laissé un message sur son cellulaire, mais il ne m'a pas rappelée. Il l'éteint souvent à cause des enregistrements. C'est un musicien. Il doit être en studio.

Claire se pencha vers le sol et tapota le ciment en répétant qu'elle s'était accroupie là, juste là, durant trente secondes. Peut-être moins, peut-être vingt. En se relevant, elle s'était tournée à gauche, puis à droite, avait appelé Tamara.

— Elle n'a pas répondu. Je l'ai cherchée dans le centre, je ne la voyais pas, il y avait tellement d'enfants ! Je suis ressortie. Elle n'était pas non plus dans le stationnement. Ce n'est pas possible d'enlever un enfant devant tout le monde, voyons ! Elle doit s'être perdue ! Ils ont fait une annonce, mais peut-être qu'elle n'a pas entendu. Elle a eu sept ans la semaine dernière. Elle a reçu cette poupée en cadeau, c'est ma sœur qui la lui a donnée. Elle ne serait pas partie sans Violette. Elle l'a appelée ainsi à cause de sa robe, c'est sa couleur préférée. Son manteau est aubergine, ses collants sont mauves.

La voix de Claire se brisa et elle pencha la tête avant de se mettre à pleurer. Comme Graham posait une main sur son épaule, elle se redressa, pinça les lèvres avant d'affirmer qu'elle ne pouvait pas se laisser aller.

— Tu as sûrement des amies qui pourraient venir te retrouver maintenant ? Je peux appeler quelqu'un ?

— Émilie. Émilie Mathurin.

— Tu la vois toujours ?

— C'est ma voisine, on habite à deux coins de rue. Elle a un garçon de l'âge de Tamara.

Graham composa le numéro, expliqua en quelques mots l'urgence de la situation à Émilie qui promit d'arriver rapidement au centre commercial.

Graham observa l'entrée en se demandant combien de personnes franchissaient ces portes chaque minute. Puis elle pénétra dans le centre commercial où s'activaient les patrouilleurs appelés sur les lieux pour effectuer des recherches, tant à l'intérieur qu'à l'extérieur ; les boutiques, les dépendances, les bureaux, les conteneurs et même les entrepôts réfrigérés seraient inspectés. Plusieurs agents avaient noté les coordonnées d'éventuels témoins, mais les parents accompagnés de leurs enfants n'avaient rien vu, occupés eux-mêmes à surveiller leur progéniture, et les commerçants avaient raconté le peu qu'ils savaient. L'employée d'une boutique de jouets se souvenait de Tamara, mais elle était accompagnée de Claire quand elle l'avait vue. Même chose chez un marchand de chaussures. *Idem* dans une boutique de vêtements pour enfants ; Tamara avait essayé un pull qui ne lui allait pas. Les patrouilleurs avaient tout noté, mais Graham interrogerait à son tour ces gens qui avaient peut-être vu quelque chose sans le savoir encore. Ce détail précieux qui surgirait de leur inconscient en discutant avec elle.

— Je ne lui ai pas lâché la main plus de trente secondes ! répéta Claire. On la voit sortir avec moi sur la vidéo de surveillance. Mais après, on la perd. Elle est trop petite, on ne la distingue pas parmi les gens. Je te jure, pas plus de trente secondes !

— Je te crois, les enfants sont rapides comme l'éclair… Et sur les bandes vidéo, tu n'as reconnu personne ? Un voisin ? Un commerçant ? Ça peut être ton médecin, l'enseignant de Tamara…

— Qui a pensé qu'elle était perdue ? la coupa Claire. Mais on me l'aurait ramenée. As-tu des enfants, toi ?

— J'ai un ado chez moi, commença Graham, qui…

— Est-ce qu'il s'est sauvé quand il était petit ? Ça t'a pris du temps avant de le retrouver ?

— Je ne sais pas… Je l'ai accueilli quand il était plus vieux. Est-ce que ton auto est loin ?

— Tu penses que Tamara viendrait me retrouver là ? s'écria Claire. Mon Dieu ! Peut-être qu'elle m'attend ?

Claire allait se précipiter vers une des allées du stationnement quand Graham la retint ; une policière était déjà postée près de la voiture au cas où la fillette y reviendrait d'elle-même. Les chances étaient infimes, mais la voiture était d'un vert vif unique, facile à repérer.

— Ah ? il y a quelqu'un qui l'attend ? dit Claire.

— Viens t'asseoir dans mon auto. On te préviendra dès qu'Émilie arrivera. Tu es gelée. Moi, je retourne interroger les témoins et le personnel de la sécurité. Joubert, mon collègue, s'occupe des renforts. Veux-tu du café ?

Claire hocha la tête avant de demander à Maud si elle retrouverait sa fille.

— On déploie tous nos effectifs. Je te jure que tout sera fait pour te ramener Tamara. S'il nous faut des hélicoptères, on les aura ! Tout le monde la cherche. Et je communique avec la SQ. On saura ce qui s'est passé quand Tamara a... s'est éloignée de toi.

Graham avait failli dire « a été enlevée », mais il était inutile d'alarmer davantage Claire, de nommer l'innommable. Elle regarda sa montre, Émilie Mathurin arriverait dans une quinzaine de minutes. Graham se sentait coupable de quitter Claire, mais chaque instant comptait lors d'une disparition ; plus vite elle s'entretiendrait avec les témoins, mieux ce serait. Joubert avait regroupé ceux qui étaient près de Claire lorsqu'elle s'était mise à appeler Tamara et qui étaient restés pour l'aider à la chercher. Idéalement, il aurait fallu retracer toutes les personnes qui se trouvaient au centre commercial à l'heure où Tamara avait disparu, mais c'était impossible. Et de toute manière, le responsable de la sécurité n'avait prévenu la police qu'une heure après la disparition de Tamara. Il fut le premier à être interrogé par Maud Graham.

— J'aurais dû vous appeler plus vite, s'excusa Georges Chartier. J'étais sûr que la petite n'était pas loin, qu'elle se cachait pour s'amuser ou qu'elle était au

52

magasin de jouets. Ou partie vers les manèges. C'est grand, un centre commercial. J'ai des gars à chaque porte du centre, ils n'ont rien remarqué d'anormal. On s'est tous parlé par radio quand la mère a paniqué. J'aurais dû vous avertir plus tôt… Mais à Noël, trois enfants se sont perdus et on les a tous retrouvés en une demiheure… Et il y avait autant de monde, ça courait dans tous les sens. Votre collègue a regardé les vidéos de surveillance de chaque entrée avec la mère, et on n'a pas retracé la gamine. Il faut bien qu'elle soit quelque part !

— Je les regarderai tantôt, fit Graham. En tout cas, merci d'avoir mis votre bureau à notre disposition.

— Demandez-moi n'importe quoi ! Je prends ma retraite cette année. Tout s'est toujours bien passé ici. Je ne peux pas croire qu'on a enlevé un enfant ! On n'est pas aux États-Unis !

Graham pria le policier de lui amener le prochain témoin, un homme dans la cinquantaine qui avait vu Tamara se diriger vers la boutique de jouets, mais qui avait cessé de la regarder lorsque sa femme l'avait rejoint. Les sept témoins suivants répétèrent ce qu'ils avaient dit à Joubert sans rien ajouter de nouveau, mais une jeune fille fit une réflexion qui retint l'attention de Maud Graham.

— Vous avez vu une fée ?

— Pas tout à fait une fée, mais une femme qui avait un genre de robe de fée en dessous de son imperméable. Une robe mauve…

— Mauve ? Vous êtes sûre ?

— Oui, avec du tulle et des étoiles brillantes collées sur la jupe. Je me suis demandé pourquoi elle était habillée comme ça, j'ai cru qu'elle faisait partie du lancement de la chanteuse mais, en y repensant, ça m'étonnerait. Ce n'est pas du tout le même genre. Elle avait un look romantique, alors que la chanteuse donne dans le style futuriste.

— Où l'avez-vous vue ?

— En face de la bijouterie.

— Vous pourriez la reconnaître ?

— Je ne sais pas, peut-être. Elle était blond platine, pas naturel du tout, avec une mèche qui cachait son front et ses yeux. Le col de son imperméable était relevé.

— Quelle couleur, l'imperméable ?

— Gris.

Graham lut le nom de ce témoin avant de lui demander de visionner les vidéos de surveillance.

— Ça peut prendre un peu de temps, Geneviève, mais…

— Ce n'est pas grave. Pensez-vous qu'elle est partie avec la petite fille ?

— À ce stade, on explore toutes les pistes.

— Elle souriait. Oui, ça me revient, elle souriait.

— À qui ?

— À la fillette, elle semblait vraiment contente, fit Geneviève.

Elle ferma les yeux quelques secondes pour mieux revoir l'image de la femme dans sa mémoire avant de répéter qu'elle était ravie.

— Je vous installe devant les vidéos. Marcotte, mon collègue, reste avec vous, tandis que je continue les interrogatoires.

En interrogeant les témoins suivants, Graham ajouta une question concernant cette femme à l'imperméable gris, mais seul un adolescent l'avait vue, lui aussi. C'étaient les cheveux de la femme qui l'avaient frappé, car ils étaient de la même couleur que ceux d'une des perruques de sa mère qui avait un cancer. Graham revint vers Geneviève ; la femme portait-elle une perruque ?

— Ça se peut, les cheveux brillaient beaucoup. Ça pouvait faire partie de son déguisement.

— Regardez toutes les femmes, ne cherchez pas seulement une blonde sur les vidéos.

— J'ai compris.

Un appel de Joubert confirma l'arrivée d'Émilie Mathurin. Elle était auprès de Claire et tentait de la réconforter.

— On a peut-être quelque chose ici, une femme blonde. Mon témoin la cherche sur les vidéos. Je veux que tu donnes sa description à tous les hommes. Elle portait une robe mauve avec des étoiles brillantes. Un genre de costume de fée. Et elle était avec une petite fille qui était habillée de la même couleur. C'est peut-être un hasard, mais…

— Je n'aime pas ça, marmonna Joubert.

— Moi non plus. Elle a eu tout le temps de se changer, dit Graham avant de couper la communication.

Elle parcourut les témoignages, mais aucun ne mentionnait une blonde. Chacun répétait qu'il y avait trop de monde pour remarquer quoi que ce soit.

La nuit serait longue.

CHAPITRE 4

Le soleil pénétrait dans la chambre de Maud Graham et elle écoutait les oiseaux qui s'égosillaient dans la cour depuis l'aurore ; elle s'était réveillée avant eux, avait peu et mal dormi. À peine trois heures. Tout comme Claire qui avait probablement refusé les somnifères qu'on lui offrait afin d'avoir toute sa tête si les ravisseurs se manifestaient, si une bonne âme téléphonait pour dire qu'elle avait retrouvé Tamara, qu'elle la ramenait saine et sauve. Elle serait encore plus fragile aujourd'hui, mais, heureusement, son conjoint serait auprès d'elle. Qu'est-ce qui attendait chacun d'eux ce matin ? Tous les policiers étaient sur le pied de guerre et feraient du temps supplémentaire ; la disparition d'un enfant suscitait les pires craintes…

Si la Fée avait enlevé Tamara parce qu'elle était cinglée et voulait jouer à la maman avec elle, on avait des chances de retrouver la gamine. Et peut-être qu'elle ne l'avait pas maltraitée. On avait fait agrandir l'image où elle apparaissait, tenant Tamara par la main devant la bijouterie. Tamara souriait, le visage tourné vers la droite comme si elle avait vu quelque chose qui lui plaisait. Ou quelqu'un. On avait envoyé cette photo dans tous les postes de police du pays, dans tous les hôpitaux, CLSC, cliniques du Québec en espérant qu'un médecin, une infirmière ou un psy reconnaîtrait la Fée. Prochaine étape : la diffusion de cette image dans les journaux ce matin. Il y aurait bien quelqu'un qui saurait les renseigner ; la Fée n'était pas une itinérante si on se fiait aux vêtements qu'elle portait. Qui était-elle ?

La veille, Graham avait vu des dizaines de photos de Tamara chez Claire en allant lui montrer celle de la Fée. Celle-ci ne l'avait pas reconnue et s'était effondrée en sanglotant ; cette femme devait lui rendre sa fille ! Tandis qu'Émilie tentait de la calmer, Maud Graham avait exploré la maison pour comprendre dans quelles conditions vivait Tamara. Elle avait ainsi visité une maison chaleureuse, une jolie chambre d'enfant et avait remarqué que Tamara riait aux éclats sur les photos qui ornaient les murs du long corridor menant au salon.

— Elle semble très joyeuse, avait dit Graham.

— Oui. Mais elle est capable de piquer des colères quand elle n'a pas ce qu'elle veut. Il faut vraiment qu'on la raisonne. Je ne veux pas d'une enfant gâtée qui fait des crises quand elle est contrariée. Nous ne lui rendrions pas service, elle doit apprendre qu'on ne peut pas... Mon Dieu !

Claire avait laissé tomber le cadre qu'elle tenait trop fort entre ses mains.

— Je venais de lui refuser une robe. Une heure avant qu'elle... disparaisse. Je pensais qu'elle l'avait oubliée, mais elle doit être retournée au magasin.

— Oui, tu m'as raconté tout ça.

— Je ne sais plus ce que je dis, avait murmuré Claire. J'ai l'impression de devenir folle ! Vous allez la retrouver ? Elle a peur du noir. Elle ne dort pas la nuit si elle n'a pas sa veilleuse. J'aurais dû lui acheter la robe.

Émilie lui avait alors passé une main sur le front, offert une tisane, promis qu'elle resterait avec elle jusqu'à ce que Dimitri soit de retour et qu'elle repousserait les journalistes.

— Je vais poster des patrouilleurs pour s'en charger, avait assuré Graham.

— Mais ce serait peut-être bien que la personne qui est partie avec Tamara sache que je ne lui veux pas de mal ? Que je veux juste qu'elle me ramène ma fille ?

Graham avait secoué la tête ; dans l'immédiat, il valait mieux rester discrète. La photo de Tamara ferait dès le lendemain la une du *Journal de Québec*. Des gens réagiraient. On recevrait des appels au poste toute la journée, des dizaines de rapports seraient rédigés, tandis que les aiguilles de l'horloge poursuivraient leur course, dépasseraient peut-être les fatidiques vingt-quatre premières heures. Tous les policiers savaient que les chances de retrouver Tamara vivante chuteraient après la première journée. Même s'ils n'étaient pas superstitieux, plusieurs avaient pensé que ce vendredi 13 n'augurait rien de bon.

Graham redoutait que ce samedi soit aussi merdique que la veille. Léo sauta sur le lit pour frotter son museau contre son avant-bras ; il était prêt à sortir pour surveiller de plus près tous ces volatiles qui le narguaient dans le jardin, et Graham se décida enfin à se lever pour lui ouvrir la porte de la cuisine. Elle remplit ensuite la bouilloire et choisit du Sencha Ashikubo en espérant que le thé lui éclaircirait les esprits.

La disparition ne semblait pas être une affaire intrafamiliale. Joubert avait rapidement obtenu des informations sur Dimitri Hanzoff. Originaire de Chicago, il vivait avec Claire depuis dix ans, comme elle le lui avait raconté. Il était aux États-Unis depuis une semaine quand Tamara avait disparu. Sa présence avait été vérifiée là-bas. Il était arrivé à L'Ancienne-Lorette par le dernier vol de la soirée. Claire lui reprocherait peut-être d'être parti en studio loin de la maison. La veille, elle avait confié à Maud qu'elle supportait de moins en moins bien que Dimitri quitte Québec pour ses tournées, ses séances d'enregistrement.

— Ça ne me dérangeait pas, au début, avait-elle confié à Graham. Mais il aurait dû être là ! Si on avait été ensemble tous les trois au centre commercial, Tamara n'aurait pas disparu, un de nous deux l'aurait rattrapée, c'est sûr !

Graham avait écouté Claire en se demandant comment son couple résisterait à l'épreuve si l'issue était fatale. Se sentant coupable, Claire chercherait à partager ce fardeau avec Dimitri, lui ferait porter une part des responsabilités. Dimitri pourrait à son tour lui reprocher d'avoir lâché la main de leur fille. Tous leurs amis, leurs parents auraient beau répéter qu'ils n'étaient pas coupables de cette disparition, leurs paroles ne les rejoindraient pas dans la douleur.

Après avoir bu trois tasses de thé, Maud Graham sentit renaître son énergie et disparut sous la douche. Devant le miroir, elle examina son visage ; Claire avait l'air plus jeune qu'elle, mais Émilie avait vraiment vieilli. Trop de soleil. Graham se souvenait qu'elle allait dans le Sud chaque année avec ses parents. Elle la trouvait enfant gâtée à l'époque, mais peut-être était-elle jalouse d'elle puisqu'on ne voyageait jamais dans sa famille. Émilie semblait être une femme de tête, pas du tout la fille capricieuse qu'elle se rappelait. Et elles, comment la voyaient-elles ? D'autres filles de l'école, toujours amies avec Claire, iraient-elles la soutenir aujourd'hui ? Que penseraient-elles de cette ancienne compagne de classe qui enquêtait sur la disparition de Tamara ?

Maud Graham fit rentrer Léo après avoir écrit un mot à Maxime ; elle appellerait dans la journée. Probablement qu'il mangerait avec Alain quand ce dernier reviendrait de Montréal. Il y avait deux pizzas dans le congélateur et de la blanquette de veau.

Joubert arriva dix minutes après elle au poste ; il n'avait pas tellement dormi, lui non plus. Il tenait *Le Journal de Québec*. Tamara souriait à la une.

— On ne pourra pas se reposer tant qu'on n'aura pas retrouvé la gamine, soupira Graham. Je m'inquiète quand Maxime tarde à rentrer à la maison. Imagine-moi avec une fillette de sept ans !

— Moi, j'aimerais avoir des enfants, confia Michel Joubert avant d'avouer à Graham qu'il redoutait plus que tout de devoir identifier le corps de Tamara Boileau-Hanzoff.

— On ne s'habitue pas à ça. Jamais.

— Si c'est la Fée qui l'a enlevée, on a peut-être des chances ; si elle a agi pour elle-même. On a juste une image d'elle avec la gamine.

— Il y a peut-être un homme derrière tout ça, suggéra Graham. Ou un réseau.

— Si la Fée l'a enlevée parce qu'elle veut un enfant, elle n'a pas de raisons de la tuer.

Alors que Joubert tentait de se convaincre que tout pouvait bien se terminer, Graham savait que la Fée serait déçue par Tamara. Les premières minutes, les premières heures, peut-être, la gamine verrait un jeu dans le fait de pénétrer dans une nouvelle maison, se gaverait de bonbons, découvrirait de nouveaux jouets, mais elle réclamerait ensuite sa mère. Et la Fée se mettrait en colère contre Tamara, la trouverait ingrate de ne pas apprécier tous ses petits cadeaux. Que ferait-elle alors ? La ramènerait-elle au centre commercial ? Si elle portait une perruque, c'était qu'elle avait prémédité son geste, elle était peut-être déséquilibrée, mais elle n'était pas idiote. Revenir au centre commercial serait trop dangereux pour elle. Alors quoi ? Comment se débarrasserait-elle de son fardeau ?

Jusqu'où irait sa rage de voir son rêve s'écrouler ?

— Il faut qu'on sache qui est cette femme ! s'écria Joubert.

— On aura peut-être des nouvelles avec la photo qui est parue dans les journaux. On l'a vue aussi à la télé.

— En attendant, on revoit les vidéos ? Si quelque chose nous a échappé…

Ils visionnaient depuis vingt minutes les bandes que leur avait remises Georges Chartier quand un appel les fit sursauter. Graham inspira en répondant, croisa les doigts.

— C'est Carole, à l'Hôtel-Dieu. Pourquoi nous avez-vous envoyé la photo d'Agnès ? Que lui est-il arrivé ?

— Agnès qui ?

— Agnès Giroux.

— Tu la connais bien ?

— Elle a fait du bénévolat auprès des enfants.

— Où peut-on la trouver ?

— Chez elle.

— Son adresse ?

— Je n'ai pas ça sous les yeux. Il faut que je vérifie…

— On te retrouve à l'hôpital dans dix minutes, la coupa Graham. Est-ce que cette femme voit toujours les jeunes malades ?

— Non.

— Pourquoi ?

— Elle a fait une dépression, mais elle va mieux aujourd'hui. Elle a changé de look. Avec ses cheveux blonds, j'ai failli ne pas la reconnaître.

Joubert s'installa au volant et ils gagnèrent l'hôpital sans dire un mot. C'était inutile, ils pensaient à une seule et même chose : de quelle manière aborder la fée Agnès. Pouvait-elle avoir une réaction trop vive si elle se sentait menacée ? Carole avait parlé d'une dépression, mais si c'était plus grave ?

— Qu'est-ce qui s'est passé ? demanda Carole en s'approchant des enquêteurs.

— On ne sait pas. On a vu Agnès sur des vidéos de surveillance d'un centre commercial où une fillette a disparu hier soir. Elle la tenait par la main. Elle semble être la dernière personne à avoir été vue avec la fillette... Donne-moi son adresse.

Carole tendit une feuille à Joubert.

— C'est juste à côté d'ici, elle habite rue Sainte-Monique. Mais elle n'a certainement rien à voir avec la disparition de la gamine.

— Nous avons un témoin qui a dit qu'elle avait un regard étrange. Et qu'elle portait un déguisement sous sa robe.

— C'est normal, elle se déguise pour des fêtes d'enfants. Elle est comédienne, animatrice, jongleuse.

Graham frémit, se remémorant un certain magicien qui s'approchait ainsi de ses proies. Il y avait des années qu'elle avait arrêté Robert Fortier, mais elle n'oublierait jamais à quel point elle s'était sentie humiliée lorsqu'elle avait appris que cet homme qu'elle croisait régulièrement était un dangereux pédophile et qu'elle n'avait rien deviné. Elle détestait les magiciens de tout acabit depuis.

— Il y a longtemps que tu la connais ?

— Deux ans.

— Elle est déséquilibrée ?

Carole haussa les épaules ; qu'est-ce que ça voulait dire aujourd'hui ?

— Elle ne ferait pas de mal à une mouche, je vous le jure.

— Le médecin ! Trouve-moi son médecin.

— Il est en Floride. Agnès n'a sûrement rien à voir avec la petite ! Je vais lui téléphoner.

— Non, nous y allons.

Carole se mordit les lèvres, hésitante.

— Soyez gentils avec elle.

Le soleil créait une mosaïque d'or et d'étain sur les remparts de Québec et faisait miroiter les vitres du domicile d'Agnès Giroux, empêchant Maud Graham et Michel Joubert, éblouis, d'y distinguer quoi que ce soit.

— Je sonne, décida Graham, le cœur battant. Reste derrière, qu'elle ne se sente pas menacée, qu'elle ne voie pas ça comme une intrusion.

— Je ne comprends pas que personne ne l'ait reconnue avant Carole.

— Elle a décoloré ses cheveux ; l'image de la bande vidéo est floue.

— Mais elle-même aurait dû nous appeler. Elle doit avoir vu la photo de Tamara dans le journal, comme tout le monde !

— Il est très tôt, et elle n'est peut-être pas encore au courant.

Comment cinquante secondes peuvent-elles paraître aussi longues ? songea Graham en attendant qu'Agnès Giroux ouvre la porte.

Elle vit enfin une main fine écarter le rideau de dentelle, un visage délicat l'observer derrière les carreaux de la porte qui finit par s'entrouvrir.

— Oui ?

— Je m'appelle Maud Graham. C'est Carole, à l'hôpital, qui m'a donné vos coordonnées. Elle m'a dit que vous êtes comédienne.

64

Agnès acquiesça, puis elle sourcilla ; quelle heure était-il ?

— Trop tôt pour vous déranger, admit Graham, mais vous animez bien des fêtes d'enfants ?

— Oui, ça arrive. Vous avez besoin de moi ? Habituellement, les gens m'appellent.

— J'étais à côté, à l'hôpital. Je passais par ici. J'aime me promener sur les remparts. Vous êtes chanceuse d'habiter dans ce coin-ci.

— C'est un peu bruyant l'été avec les touristes.

— Je peux entrer ? fit Graham en s'avançant résolument.

Agnès Giroux eut une hésitation, mais sourit en s'écartant pour la laisser passer. Elle avait failli arriver en retard à la fête d'enfants, la veille, dans une luxueuse résidence de Sainte-Foy, mais tout s'était finalement bien déroulé. Les parents du gamin fêté l'avaient même payée plus cher que ce qui était entendu. Et si cette femme avait besoin de ses services, elle ne pouvait refuser ce contrat.

Graham comprit tout de suite qu'il y avait peu de chance que la Fée Agnès cache un enfant chez elle. Un seul rideau séparait la partie chambre du reste du studio, et la porte de la salle de bain, à l'avant, était ouverte. Il y avait bien des jouets qui traînaient par terre, mais Agnès devait les utiliser pour ses numéros.

— Vous vivez ici depuis longtemps ?

— Quelques mois. Qu'est-ce que vous voulez, au juste ?

Le débit d'Agnès s'était accéléré, trahissant son anxiété.

Graham repoussa un rideau devant ce qui tenait lieu d'armoire.

— Qu'est-ce que vous faites ?

— Je vous ai menti, avoua la détective. Je m'appelle Maud Graham et je mène une enquête sur la disparition d'une fillette.

Agnès fronça les sourcils sans comprendre.

— Quelle fillette ? La petite Sophie ou Jasmine ?

— Sophie ou Jasmine ?

— Mes voisines. Ce sont les seules fillettes dans les rues autour…

— Je vous parle de la gamine que vous avez rencontrée hier au centre commercial.

— Au centre commercial ? Comment savez-vous que j'étais là ? Je ne comprends rien à ce que vous me dites ! Qu'est-ce qui me prouve que vous êtes vraiment dans la police ? Je devrais peut-être appeler au poste…

— Je vous en prie, assoyez-vous. Nous avons besoin de votre aide. Si vous êtes d'accord, je vais demander à mon collègue de venir nous rejoindre.

— Non ! Je ne le connais pas ! s'écria Agnès en reculant vers le coin cuisine. Je ne vous connais pas !

La réaction d'Agnès fut si soudaine que Graham sursauta avant de comprendre que la jeune femme était terrifiée.

— Pardonnez-moi, fit Graham d'une voix douce en retournant vers la porte d'entrée, j'aurais dû vous appeler, effectivement. Préférez-vous qu'on discute ailleurs ?

Agnès hésita, finit par demander de quelle fillette il s'agissait.

Graham tira une photo de Tamara, expliquant qu'elle avait disparu du centre commercial.

— On vous voit sur une bande de surveillance vidéo avec elle. Devant la bijouterie.

— Tamara ?

— Elle portait un chandail mauve. Vous avez parlé avec elle devant le magasin de jouets.

— Ah ! Elle ? Elle est têtue !

Agnès sourit avant d'expliquer que Tamara l'avait abordée pour la complimenter sur les étoiles de sa robe de tulle et l'avait ensuite suivie, la prenant spontanément par la main et l'appelant la Fée des étoiles.

— Je lui ai demandé où était sa mère, mais elle m'a répondu qu'elle était venue toute seule au centre commercial. C'était faux, bien évidemment. Je ne savais pas trop quoi faire avec elle quand un agent de sécurité s'est approché, et la petite a couru vers lui.

— Couru ?

— Oui, elle le connaissait, elle s'est mise à rire en le voyant, lui a parlé d'un chien…

Agnès porta la main à son front. Avait-elle confié un enfant à un ?...

— Elle le connaissait. Elle m'a tout de suite lâché la main pour le rejoindre. Je n'ai pas pensé que… Ce n'est pas possible !

Graham eut tout juste le temps de soutenir Agnès Giroux avant qu'elle s'évanouisse. Elle la traîna jusqu'au futon et s'empressa d'aller mouiller une serviette d'eau froide dans la salle de bain.

— Agnès ?

— Qu'est-ce qui s'est passé ?

— Vous avez eu un malaise…

Agnès gémit en secouant la tête.

— Je n'y suis pour rien. Jurez-moi que ça ne va pas recommencer… Ce n'est pas possible.

— De quoi parlez-vous ?

— D'Annabelle Fortin !

— Vous voulez bien que je prépare du thé ? Me permettez-vous d'appeler mon collègue ? Il doit s'inquiéter de ne pas me voir revenir.

Agnès battit des paupières en signe d'assentiment.

Joubert comprit tout de suite, au timbre de sa voix, que Graham ne croyait plus tellement en la culpabilité de cette suspecte.

— On doit revoir les bandes vidéo, retrouver cet homme que connaît apparemment Tamara.

— Je fais venir Georges Chartier, de la sécurité, pour qu'il nous parle des gars qui travaillent pour lui.

— Qu'il nous apporte des photos de chacun d'eux, ajouta Graham avant de revenir vers Agnès Giroux qui s'était relevée et la rejoignait, prenait une bouilloire et la remplissait d'eau.

— Qui est Annabelle Fortin ?

— La petite fille que j'ai perdue. À Baie-Saint-Paul. C'était à une fête. Mais il y avait trop d'enfants, je ne pouvais pas tous les surveiller et faire mon numéro de magie en même temps. Annabelle s'est éloignée du groupe et je ne m'en suis pas aperçue. Les autres adultes non plus, mais le père a dit que c'était ma faute. Annabelle est tombée dans la rivière et s'est noyée.

Agnès se mit à pleurer en jurant qu'elle ne s'approcherait plus jamais d'un enfant, qu'elle portait malheur.

— Ce n'est pas vous qui êtes responsable, lui assura Graham.

Elle songea qu'il fallait qu'Agnès voie au plus vite les photos des gardes de sécurité du centre commercial, qu'elle identifie le type avec qui Tamara s'était éloignée.

— Vous sentez-vous capable de nous aider ?

Agnès ricana. Elle ? Être bonne à quelque chose ? Elle gâchait toujours tout.

— Vous devriez fouiller partout pour être certaine que je ne cache pas la petite fille. Allez-y ! Je ne veux pas qu'on m'accuse encore de…

— Je vous crois !

Agnès s'agitait. Dans la salle de bain, elle tira le rideau de douche, repartit vers le fond du studio pour écarter les tentures devant l'armoire, ouvrit toutes les portes.

— Agnès, calmez-vous, je ne vous accuse de rien. Vous êtes au contraire la seule qui peut reconnaître l'homme vers qui Tamara a couru. Si c'est lui qui l'a enlevée, on a besoin de vous. Si vous l'identifiez, on pourra ensuite montrer sa photo aux parents, savoir s'ils le connaissent, établir ou non des liens.

Agnès plissa les yeux lorsqu'elles quittèrent l'appartement, s'immobilisa quelques secondes.

— J'aime le soleil. C'est bon pour moi de m'exposer à la lumière.

— Tout est plus facile quand il fait beau, approuva Graham.

Combien de banalités pouvait-elle proférer lors d'une enquête ? Des dizaines de phrases creuses, mais rassurantes.

— On se rend au poste, vous regardez les photos des agents de sécurité et les vidéos, et un patrouilleur vous ramènera ensuite ici. Vous pourrez répéter vos numéros de jonglerie. C'est Carole qui m'a dit que vous vous débrouillez bien avec des balles.

Agnès se résigna à suivre Graham.

Joubert lui ouvrit la portière, tandis que Graham renonçait à l'envie d'actionner la sirène pour éviter d'alarmer sa passagère. Graham espérait, tout en le redoutant, qu'Agnès-la-Fée identifie l'agent de sécurité. On n'avait aucune bande montrant Tamara avec un homme, mais Agnès le reconnaîtrait peut-être parmi les agents.

Avant toute chose, elle devait s'assurer qu'Agnès Giroux n'avait vraiment rien à voir avec la disparition de l'enfant. Elle devait l'interroger de façon plus formelle, vider le sujet. N'avoir aucun doute sur son innocence.

Maxime désigna l'écran de télévision à Michaël, appela Alain qui venait de déposer sa valise.

— Regardez, c'est sûrement la petite fille qui a disparu.

À l'écran défilaient en boucle des images de Tamara Boileau-Hanzoff, ainsi qu'un numéro de téléphone.

— Ma mère capotait là-dessus, ce matin ! confia Michaël. On dirait que c'est elle qui a perdu sa petite fille.

— Que veux-tu dire ? s'enquit Alain.

— Je sais bien qu'elle a de la peine parce qu'elle n'est pas encore enceinte, je l'ai entendue en parler avec Joël la semaine dernière. Mais l'enlèvement la vire à l'envers. Elle ne veut pas regarder les nouvelles à cause de ça.

— Peut-être qu'elle a peur que ça t'arrive, observa Maxime.

— Pas à notre âge, rétorqua Michaël. Qui pourrait m'enlever en plein centre commercial ?

— Tu serais étonné du nombre d'adultes qui disparaissent sans qu'on les retrouve, le corrigea Alain.

— En tout cas, Marie-Catherine est bizarre. Je ne sais pas comment Joël fait pour l'endurer. Toi, tu es chanceux, Maxime. Maud n'est pas toujours sur ton dos. Ma mère, elle, rentre tous les soirs, ne sort que pour aller souper au restaurant avec Joël le samedi.

— Dans le fond, c'est une bonne affaire qu'elle se soit remariée, nota Alain. Sinon tu n'aurais jamais la paix.

Le ton était malicieux, mais Alain profitait de l'occasion pour démontrer à l'adolescent qu'avoir un nouveau beau-père n'apportait pas que des ennuis.

— En plus, Joël nous offre des billets pour le show d'Usher au Colisée, c'est cool, lança Maxime.

Michaël haussa les épaules ; il n'était pas encore prêt à reconnaître les mérites de Joël, même s'il était soulagé que ce soit à lui maintenant de consoler Marie-Catherine quand elle éclatait en sanglots ou se murait dans le silence. Michaël n'avait jamais compris ces épisodes dépressifs qui frappaient sa mère une ou deux fois par année. Il n'avait jamais osé poser de questions, se demandant chaque fois s'il en était responsable, même si elle affirmait qu'il était la meilleure chose qui lui soit arrivée. S'ennuyait-elle toujours de ce père dont il n'avait aucun souvenir ? Et dont elle n'avait conservé qu'une photo. Si elle l'aimait tant que ça, pourquoi n'avait-elle pas davantage d'images de Patrick ? Ça faisait si longtemps, de toute manière. Elle était remariée, elle avait Joël dans sa vie ; pourquoi s'accrochait-elle au passé ? Comment pouvait-elle continuer à regretter son premier conjoint ? Il poussa un long soupir.

— Qu'est-ce qu'il y a ? dit Maxime.

— Rien, je suis juste content d'être ici.

— Il n'y a presque plus de lait, constata Alain. Pouvez-vous aller en acheter pendant que je prépare le dîner ? On mange du lapin au paprika fumé.

— Le lapin de chez Accords ? Pour dîner ? s'exclama Maxime.

— Avec un peu de chance, il en restera pour Maud et moi pour souper.

— Tu as vraiment eu la recette ? C'est tellement bon, Mike, on en a mangé quand on est allés à Montréal le mois dernier. J'ai même fini l'assiette de Maud.

— Et son dessert.

— À mon âge, c'est normal d'avoir faim. Je grandis.

Alain sourit en se dirigeant vers la cuisine ; Maxime devait dire au moins une fois par jour qu'il grandissait. Il n'atteindrait jamais la taille de Michaël, mais il ne serait pas aussi petit qu'il l'avait craint.

En faisant rissoler les lardons, Alain réfléchissait aux propos de Michaël, à sa mère bouleversée par la disparition de Tamara. Il eut une pensée pour Maud. Dans l'immédiat, elle devait maîtriser ses émotions, garder l'esprit clair afin que rien ne lui échappe. Il était certain qu'elle avait mal dormi et qu'elle était épuisée.

Un crépitement, une sensation de brûlure sur la main tira Alain de ses réflexions ; il remua les lardons et les oignons qui caramélisaient dans la marmite, déglaça avec le vin rouge, ajouta le bouillon, la sauce chili et la cassonade avant de retourner les morceaux de lapin qui doraient dans l'autre poêle. Il goûta la sauce, sourit, satisfait ; Maud aurait au moins le réconfort d'un bon repas à son retour. Mais à quelle heure ? Inutile de parier là-dessus… Il sortit un récipient contenant de la soupe minestrone et constata qu'il en restait à peine une portion. Maxime devait l'avoir dévorée. Il devrait aller au supermarché ; Maud n'aurait pas le temps de se charger des courses.

Qu'allait-il servir aux garçons avant le lapin ? Il jeta un coup d'œil dans le congélateur et décida de sortir des raviolis chinois au porc et bambou. Une montagne de raviolis avant le lapin. Il déboucha une bouteille d'Anjou, un Clos Médecin dont les notes fumées s'accorderaient parfaitement avec le lapin, et ne résista pas à l'envie de se servir aussitôt un tout petit verre même s'il était midi, même s'il se sentait un peu coupable d'en profiter sans Maud.

Le pashmina glissa sur les épaules de Marie-Catherine et elle frissonna. Il faisait pourtant un peu plus chaud. Joël avait même proposé de boire un café sur la terrasse et elle avait accepté de le suivre, espérant chasser ce malaise qui l'habitait depuis la disparition de la petite Tamara, la veille. Joël était persuadé qu'elle avait le cafard parce qu'elle était déçue d'avoir eu ses règles, et c'était vrai. Mais en partie seulement. Le visage de Tamara s'était imprimé dans son esprit. Elle se demandait sans arrêt où était la fillette, avec qui. La petite devait avoir très peur. À moins qu'elle soit déjà morte. Est-ce qu'on retrouverait son corps ? Marie-Catherine songeait à ses parents, à leur douleur. Elle connaissait l'anéantissement qui bannirait la joie de leur existence, qui les empêcherait, des années plus tard, d'être totalement heureux. Même s'ils avaient d'autres enfants. Une autre vie. Elle aimait profondément Michaël et Joël, mais il y avait une fissure en elle d'où s'échappaient la sérénité et la légèreté essentielles au bonheur, même de façon fugitive. Elle seule pouvait comprendre le chagrin de Claire Boileau. Malgré cela, elle n'irait pas la réconforter, car elle ne pourrait pas lui promettre que le temps arrangeait les choses. Le temps polissait le chagrin comme la mer polit un galet, mais le galet pèse toujours le même poids.

Peut-être que son chagrin était lourd parce qu'elle n'avait jamais pu en parler ? À qui aurait-elle pu s'adresser sans danger ?

En voyant Joël revenir de la cuisine, elle s'en voulut de lui cacher son passé. Mais qu'aurait-elle pu raconter, au juste, alors qu'elle errait dans les limbes ?

Sous la lumière déprimante des néons, Agnès Giroux paraissait encore plus blême, plus frêle, et

Maud Graham se sentait coupable de ne pas lui prodiguer davantage de réconfort, mais la lenteur de celle-ci l'exaspérait et elle se réjouissait que Joubert réussisse à montrer plus de patience qu'elle, car brusquer Agnès Giroux ne servirait à rien. Bien au contraire, elle se refermerait sur elle-même, et aucun détail ne lui reviendrait à l'esprit. Elle avait déjà répété plusieurs fois qu'elle ne voyait pas ce qu'elle pouvait ajouter à la description du gardien de sécurité, mais les enquêteurs insistaient ; n'y avait-il pas un détail qui leur permettrait de mieux définir cet homme ? Un seul petit détail, c'était tout ce qu'ils souhaitaient.

— Je vais chercher des cafés, proposa Graham. Qui en veut ?

Joubert secoua la tête, il avait sa dose de mauvais café. Agnès Giroux refusa ; elle était déjà bien assez nerveuse.

— Je sais qu'on exige beaucoup de vous, fit Joubert d'un ton rassurant. On n'en a plus pour très longtemps. Nous allons simplement regarder une dernière fois les photos des employés de la sécurité et les vidéos de surveillance. Au cas où quelque chose vous aurait échappé tantôt. Vous voulez bien ?

Maud Graham sortit de la salle d'interrogatoire et se dirigea vers la machine à café en réfléchissant. Elle devait trouver l'homme avec qui Tamara s'était volatilisée. Qui était-il ? Elle avait interrogé Claire et compris très vite qu'il n'était pas parent avec elle ou Dimitri. Claire n'avait qu'un oncle encore vivant qui habitait à Bruxelles, et la famille de Dimitri résidait à Varsovie ou à Chicago. On avait bien sûr appelé tous ces gens qui avaient été atterrés, la veille, d'apprendre la disparition de l'enfant, mais aucun d'entre eux n'avait bougé de son domicile. Il y avait bien deux voisins que Tamara aimait beaucoup, mais elle les appelait par leurs prénoms. Qui était cet homme? La description qu'Agnès avait donnée pouvait correspondre à tant d'individus que Graham s'interrogeait; y avait-il une chance que le portrait-robot soit assez juste pour retenir l'attention des lecteurs du quotidien, des téléspectateurs? Front large; cheveux bruns; yeux foncés; nez ni court, ni long, ni large; moustache; menton ordinaire. Agnès avait même déploré qu'il soit si quelconque; elle n'était pas certaine de le reconnaître si elle le voyait.

Où Tamara l'avait-elle rencontré? Puisqu'on ne pouvait pas compter sur les informations trop floues d'Agnès, il fallait interroger tous les voisins de la fillette, le personnel de l'école qu'elle fréquentait, ses amis et leurs parents. Faire une enquête de proximité. Deux, dix, cent s'il le fallait!

Graham appela Tiffany McEwen et la chargea de ces rencontres.

— Prends Marcotte avec toi. Il a trois enfants, il saura comment leur parler. Amène aussi France Bayard et Jean-Pierre Fleury. Je vous appellerai quand on aura fini ici.

— Tu es déçue.

— Un homme brun de taille moyenne sans signe distinctif… Ça correspond à une bonne partie de la population.

— Pourquoi Agnès a-t-elle confié Tamara à ce bonhomme-là ?

— La petite a couru vers lui en riant. Elle était certaine qu'elle connaissait bien cet homme, et il portait un uniforme. Elle a cru qu'il faisait partie de la sécurité du centre commercial.

— Notre suspect portait peut-être cette tenue dans le but d'inspirer confiance…

— Il paraît que Tamara avait l'air d'aimer vraiment cet homme. Joubert vient d'envoyer le portrait-robot au bureau, imprime-le, tu pourras le montrer aux enfants et aux voisins.

— Bourque est déjà en train de le comparer avec les photos de nos délinquants sexuels mais, pour l'instant, ce visage ne lui rappelle rien. N'Guyen reverra le personnel du corps enseignant ?

— Oui. Et on refait aussi les parcours qui mènent de la maison de Tamara à celles de ses amis, on vérifie encore les commerces des alentours. On revoit tout le monde. Elle connaissait ce type !

Graham raccrocha, puis sentit aussitôt la vibration de son cellulaire contre sa hanche, soupira, craignant de reconnaître le numéro de téléphone de Claire Boileau, mais c'était Rouaix.

— On vient de recevoir l'appel d'un enquêteur. Un témoin croit avoir vu Tamara monter dans une camionnette blanche avec un homme brun.

Graham serra les dents. Il *croyait* avoir vu une camionnette. Combien y en avait-il à Québec ? On avait déployé le maximum d'effectifs pour retrouver l'enfant, mais tous ces hommes ne pourraient se vouer à cette seule recherche durant des semaines. Les équipes seraient moins nombreuses au fil du temps. Chaque minute comptait. Maud Graham but une gorgée de café et se brûla la langue.

CHAPITRE 5

Rimouski, 14 mai

Le papier de la lettre était un peu jauni même s'il était resté des années à l'abri de l'air. Des années pendant lesquelles Trevor avait cru que Claude était sa mère. Combien de personnes connaissaient la vérité ? Claude avait d'abord dit que sa mère biologique était morte en accouchant, mais il apprenait aujourd'hui qu'il était arrivé à la maison à deux ans. C'est pour cette raison que le chausson de laine vert et bleu lui avait paru bien grand pour être celui d'un nouveau-né. Sa mère était peut-être cette femme blonde à laquelle il rêvait parfois. Et oui, elle avait vraiment été la maîtresse de Marcus. Une des nombreuses maîtresses de Marcus. Celui-ci était arrivé un jour avec un enfant à la maison en déclarant que la mère biologique était une alcoolique incompétente à qui il ne pouvait laisser plus longtemps son fils. Claude avait protesté quand il l'avait forcée à s'installer à Rimouski dans la grande baraque qu'il venait d'acheter au bord du fleuve, mais Marcus Duncan lui avait fait comprendre, à sa manière, qu'elle n'avait pas à discuter. Qu'elle devait rester là-bas. À Québec, Duncan avait raconté aux voisins qu'il s'était momentanément séparé de son épouse. Voilà ce qu'il avait décidé et, quand Marcus

Duncan décidait quelque chose, on obéissait. Claude s'était ainsi chargée de Trevor. *Et comment aurais-je pu ne pas t'aimer, tu étais si beau dans ta salopette verte. Tu avais perdu un de tes chaussons rayés bleu et vert, et j'ai embrassé ton petit pied nu. Je t'ai tout de suite aimé, tu étais tout à moi, tu étais avec moi quand Marcus partait, on restait ensemble, on était bien.*

Bien ? Trevor cracha sur la lettre. Il ne savait pas ce qui lui faisait le plus de mal : que Claude ait abusé de lui, l'ait dévoré ou qu'elle n'ait pas imploré son pardon pour ces gestes contre nature avant de mourir. Il avait espéré trouver des excuses dans le coffre à la banque, mais s'il avait réfléchi un peu plus, s'il avait été moins émotif, il ne se serait pas illusionné. Claude n'avait aucun remords, elle répétait à tous les paragraphes dans sa lettre que personne ne l'aimait autant qu'elle.

Elle avait néanmoins livré des détails sur sa mère naturelle dans cette missive : celle-ci devait le croire mort quand Marcus et elle l'avaient emmené à Rimouski. Elle pensait qu'il s'était noyé avec son conjoint, un type qui avait travaillé pour Marcus. Claude soupçonnait même Marcus d'avoir organisé la noyade de ce Pat pour récupérer son fils. Marcus avait été à son tour assassiné à Miami quelques années après la noyade. D'après Claude, un complice lésé dans un vol de banque s'était rebellé. Toutes ces informations aidaient Trevor à comprendre sa situation familiale, mais tant de questions restaient en suspens. Si sa mère biologique n'était pas décédée, elle était maintenant la seule qui puisse lui répondre. Mais qui était-elle ?

Il n'y avait qu'une façon de le découvrir : consulter les journaux de l'époque. Il avait onze ans quand on avait descendu Marcus. Cela signifiait que Pat était mort alors qu'il avait deux ans. Il vérifierait dans la presse les comptes rendus des noyades en 1995. Trouverait le nom de Pat ou Patrick et creuserait de ce côté. Pat ? Si Claude avait écrit « Pat », c'est peut-être qu'elle le connaissait bien. On donne des surnoms aux gens qui nous sont assez familiers, non ? Pat ? Pat qui ? Patrick était-il francophone ou anglophone ? Pourquoi Claude n'avait-elle pas écrit son nom de famille ? Elle continuait à l'exaspérer même après sa mort !

Il examina le chausson de laine rayé vert et bleu, s'émut en songeant qu'il devait le porter lorsqu'il était arrivé chez Claude, qu'elle l'avait conservé en souvenir de ce jour-là. À l'époque, elle était encore une femme normale.

La sonnerie du téléphone tira Trevor de ses réflexions. Il n'avait envie de parler à personne, mais il se souvint que l'annonce du décès de Claude avait été publiée. Et si c'était sa mère qui se manifestait ? Ou quelqu'un qui la connaissait ? Claude avait écrit qu'elle vivait à Québec, mais elle lui avait tellement menti. Peut-être qu'elle avait habité le Bas-Saint-Laurent avant ?

Claude n'avait pas indiqué le nom de sa mère dans la lettre parce qu'elle était jalouse, qu'elle la détestait d'avoir couché avec Marcus. Elle l'avait gommée de leur existence. Mais il découvrirait qui était sa mère biologique, si elle croyait vraiment qu'il s'était noyé et le pleurait encore, ou si elle avait su pour l'enlèvement et avait dû aussi obéir à Marcus Duncan. Claude prétendait qu'il avait voulu avoir un fils. Dans ce cas, pourquoi n'était-il jamais à la maison avec eux ? Pourquoi n'avait-il jamais assisté à un de ses matchs ? Il avait promis de lui apprendre à chasser et à pêcher, mais il ne l'avait jamais fait. Ils ne faisaient jamais rien ensemble.

— Trevor ? dit Arnaud. Ça va ?

— Ça… ça va, répondit Trevor, étonné d'entendre cette voix.

Arnaud ne lui avait jamais téléphoné.

— Je voulais te dire qu'on sort demain soir avec Fabrice, Jamel et la gang. C'est peut-être bizarre, car je sais que la cérémonie pour ta mère est aujourd'hui, mais ça pourrait te changer les idées.

— Je ne sais pas.

C'était la première fois qu'Arnaud l'invitait à se joindre à eux. Qu'est-ce qui l'avait poussé à l'appeler ?

— Je devrais avoir du bon stock, ajouta ce dernier.

— Il… il m'en reste…

— C'est comme tu veux.

— On verra.

— OK. Bye.

Trevor monta à sa chambre, s'installa devant son ordinateur et commença ses recherches ; pouvait-il déjà apprendre quelque chose sur les noyades ou devrait-il fouiller dans les archives des quotidiens de tout le Québec ? Claude n'avait pas indiqué où avait eu lieu cette noyade qui n'était pas accidentelle.

Il constata rapidement que les avis de décès ne couvraient que les trois dernières années, et que les faits divers ne répertoriaient les événements que sur une période de douze mois. Résigné, il nota les adresses de tous les quotidiens du Québec. Il commencerait à les visiter dès vendredi.

Pourquoi vendredi ? Pourquoi attendre ? Il pouvait très bien s'absenter toute la semaine. Personne ne le lui reprocherait puisqu'il était en deuil. Il était majeur de toute manière. S'il décidait de quitter le cégep, ça ne regardait que lui.

Il commencerait ses recherches à Québec. S'éloigner de la maison lui serait salutaire. Il engagerait un agent immobilier à son retour.

Et il prendrait soin de faire suivre les appels sur son cellulaire. Il irait rejoindre Arnaud et les autres le lendemain. À force de faire semblant d'être normal, peut-être qu'il le deviendrait. Mais avant, il fouillerait de nouveau la maison. Et il préparerait sa valise. Pourquoi pas maintenant ? Il serait prêt à partir quand bon lui semblerait. Il devait s'occuper en attendant la cérémonie fixée au milieu de l'après-midi. Il plia trois tee-shirts, un jean, un pantalon noir, son chandail gris, son polar bleu, des chaussettes et des caleçons. Il sortit de la chambre, puis s'arrêta devant celle de Claude et fixa la perruque blonde sur le mannequin, la veste rose thé et s'en saisit ; pourquoi ne les avait-il pas mis dans les boîtes de carton avec les autres affaires de Claude ? Il enfouit son visage dans la veste qui sentait la lavande, gémit, la repoussa, hésita, mais la fourra dans son bagage avec la perruque. En haut de l'escalier, l'horloge grand-père tinta ; des heures, des jours s'étaient écoulés depuis le décès de Claude, mais il ne parvenait pas à se convaincre qu'il ne la reverrait jamais. Il récupéra le sac de tissu noir contenant l'arme de Marcus Duncan et le petit en satin bleu poudre, et les glissa dans la valise.

Québec, 14 mai, 17 h 30

La maison était vide : Michaël était parti au cinéma avec Maxime, et Joël ne rentrerait pas avant dix-neuf heures. Marie-Catherine ouvrit la porte du réfrigérateur, sortit un pot de glace à la vanille et se fit un espresso en songeant qu'elle avait tort de se gaver de sucre, surtout à cette heure, mais c'était ça ou l'alcool. Elle n'allait tout de même pas recommencer à boire parce que la petite Tamara avait disparu ! Ce n'était pas le premier enfant qui disparaissait en seize ans. Elle avait su se contrôler lors des drames précédents, elle y parviendrait de nouveau. Il le fallait ! Joël l'avait regardée avec insistance avant de quitter la maison. Était-elle certaine que tout rentrait dans l'ordre ? Il comprenait sa déception de ne pas être enceinte, mais elle venait tout juste d'arrêter la pilule. Elle avait acquiescé sans commenter, soulagée que Joël confonde son chagrin et l'anxiété qui l'avaient assaillie dès l'annonce de la disparition de Tamara.

Pourquoi ne lui avait-elle pas avoué toute la vérité ? Peut-être aurait-il compris ce qu'elle avait vécu, qu'il l'aurait plainte.

Et peut-être qu'il lui aurait reproché de s'être résignée.

Marie-Catherine plongea la cuillère dans la glace avec rage. Pourquoi n'était-elle pas capable de tirer un trait sur son passé ? Penser à la disparition de son fils ne servait à rien. Il ne reviendrait pas. Il s'était noyé dans le fleuve. Ce n'était pas parce qu'on n'avait pas retrouvé son corps qu'il réapparaîtrait maintenant. Les histoires de revenants relevaient de la légende urbaine.

Elle se reprochait pourtant de ne pas être allée au bord du fleuve, de ne pas avoir participé activement aux recherches, d'avoir accepté que les hommes-grenouilles cessent leurs activités après deux jours d'efforts. Deux jours ? Ce n'était pas assez. Ils avaient trouvé Patrick, ils devaient aussi trouver son petit garçon. Elle aurait dû se battre pour qu'on lui ramène le corps de Laurent. Mais elle était si choquée qu'elle ne se rappelait pas la moitié de ce qui s'était passé ces jours-là.

Depuis, elle rêvait souvent que son autre fils avait péri dans le fleuve et, quand elle émergeait du cauchemar, elle se précipitait dans la chambre de Michaël pour vérifier qu'il était là, et bien vivant. Même si elle avait envie de lui caresser le front, elle retenait ce geste d'affection. Elle aimait trop Michaël et le surprotégeait probablement, mais elle serait anéantie s'il disparaissait aussi.

Joël la taquinait souvent ; elle était trop mère poule avec lui. C'était un adolescent, il avait besoin de plus de liberté, sinon il ruerait dans les brancards comme lui-même l'avait fait à cet âge.

Et elle, à cet âge ?

Tout avait commencé à dégénérer à ce moment-là. Il ne fallait pas que Michaël gâche sa vie comme elle. Marie-Catherine referma le couvercle du pot de glace à la vanille d'un geste sec. Joël trouverait étrange qu'elle manque d'appétit au souper, mais elle n'avait pas pu résister à ce réconfort. Elle n'aurait jamais dû sortir le chausson rayé vert et bleu de sa cachette pour le caresser en regardant des photos de Laurent. Pourquoi se faire du mal ?

— Viens-tu souper ? demanda Graham à Joubert.

— C'est toujours prévu ?

Maud Graham haussa les épaules ; ils devaient manger, non ? Ils travaillaient depuis combien d'heures ?

— Alain a déjà préparé le lapin. On mange une bouchée et on revient ici. En attendant, Marcotte prend le relais avec McEwen. S'il se passe du nouveau, ils nous préviendront.

— Rouaix sera aussi avec nous ? s'enquit Joubert.

— Non, c'est l'anniversaire de son fils. Vingt-deux ans. Est-ce que Grégoire vient aussi ?

Michel Joubert sourit ; Grégoire attendait de savoir si le repas avait lieu.

— Il va sûrement improviser un dessert. Il fait des miracles avec n'importe quoi. Avant-hier, il a préparé un risotto aux asperges et pancetta. Je vais engraisser, si ça continue…

— Si ?

— C'est une façon de parler, tout va bien entre nous. Enfin, j'espère. Avec Grégoire, je ne pose pas trop de questions.

— Tu as compris le mode d'emploi plus vite que moi.

— Il y avait de quoi s'inquiéter. Il vivait dans la rue...

Tiffany McEwen slaloma entre les bureaux pour atteindre celui de Graham où elle déposa la transcription du témoignage d'un voisin.

— On a peut-être quelque chose. Simon Mercier, un voisin des Boileau-Hanzoff nous a parlé d'un type qu'il a vu plusieurs fois avec Tamara et une de ses copines. Ils partageaient un sac de bonbons. Et l'homme avait un petit chien avec lui, un chien à poil long. D'après Mercier, il était assis sur le banc en face d'un dépanneur. J'ai laissé un message au propriétaire du dépanneur pour le rencontrer.

— On a cherché jusqu'ici dans l'entourage immédiat de Tamara, mais ça peut être quelqu'un qui habite le même quartier. Si cet homme lui a toujours donné des friandises, elle doit bien l'aimer, elle a couru vers lui spontanément.

— Mercier a vu le portrait-robot établi par Agnès Giroux et ça correspond, ajouta McEwen. Sauf qu'il n'avait pas de moustache quand elle l'a aperçu avec Tamara.

— Beau travail, dit Graham. Il pourra identifier l'homme si on l'arrête ?

— Oui, il l'a vu plus d'une fois. Et il est photographe, habitué à observer. Il vérifie actuellement s'il n'apparaît pas sur des photos d'une fête qui a eu lieu dans le parc avoisinant. Ça remonte à septembre dernier, mais on ne sait jamais…

— Je peux me charger de discuter avec le propriétaire de l'immeuble, proposa Joubert.

— Ça marche encore, le coup des bonbons ou celui du chien, se désola Tiffany.

— Claire avait pourtant averti sa fille, dit Graham. Elle me l'a répété cent fois. Que faut-il faire pour que les enfants ne s'adressent pas à un étranger ? Il faut qu'on mette la main sur ce bonhomme-là au plus vite et…

Tiffany McEwen indiqua à Graham de se taire en saisissant son cellulaire. Le propriétaire du dépanneur avait parlé à tous ses employés, mais personne ne savait comment s'appelait l'inconnu. En revanche, le chien répondait au nom de Raspoutine.

— Raspoutine ? s'étonna McEwen.

— Oui, et il s'en occupait beaucoup, d'après ma fille. Elle m'a dit que c'est un bichon maltais, que ça vaut cher, ces chiens-là. Mais moi, je n'ai pas de temps à perdre à brosser un animal avec les soixante heures que…

— Remerciez votre fille de nous avoir fourni ce détail.

Elle raccrocha.

— Son chien s'appelle Raspoutine.

— C'est plus original que Médor ou Rintintin, commenta Joubert. Mais je ne suis pas sûr que ça convienne à un bichon…

— Rintintin ? Ça fait longtemps qu'on n'appelle plus des chiens ainsi, pouffa Tiffany. Ce n'est plus à la mode.

— Il y a une mode pour des noms de chiens ?

— En tout cas, il y a un code, affirma Graham. Comme pour les chats ; les chiens sont nommés selon l'année de leur naissance : 2008 correspondait à la lettre S, 2009 à T, 2010 à U, 2011 à V. Mes voisins se sont creusé la tête pour trouver un nom qui commençait par la lettre U l'an passé pour leur labrador.

— Raspoutine aurait donc quatre ans.

— Si c'est un pure race, il y a des chances pour que son maître l'ait baptisé en respectant la lettre de l'année. On doit vérifier chez les éleveurs si quelqu'un a vendu un bichon, il y a quatre ans, à un homme qui correspond au portrait-robot. C'est mince, mais…

— Le chien était bien brossé, d'après ce que Simon Mercier m'a dit. Et dressé. On a donc un maître qui est fier de sa bête. Ça vaut la peine de chercher ! Je vous sors une liste des éleveurs d'ici quelques minutes. On va tous les appeler et aller les voir s'il le faut.

Tiffany McEwen retournait vers son bureau quand elle s'arrêta :

— Si je manifeste l'envie d'acheter un chien, empêchez-moi de le faire, d'accord ?

Joubert promit, tandis que Graham se jurait de ne pas dire un mot à la maison de ces appels aux éleveurs. Combien de fois Maxime avait-il réclamé un chien ? Elle refusait même si elle aimait les chiens. Léo était trop vieux pour supporter un intrus.

Tiffany McEwen imprima la liste des éleveurs du Québec et ils se partagèrent les appels.

— On raconte aux éleveurs qu'on recherche cet homme parce qu'il a été victime d'un accident, indiqua Graham. Comme il n'est pas resté sur les lieux, on craint qu'il n'ait fait une commotion cérébrale et erre dans la nature. Il faut dire qu'on a recueilli le chien, qu'on sait que c'est une bête de race et qu'on veut remonter à son maître.

Ils se mirent à l'ouvrage, mais il était déjà dix-huit heures. Ils entendaient des messages d'accueil qui les priaient de laisser leurs coordonnées.

— On rentre.

— Je serai là si un des éleveurs nous rappelle ce soir, assura Tiffany. On aura sûrement des nouvelles demain. Les gens qui achètent des chiens chez des éleveurs doivent souvent y aller la fin de semaine, puisque plusieurs éleveurs sont à l'extérieur de Québec.

Michaël s'était levé en pleine nuit pour boire un verre d'eau et il avait cru entendre grincer le fauteuil berçant du salon, ce fauteuil très laid qui jurait avec l'ameublement et la décoration, mais dont Joël avait refusé de se débarrasser. Il avait raison, le vieux fauteuil était le plus confortable. Michaël s'avança dans la pièce sombre, entendit renifler, s'immobilisa, reconnaissant la silhouette de Marie-Catherine, devinant avec agacement qu'elle pleurait.

Serait-elle encore longtemps déprimée ? Que devait-il faire ?

— Maman ? Tu ne dors pas ?

C'est tout ce qu'il avait trouvé à dire.

— J'ai fait un cauchemar, recouche-toi, je bois un verre de lait, ça ira mieux après. C'est juste que je…

Michaël hésita à tourner le dos à sa mère. Il ne pouvait pas retourner dans sa chambre comme si tout allait bien. Il s'assit à côté de Marie-Catherine.

— C'est bizarre, les cauchemars, lança-t-il. On a tellement l'impression que c'est vrai !

— Et on a peur de se rendormir et de refaire le même rêve.

— C'était quoi ?

— Je… ce n'est pas important. C'est fini, là.

Si Marie-Catherine lui avait raconté son cauchemar, Michaël l'aurait écoutée distraitement. Puisqu'elle préférait ne rien lui dire, la curiosité l'aiguillonna subitement, le poussant à insister.

— Ça devait être *heavy*.

— Je rêvais que tu disparaissais, que je te cherchais partout sans te trouver. Il y avait un corridor qui n'en finissait pas dans le sous-sol et je courais en t'appelant.

Marie-Catherine lui saisit la main.

— J'ai eu peur de ne jamais te revoir…

— C'est à cause de la disparition de la petite fille. Tu prends ça trop à cœur. On dirait que c'est ta fille qui a été enlevée. Je me demande comment tu réagiras quand ils découvriront son corps. Mais peut-être qu'on ne saura jamais ce qu'elle est devenue. Qui l'a kidnappée. Si elle est restée au Québec. Si elle y est enterrée ou pas.

— Arrête ! Tu fais exprès pour me stresser !

Michaël protesta ; il exprimait ce que tout le monde savait. Si on ne retrouve pas quelqu'un dans les jours suivant sa disparition, les chances diminuent considérablement.

— Ce n'est pas parce que tu l'as lu que c'est vrai.

— C'est Maud Graham qui l'a dit à Maxime. Elle est bien placée pour savoir que c'est vrai.

Michaël se tut, il avait trop parlé. C'était la faute de sa mère, elle l'avait énervé.

— Pourquoi ?

— Laisse tomber.

Il s'était déjà levé, cherchant à échapper aux questions de Marie-Catherine.

— Je pensais qu'elle travaillait pour la Ville. Que sait-elle de cette histoire ?

Marie-Catherine avait cessé de chuchoter, avait attrapé le poignet de son fils.

— Maxime ne veut pas qu'on le sache, commença-t-il.

— De quoi ?

— Tu ne lui en parleras pas, tu me le jures ? J'avais promis… Tu m'as mêlé avec tes cauchemars.

— Que fait-elle ?

— Elle est dans la police.

— Elle s'occupe de cette enquête-là ? Qu'est-ce qu'elle a dit ?

— Rien de spécial. De toute façon, elle n'a pas le droit de discuter de ses enquêtes. J'ai posé des questions à Max et il n'avait rien de neuf à m'apprendre.

— Vous m'avez menti tous les deux. Maxime a prétendu qu'elle était fonctionnaire.

— En quoi ça te dérange qu'elle soit flic ? Tu aimerais mieux qu'elle soit dans la mafia ?

— Vous m'avez menti !

— Puis toi, ça ne t'arrive jamais ? lança Michaël.

Il y eut un trop long silence, puis Marie-Catherine rétorqua qu'il n'avait pas à changer de sujet, mais Michaël avait perçu le malaise de sa mère.

— Toi aussi, tu as des secrets, insista-t-il.

— Retourne te coucher, on s'énerve pour rien.

Un toussotement leur fit tourner la tête vers Joël qui les regardait sans comprendre.

— Qu'est-ce que vous faites debout à cette heure-là ?

— Rien. C'est maman qui panique à cause de la petite fille qui a été enlevée.

— Et Maud Graham ? Ça ne la dérange pas, elle ?

— Quel est le problème avec la mère de Maxime ?

— Elle enquête sur cette disparition, et mon fils m'a caché ça.

— C'est vrai ?

Joël observait Michaël et Marie-Catherine en tentant d'évaluer la situation. Il détestait avoir à prendre parti pour l'un ou l'autre.

— Oui. Mais elle n'a pas le droit de parler de son enquête, ça sert à rien de me poser des questions là-dessus.

— Et elle ? Elle ne te pose jamais de questions ? demanda Marie-Catherine.

— Des questions sur quoi ?

— Sur nous.

— Pourquoi ?

— Si je faisais une tisane ? proposa Joël qui n'aimait pas l'expression tendue de Marie-Catherine.

Et si sa femme n'était pas qu'un peu triste, comme il le supposait, mais vraiment dépressive ?

Michaël secoua la tête et se dirigea vers sa chambre. Joël prendrait le relais auprès de Marie-Catherine. Pourquoi n'avait-il pas une mère normale ? Maxime se plaignait du contrôle que Maud tentait d'exercer sur lui, sa sévérité pour les heures de rentrée, ses notes à l'école, mais elle ne faisait pas des crises de nerfs pour n'importe quoi. Est-ce qu'on ne pouvait pas prescrire des pilules à Marie-Catherine pour la calmer ?

En se glissant sous les draps, il revit son expression lorsqu'il avait sous-entendu qu'elle aussi avait des secrets. Et si c'était vrai ? Que lui cachait-elle ? Il enviait Maxime de vivre avec Maud. Même si elle ne racontait pas grand-chose sur ses enquêtes, c'était plus excitant que de vivre avec une graphiste qui rentrait chaque soir à la maison. Si seulement elle pouvait tomber enceinte ! Elle s'inquiéterait pour quelqu'un d'autre.

Mais il ne fallait pas qu'elle s'imagine qu'il garderait le bébé. Quand il était plus jeune, il aurait bien aimé avoir un frère avec qui jouer. Là, vraiment, ça ne l'intéressait plus. Sauf si ça occupait Marie-Catherine.

Québec, 16 mai, 8 h

Malgré ses prédictions, Tiffany McEwen ne reçut aucun appel avant le lundi matin. Un éleveur s'était absenté pour aller chercher une nouvelle femelle aux

États-Unis. Il répondit par l'affirmative aux questions de McEwen. Oui, il se souvenait du chien Raspoutine ; le maître était venu le voir dès sa naissance et l'avait visité tous les trois jours. Il était navré que Mario Frémont ait eu un accident. Qui allait s'occuper du chien en attendant qu'on retrouve son maître ? McEwen promit de s'en charger et dut écouter les conseils de l'éleveur avant de couper la communication. Elle s'empressa de prévenir Graham.

— J'ai un nom et une adresse. Mario Frémont.

— Bravo. Occupe-toi d'obtenir des infos sur ce type. Vérifie si on a quelque chose sur lui ; Balthazar doit pouvoir le retracer quelque part. Vérifiez aussi si Simon Mercier est net ; on a déjà eu des témoins providentiels qui étaient mêlés à un crime. Rappelez-vous cet agresseur sexuel qui faisait partie des battues, qui s'était porté bénévole avec ceux qui recherchaient l'enfant qu'il avait tué. On doit en savoir le maximum sur tous ceux qui nous parlent de Tamara. Je prends un café avec Alain et je vous rejoins après.

— Il retourne à Montréal ce matin ?

— Oui.

— Je ramasse le maximum d'informations sur Frémont. À tantôt.

Québec, 8 h 45

Le fleuve était gris, le ciel très sombre lorsque Trevor arriva à la hauteur de Québec. Il poussa un long soupir en embarquant sur le traversier. Il serait bientôt dans la capitale. Il y aurait tout un fleuve pour le séparer de sa vie passée, toute cette eau entre Claude et lui. Claude qui l'avait rendu fou. Comment expliquer sinon qu'il ait agressé si vite Arnaud la veille ? Il n'avait pas pu se contrôler. Mais Arnaud n'aurait pas dû se moquer de lui quand il avait raté une marche de l'escalier de la terrasse et était tombé par terre.

— T'as trop bu, *man*, t'es chaud ! s'était-il esclaffé.

Il fut aussitôt imité par tous ceux qui étaient sortis de la maison pour fumer : Jamel, Fabrice, Tristan, Clémentine et Flora.

Trevor était resté un moment au sol avant de s'éloigner vers sa voiture.

— Eh ! reviens, Trevor ! l'avait interpellé Arnaud. Le party vient de commencer ! C'est pas parce que Justine ne veut rien savoir de toi qu'il faut t'en aller. Moi, je…

Arnaud n'avait pas fini sa phrase que Trevor avait fait demi-tour et lui décochait un coup de poing au visage. Les filles avaient crié, tandis qu'Arnaud tentait de riposter. Ils avaient roulé au sol et Trevor se souvenait de la sensation de l'herbe fraîche contre sa peau et du sentiment de puissance qu'il avait éprouvé lorsque Arnaud avait faibli sous lui. Il s'était détaché brusquement d'Arnaud en sentant un début d'érection et avait fui vers l'Acura en tremblant. Arnaud avait-il deviné son excitation ? Si oui, il le raconterait à tout le monde. Il avait été stupide de venir à la fête. Il n'avait rien à faire à Rimouski.

Il était retourné à la maison, s'était effondré sur le canapé du salon et, quand il s'était éveillé, il avait mis son bagage dans le coffre de l'Acura, pressé de fuir cet endroit qu'il détestait.

Les nuages semblaient descendre sur le fleuve, menaçants, et Trevor ne pourrait peut-être pas rester sur le pont du traversier comme il en avait l'intention. Il resterait dans la voiture de Claude, non, dans *sa* voiture — elle lui appartenait maintenant —, s'il se mettait à pleuvoir et gagnerait le boulevard Charest où étaient situés les bureaux du *Soleil*. Trouverait-il des réponses à ses questions dans les archives ? Il n'avait rien découvert dans *Le Rimouskois* et, comme *Le Soleil* couvrait un vaste territoire, il avait sûrement plus de chances d'apprendre des détails sur la noyade de Pat. Il fallait qu'il déniche quelque chose ! Il n'avait pas envie de se rendre jusqu'à Montréal pour consulter les archives de *La Presse*, mais il ne pouvait éliminer cette possibilité.

Trevor gara la voiture près de la bibliothèque Gabrielle-Roy et se dirigea vers le café Van Houtte voisin pour dévorer un sandwich. Il acheta ensuite une bouteille d'eau, la glissa dans son sac de cuir et tourna à droite, dans la rue de la Couronne, puis à gauche sur le boulevard Charest. Au pied de l'immeuble du *Soleil*, il prit une longue inspiration. C'était maintenant qu'il lui fallait une réponse ! Aujourd'hui !

Il reçut quelques gouttes de pluie au moment où il poussait la porte du quotidien et y vit un signe positif. Il entrait juste à temps au *Soleil* pour éviter la pluie. C'était son jour de chance. Quand il en sortirait, il cesserait de pleuvoir. Et même s'il pleuvait, il s'en foutrait s'il trouvait des informations sur l'accident.

Des heures plus tard, Trevor quittait l'établissement avec des photocopies, dont l'une d'un entrefilet où on relatait la noyade de Patrick Jolin et de son fils Laurent, un bambin de deux ans. Dans sa voiture, il le relut. Était-il vraiment ce Laurent? Patrick avait-il été tué parce qu'il refusait de le donner à Marcus ou pour une autre raison? Claude avait dit qu'ils avaient travaillé ensemble. À quoi? Quand? Y avait-il un lien avec ce vol de banque qui avait entraîné, selon Claude, la mort de Marcus plusieurs années après la noyade?

Trevor savait qu'il était un criminel, c'était écrit dans les journaux, et Claude ne lui avait jamais caché que son père avait trempé dans toutes sortes de commerces illicites. Mais était-il responsable de la mort de Patrick? Le sang d'un meurtrier coulait-il dans ses veines? Avait-il hérité de ces gènes-là pour être si excité en frappant Arnaud? Il avait tout de même découvert le nom de sa mère en fouillant dans les avis de décès après avoir repéré la date de la noyade. Six jours plus tard, on enterrait Patrick Jolin à Valcartier. Dans les journaux, on rappelait que le corps de Laurent n'avait toujours pas été retrouvé et que l'homme laissait dans le deuil Marie-Catherine Lemaire et leur fils cadet, Michaël.

Michaël. Il avait un demi-frère. Quel âge avait-il quand lui-même avait disparu?

Marie-Catherine Lemaire s'était-elle consolée de sa disparition avec Michaël ou était-elle complice de Marcus? Et si elle s'était arrangée avec lui pour continuer à voir leur fils? Non, non, il s'en souviendrait mieux s'il l'avait vue souvent. Elle devait croire qu'il avait péri dans le Saint-Laurent.

Vivait-elle à Québec? Il devait trouver un bottin téléphonique. Peut-être qu'il pourrait même la voir aujourd'hui si elle habitait la région. Son cœur se mit à battre plus fort. Allait-il rencontrer sa mère ce soir?

Il devait se changer. Se laver. S'inscrire à un hôtel. Il sortit de la voiture, marcha jusqu'au boulevard Charest et poussa la porte du Royal William où il loua une chambre pour la nuit. De la fenêtre de celle-ci, il regardait les autos rouler sur le boulevard Charest: peut-être que Marie-Catherine empruntait ce trajet matin et soir pour aller au boulot.

Il consulta le bottin. Le nom de Marie-Catherine n'y était pas inscrit en toutes lettres, mais il y avait deux M. Lemaire et un C. Lemaire. Trois adresses à Québec, Sillery et Sainte-Foy. Devait-il téléphoner tout de suite?

Pour dire quoi? « Bonjour, je suis ton fils, ça fait longtemps qu'on s'est vus?»

Il aurait dû faire passer une annonce dans les avis de décès du *Soleil* au lieu du *Rimouskois*. Si Marie-Catherine attendait le décès de Claude pour se manifester, elle n'avait peut-être pas encore appris qu'elle était enfin morte à Rimouski. Rien n'indiquait que Marie-Catherine connaissait Claude, savait où elle demeurait. Elle pouvait très bien avoir couché avec Marcus sans avoir jamais rencontré sa femme.

Trevor resta assis devant la fenêtre durant un long moment avant d'aller se doucher. Il ne prendrait plus jamais de bain. Éviterait de penser aux bains moussants avec Claude. Il détesterait pour toujours l'odeur de la lavande. Heureusement, les savons de l'hôtel avaient un parfum citronné, et il se sentit mieux tandis qu'il mettait des vêtements propres. Il avait encore les cheveux mouillés quand il quitta l'hôtel et il frissonna. Était-ce à cause de la brise du soir ou parce qu'il était anxieux et un peu inquiet de voyager avec le revolver qu'il avait trouvé dans le coffre à la banque ? Il aurait peut-être dû laisser l'arme à Rimouski, mais elle lui donnait confiance en lui. Il n'avait jamais voyagé seul, il se sentait rassuré, en sécurité en songeant au revolver.

Il consulta la carte de Québec pour situer les adresses qu'il avait notées. Il choisit la plus proche, rue de la Porte, près du Château Frontenac. En revoyant la terrasse Dufferin, il se rappela un hiver où il s'était amusé en empruntant l'interminable glissade. Il ne retrouverait jamais l'insouciance de cette époque, ce temps « d'avant », ce temps où il était entier, où Claude n'avait pas encore commencé à le dévorer.

Il gara sa voiture rue Saint-Denis et marcha jusqu'à l'adresse de M. Lemaire, passa devant l'immeuble et s'arrêta quelques mètres plus loin. Il revint sur ses pas, poussa la porte, entra et repéra le nom sur une boîte aux lettres. Sa mère habitait-elle là ? Il s'appuya contre les cases postales, étourdi. Un bruit dans l'escalier le fit sursauter : une jeune femme dévalait les marches et s'arrêta en le voyant.

— Ça ne va pas ?
— C'est rien.

— Tu es Alex ? Le petit-fils de Mme Lemaire ? Elle nous a assez parlé de toi !

— Le petit-fils ?

— Ce n'est pas ta grand-mère ? demanda la jeune femme.

Il secoua la tête, marmonna qu'il s'était trompé d'adresse, qu'il cherchait une Marie-Catherine Lemaire, une femme à la fin de la trentaine.

— Ce n'est sûrement pas Mme Lemaire. Elle vient de fêter ses soixante-dix ans.

Ils sortirent ensemble et, comme il se dirigeait vers sa voiture, elle l'interrogea :

— Où te rends-tu ?

Trevor consulta le bout de papier où il avait écrit les trois adresses.

— Rue Sheppard.

— Ce n'est pas du tout par ici. Si tu m'emmènes, je t'indique la route. Je suis en retard pour rejoindre mon chum à Sainte-Foy. Moi, c'est Morgane. Qu'est-ce que tu fais à Québec ?

— Je… je cherche Marie-Catherine Lemaire.

En prononçant son nom, Trevor eut un sourire étrange ; il cherchait une mère qui s'appelait Lemaire.

— C'est qui ?

— Tu es de Québec ?

Morgane soupira ; oui, elle vivait à Québec mais avait hâte de quitter la capitale pour Montréal ou Toronto. Ou New York.

— J'aime les grosses villes. Je ramasse mon argent pour déménager. Je n'irai certainement pas à l'Université Laval en septembre. J'en ai marre d'entendre les commentaires des touristes qui se pâment sur le fleuve. Il est beau, OK, mais quand ça fait des années que tu le vois…

— C'est pareil pour moi, approuva Trevor. Le fleuve, je l'ai assez regardé ! On ne peut pas le manquer, à Rimouski.

Il avait bien fait de laisser Morgane monter. Elle l'aidait à se détendre et il regretta que le trajet soit si court lorsqu'elle l'avertit qu'elle descendait au prochain feu.

— Merci de m'avoir donné un *lift*.

— Ce n'est rien.

— J'espère que tu vas trouver celle que tu cherches. Bonne chance !

La portière claqua et Trevor démarra. Il aurait dû demander son numéro de téléphone à Morgane. Ils auraient pu aller boire une bière ensemble plus tard. Ou demain. Avec son chum. Ou sans. Non, il était trop jeune pour elle. Est-ce qu'elle l'avait trouvé à son goût ? Oui, avec la veste de cuir, il plaisait aux filles. Il n'aurait qu'à choisir quand il aurait envie de compagnie. Il ne prendrait pas une vieille comme Claude, qui lui dirait toujours quoi faire. Comment l'embrasser, la baiser, caresser ses gros seins. Il voulait une fille très jeune, très mince. Morgane était trop âgée, même si elle était jolie.

Il dépassa Calixa-Lavallée, tourna à gauche pour gagner Grande-Allée afin d'atteindre la rue Saint-Louis. La rue Sheppard était perpendiculaire, selon Morgane. Il dut tourner plusieurs fois dans le quartier avant de trouver à se garer sur Maguire. Le temps s'était éclairci et des gens souriaient sur les terrasses, en songeant à l'été qui finirait bien par arriver.

Rue Sheppard, Trevor s'arrêta devant une jolie maison aux volets verts. Par les fenêtres du rez-de-chaussée, il aperçut une femme aux cheveux blonds qui allait et venait. Il avait remarqué qu'il y avait aussi une porte sur le côté. Était-ce Marie-Catherine ? Il n'osait pas s'avancer trop près de la maison et se fustigeait ; maintenant qu'il était sur place, il devait inventer un prétexte pour sonner. Il ne pouvait pas reculer.

Il se répétait mentalement le baratin qu'il se préparait à servir à Marie-Catherine Lemaire lorsqu'il vit la porte latérale s'ouvrir. Un adolescent sortit un sac-poubelle et s'apprêtait à gagner le trottoir quand il s'arrêta, se retourna vers la maison.

— Quoi encore ?

— Tu as oublié ton foulard, Michaël.

Michaël. Cette femme avait dit « Michaël ». Il les avait trouvés. Sa mère et son frère.

— Arrête, maman, on n'est plus en hiver. Je suis correct comme ça. T'es fatigante.

— Tu te souviens de ce qu'on a dit pour ce soir ? Tu as une montre.

— Je rentrerai à l'heure. C'est toi qui veux que je fasse du sport, tu devrais être contente. Laisse-moi tranquille, je ne suis plus un bébé.

Michaël était déjà rendu à la clôture qui séparait leur cour de celle des voisins. Il jeta un coup d'œil à Trevor sans ralentir, se dirigea vers la rue Saint-Louis.

Trevor n'hésita qu'un instant avant de le suivre. Ce serait peut-être plus facile d'aborder Michaël en premier, de s'introduire par lui dans l'univers de Marie-Catherine. S'il se montrait sympathique, s'il devenait ami avec Michaël, il serait bien accueilli. Et avant, il aurait appris des tas de choses sur sa mère. Sur *leur* mère. Il fila Michaël jusqu'au parc du Bois-de-Coulonge où l'attendait un adolescent. Ils marchèrent ensemble jusqu'aux grilles d'un établissement où les rejoignirent d'autres jeunes. Le collège des Jésuites. C'était donc là qu'étudiait Michaël.

Trevor sourit avant de repenser aux propos que Michaël avait échangés avec Marie-Catherine ; elle semblait l'agacer. Quel genre de mère était-elle ? Protectrice, puisqu'elle avait voulu qu'il porte son écharpe. Hyper protectrice ou possessive ? Hyper possessive ou jalouse ? Hyper jalouse comme Claude ? Michaël n'avait pas à se plaindre si tout ce qu'elle lui imposait, c'était un foulard.

Une bourrasque de vent souleva les cheveux de Trevor et il se dit qu'il les ferait couper dès le lendemain. Claude aimait qu'il les garde mi-longs. Elle affirmait qu'il était trop beau ainsi, qu'il ressemblait aux chevaliers des films d'aventures. Surtout quand il acceptait de porter le costume qu'elle lui avait confectionné. Il n'enfilerait plus jamais ce pantalon et ce pourpoint qui lui serrait la taille. Il lui avait dit qu'elle était folle quand elle lui avait offert le costume de mousquetaire, qu'elle ne l'aimait pas tel qu'il était puisqu'elle voulait toujours le travestir. Elle avait protesté, c'était simplement plus amusant de se déguiser. La vie manquait tellement de romantisme. Et elle lui avait répété qu'il était le sosie d'un comédien qu'elle adorait. Il lui avait demandé alors si c'était parce que Marcus ressemblait aussi à cet acteur qu'elle l'avait épousé. Elle avait haussé les épaules ; pourquoi voulait-il toujours parler de Marcus ? Il était mort et enterré, ne pouvait-il pas l'oublier, comme elle ? Il la forçait à se rappeler les moments pénibles, les articles dans les journaux, les regards des voisins à la fois suspicieux et emplis de pitié. Il avait fallu des années avant qu'on cesse de la regarder de travers quand elle faisait ses courses au supermarché. Elle ne voulait plus entendre un mot au sujet de Marcus.

D'autres adolescents, qui étaient allés dîner aux alentours, rejoignirent Michaël et son ami et se dirigèrent vers le collège.

Trevor pesta ; il avait imaginé des scénarios pour sa rencontre avec Marie-Catherine, mais n'avait rien conçu pour Michaël. Michaël qui s'éloignait. Il semblait gentil. Lui aussi était gentil, malgré ce que prétendait Claude.

— Tu es impulsif, avait-elle dit à l'hôpital. Tu étais déjà capricieux quand tu étais bébé, sauvage.

Elle avait dû faire preuve de beaucoup d'amour pour l'amadouer.

— Non, pas pour m'amadouer, pour me dompter, lui avait-il dit la veille de sa mort.

— C'est faux, j'ai dû être patiente. Un autre enfant aurait…

— Un autre enfant ? Tu ne pouvais pas en avoir ! Arrête de te faire passer pour une sainte de m'avoir accepté ! Tu as eu un cancer de l'utérus.

— Je t'ai pris parce que Marcus te voulait comme preuve de sa virilité ! Il t'a enlevé quand il vu à quel point tu lui ressemblais. Mais c'est moi qui t'ai élevé, qui t'ai aimé.

— Tu m'as formé à ton goût, comme si j'étais de la pâte à modeler.

— Tu t'es laissé faire. Tu aimais ça.

Non ! Ne pas penser à Claude. Pas maintenant.

Il entra dans un restaurant, commanda une bière qu'il but trop rapidement. Il entendait sans les écouter les conversations des clients autour de lui et il étira le bras pour prendre un quotidien sur la table voisine. En le feuilletant, il sentit un frisson le parcourir en comprenant que la gamine qu'on voyait en photo avait disparu. *Toujours sans nouvelles de Tamara,* y lisait-on.

Elle avait disparu ? Comme lui ?

Il lut l'article ; elle s'était volatilisée à la sortie d'un centre commercial. On avait plus de chances de la retrouver que si elle s'était évanouie dans le fleuve comme lui. Marie-Catherine pensait-elle à lui chaque fois qu'elle longeait le Saint-Laurent ? Pourquoi l'avait-elle baptisé ainsi ? Était-ce son idée ou celle de Patrick ?

Tamara. C'était un joli prénom. Avait-elle été enlevée par son père, comme lui ? Avait-elle simplement disparu ou était-elle morte ? Celui qui l'avait kidnappée voulait-il en faire son jouet ?

Trevor quitta le restaurant avec ce sentiment de tristesse qui lui était si familier. Il avait de l'argent plein les poches et personne à qui offrir un verre, personne avec qui trinquer et discuter. Il était l'œuvre de Claude. Elle l'avait gardé pour elle, l'avait englué dans leur secret, l'avait coupé du monde.

Mais tout pouvait changer ! Il rejoindrait bientôt sa vraie famille. Il avait le droit d'être heureux. Il gâterait sa mère et son demi-frère. Demi seulement ? Peut-être que non, qu'il était aussi de Marcus, qu'il était son vrai frère ! Avec l'argent qu'il toucherait quand les papiers seraient signés, il pourrait leur offrir de partir en voyage afin qu'ils apprennent à mieux se connaître. En Asie ? Pourquoi pas ? Ou en Égypte ; il avait souvent rêvé de perdre Claude dans les dédales d'une pyramide, mais ils n'étaient sortis de la province que pour aller à Miami.

Michaël et Marie-Catherine avaient-ils voyagé de leur côté ? Il aurait l'air ignorant s'ils commençaient à lui raconter leurs vacances à Paris ou à Cuba. Mais était-ce sa faute si Claude l'avait enfermé ? S'il n'avait pas autant lu, si Jacqueline ne lui avait pas prêté ses livres, s'il n'avait pas ensuite pu s'évader grâce à Internet, il serait mort étouffé avant d'être majeur. Ou il l'aurait étranglée.

CHAPITRE 6

Québec, 17 mai, 8 h

— On a fini par trouver où habitait Frémont, dit Joubert, mais on a perdu une journée… Il ne doit plus ressembler tant que ça au portrait-robot qu'on a établi avec Agnès. S'il a changé, il doit avoir une raison.

— Je me demande pourquoi il a déménagé autant de fois, répondit Graham. Arrête, c'est ici.

La demeure de Frémont était petite et bien entretenue si on en jugeait par l'extérieur. La galerie était fraîchement repeinte, les boîtes à fleurs prêtes à être garnies, les haies et les arbustes taillés. L'homme qui vivait ici était soigneux, mais Maud Graham et Michel Joubert n'étaient pas dupes : ce souci d'ordre et de propreté ne signifiait pas automatiquement que le propriétaire de Raspoutine était à l'image de la demeure, net et sans tache.

— On y va ? lança Joubert.

— Oui, fit Graham sans enthousiasme.

— C'est sûr que les maisons sont près les unes des autres, dit Joubert qui devinait sa pensée.

Comment Mario Frémont aurait-il pu entrer chez lui avec Tamara sans que personne s'en rende compte ? Il faisait encore clair quand la fillette avait disparu.

À moins qu'il n'ait vérifié au préalable que ses voisins s'absenteraient? Ou qu'il n'ait caché Tamara ailleurs? Mais où? Et qu'avait-il fait entre-temps?

— D'après l'un des témoins, Mario Frémont conduit une fourgonnette. C'est facile de dissimuler une gamine là-dedans.

Graham observait les fenêtres à l'aide de jumelles, mais elle n'avait vu qu'une ombre se déplacer derrière les carreaux.

— Chose certaine, il n'a pas pu la tuer et l'enterrer dans son jardin. Les cours sont contiguës.

— En tout cas, il a toujours son chien, nota Graham en désignant un os en caoutchouc sur le perron.

Elle ouvrit la portière et gagna l'allée principale bien balayée. Joubert la suivait de près, mais resta légèrement en retrait quand elle sonna chez Mario Frémont qui mit du temps à venir leur ouvrir. Peut-être le réveilleraient-ils?

— Monsieur Frémont?

La quarantaine avancée, de taille moyenne, l'homme portait une robe de chambre et s'était rasé les cheveux, mais la forme du visage, le front correspondait au portrait-robot. Graham tapota sa boîte à lettres où était collée une mise en garde « Attention au chien ».

— Où est-il?

— Mon chien?

— Il paraît que vous avez un bichon maltais magnifique.

Le visage de Frémont s'éclaira aussitôt.

— Qui vous a parlé de Raspoutine?

Graham entendit le cliquetis des griffes du chien sur le parquet de bois, poussa la porte et se pencha pour présenter ses mains à l'animal.

— Il est splendide, commenta-t-elle avant de sortir brusquement une photo de la poche de son imper et de la mettre sous le nez de Frémont.

Tandis qu'il fronçait les sourcils, elle jetait un coup d'œil à l'intérieur sans repérer de signes de la présence d'une enfant. Elle ne s'y attendait pas vraiment ; Frémont ne pouvait la garder dans ce salon où n'importe quel passant aurait pu la voir de la rue. Ni dans cette pièce ni au rez-de-chaussée. Mais au sous-sol ?

— Cette fillette, dit Joubert. Il paraît qu'elle aimait bien Raspoutine.

Frémont hocha la tête avant de les interroger : qu'est-ce que tout ça signifiait ?

— Cette petite fille, Tamara, a disparu. Vous la connaissez ?

— Connaître ? C'est un bien grand mot. C'est vrai que la gamine aimait jouer avec mon chien. Il est doux avec les enfants… C'est ça ? Vous pensez qu'il pourrait la retrouver ? Mais ce n'est pas un chien de chasse ! Et ça fait longtemps qu'il n'a pas vu la petite fille.

— Vous, ça fait longtemps que vous l'avez vue ?

— Non. C'est drôle que vous en parliez, je l'ai croisée au centre commercial vendredi.

Il répondait sans hésitation. Avait-il répété son texte au cas où les enquêteurs frapperaient chez lui ou était-il innocent ?

— Je ne l'ai pas reconnue tout de suite, poursuivit Frémont. À cet âge-là, les enfants changent vite. Elle a vraiment disparu ?

Il paraissait subitement soucieux. Jouait-il la comédie ?

— Vous n'avez pas vu sa photo aux infos ?

— Avec tout le travail que j'ai à faire autour de la maison, je n'ai pas suivi les nouvelles. Je viens d'emménager. Franchement, je ne pense pas que Raspoutine pourrait vous aider même si on lui donnait un vêtement de la petite.

— Vous l'avez donc croisée au centre commercial vendredi ? À quelle heure exactement ?

— Autour de dix-sept heures. Je rentrais de travailler.

— Où ?

— Je suis gardien dans une banque. Et j'ai aussi des contrats d'aménagement paysager. Pas officiellement, c'est du bouche à oreille, je mets des petites annonces sur les babillards de quartier. C'est pour ça que j'étais au centre commercial, pour poser une annonce. C'est le bon temps, les gens n'ont pas tous le goût de nettoyer leur jardin.

— Vous connaissez Tamara parce que vous vous êtes occupé du jardin de ses parents ? s'enquit Graham.

— Non, je la voyais parfois au dépanneur avec une de ses amies qui habite en face.

— Comment s'appelle-t-elle ?

— Je ne sais pas. Tamara, c'est original, mais l'autre…

— Vous travaillez à quelle heure comme agent ?

— Ça dépend. J'ai beaucoup remplacé les derniers jours.

— Et vendredi, quand vous avez vu Tamara ?

— J'avais fini de travailler. J'ai fait mon épicerie, puis je suis rentré. J'avais hâte d'être à la maison.

— Vous avez jasé longtemps avec Tamara. Avec qui était-elle ?

— Une fille blonde.

— Et ensuite ?

— Ensuite ? J'ai quitté le centre commercial.

— Et Tamara ?

— Elle est restée avec sa gardienne, la blonde.

Michel Joubert prit en note les coordonnées de la banque où travaillait Frémont tout en précisant que c'était une enquête de routine. On interrogeait tous les gens qui avaient vu Tamara avant sa disparition.

— Mais comment avez-vous su que j'avais vu la fillette ?

— Votre visage apparaissait sur les bandes vidéo de surveillance, mentit Joubert. Une de vos voisines vous a reconnu. Elle était sur place et est restée après la disparition de Tamara pour aider à chercher. On veut voir tous ceux qui ont été en contact avec la petite. On ne veut rien oublier. De quoi avez-vous parlé avec Tamara ?

— Elle voulait savoir où était Raspoutine. Je lui ai dit que je ne l'emmenais pas avec moi pour travailler. Elle était déçue de ne pas le voir. Elle a demandé un chien pour sa fête, mais elle n'en a pas eu. Elle était surexcitée quand je lui ai appris que ma nouvelle chienne avait eu des bébés.

— Et Raspoutine est le père ? Il est vraiment mignon, fit Graham en se baissant pour caresser le chien de nouveau. Il dort avec vous ?

— Non, les chiens ont leurs paniers au sous-sol.

— Je peux aller voir? s'enquit Joubert.

— Au sous-sol? Ça serait mieux une autre fois…

Il avait refusé sur un ton décontracté, mais Graham et Joubert le fixant, il se justifia.

— Alexandra a accouché et je ne veux pas qu'elle soit stressée. Elle en a eu cinq! Elle est déjà d'un tempérament nerveux, mais là…

— Vous les vendez? J'ai une amie qui songe à en acheter un, insista Joubert.

— Revenez dans une semaine, ou même trois, quatre jours, le temps qu'Alex s'habitue à être maman.

Frémont s'était redressé. Sans se déplacer pour interdire l'accès au sous-sol, il indiquait sa désapprobation.

— Même deux jours, ça serait OK, fit Frémont. Là, c'est trop tôt.

Deux jours étaient bien suffisants pour qu'il déplace Tamara si elle était enfermée au sous-sol.

— Je vais être très discret, promit Joubert.

Frémont parut prêt à protester, puis indiqua au détective de le suivre en mettant un doigt sur ses lèvres.

— Je vais rester ici, dit Graham qui se proposait de visiter rapidement le rez-de-chaussée tandis que les hommes seraient au sous-sol. Le refus de Frémont lui laissait croire qu'il avait quelque chose à cacher. Pourtant, puisque Joubert le suivait maintenant pour voir la chienne, les doutes l'assaillaient. Tamara avait bien parlé à cet homme, il ne l'avait pas nié, mais aucune preuve n'indiquait qu'il l'avait kidnappée. Sa ronde éclair ne lui apporta aucun indice en ce sens non plus.

En remontant du sous-sol, Joubert affirma que Tiffany McEwen ne pourrait résister aux chiots si elle les voyait.

— Elle en voudra un, c'est sûr, jura-t-il avant de remercier Mario Frémont.

Tandis qu'ils regagnaient la voiture, Graham se retourna pour vérifier si le suspect les surveillait par la fenêtre. Il était retourné vaquer à ses occupations.

— Qu'est-ce que tu en penses ? Il avait l'air un peu nerveux mais se dominait très bien. Si c'est lui qui l'a enlevée, il a beaucoup de sang-froid.

— Il nous a menti. Tamara a lâché la main d'Agnès et n'est pas retournée auprès d'elle. Et il a sourcillé lorsque tu as parlé de la bande vidéo.

— La fillette n'est pas chez lui, en tout cas…

— On poste une équipe dans le coin. S'il bouge, on le suit.

— S'il s'est débarrassé d'elle…

— Le corps peut être n'importe où.

— Je n'ai rien vu au sous-sol. Il n'y avait pas beaucoup d'éclairage, mais toutes les portes étaient grandes ouvertes.

— Comme s'il n'avait rien à cacher.

— Il a un ordinateur dernier cri, un cinéma maison. Il ne doit pas pourtant gagner très cher.

— Pas assez pour se payer ce luxe ?

— Que regarde-t-il sur l'écran géant ?

— Tu songes à de la porno ? avança Joubert.

— Oui. Il peut en consommer. Ou en faire le trafic, le commerce. C'est payant. Balthazar doit entrer dans son système. Si on trouve des photos de Tamara ou des liens avec des réseaux pédophiles…

Maud Graham soupira avant de répéter qu'un chien était toujours, hélas, un outil formidable pour les prédateurs.

8 h 15

Le vent soulevait le sable accumulé au coin de la rue, et Trevor plissa les yeux. Il s'était garé tout près de chez Marie-Catherine et Michaël, et supposait qu'il n'aurait plus à attendre très longtemps pour voir partir son frère pour l'école. Quitterait-il la maison avec Marie-Catherine ou y irait-il en autobus ? Où travaillait sa mère ? *Leur* mère ?

S'était-elle remariée ? Devrait-il inviter aussi son chum en voyage ? Il aurait bientôt suffisamment d'argent pour acheter cinq, dix, vingt billets d'avion, mais il n'était pas certain d'avoir envie qu'un homme les accompagne.

Il vit Michaël s'avancer vers la voiture, la dépasser sans y jeter un coup d'œil. Il marchait tête baissée pour se protéger du vent. Il aurait voulu le suivre maintenant, mais, s'il quittait son poste d'observation, il n'en apprendrait pas plus sur Marie-Catherine.

Un homme chauve et portant des lunettes sortit de la maison, se dirigea vers le véhicule garé dans l'entrée, s'installa au volant sans démarrer. Cinq minutes plus tard, Marie-Catherine le rejoignit et Trevor sentit son cœur battre aussi fort qu'à l'instant où on lui avait appris la mort de Claude. Il secoua la tête pour repousser cette idée, il ne voulait surtout pas penser à Claude au moment où il voyait enfin Marie-Catherine comme il faut ! Il n'allait pas parasiter son image avec celle de Claude. *Exit* Claude. Dehors.

Est-ce qu'il lui ressemblait ? Elle était trop loin pour qu'il distingue bien ses traits, mais il était presque certain qu'elle avait les yeux bleu saphir. Comme les siens. Se reconnaîtrait-elle en lui quand elle le verrait ? Que devait-il lui dire ? Il n'arrêtait pas de penser à la première phrase qu'il prononcerait quand il s'avancerait vers elle et n'arrivait pas à en choisir une parmi toutes celles qui occupaient son esprit. Cette épuisante cavalcade de phrases l'avait empêché de dormir une partie de la nuit. En plus du cauchemar, bien sûr, qui l'avait laissé tremblant, en sueur. Comment faire pour ne plus rêver à Claude ? Constater qu'il était dans une chambre d'hôtel plutôt qu'à la maison l'avait cependant apaisé. Il prolongerait son séjour à Québec. De toute manière, il voulait en savoir plus sur Marie-Catherine et Michaël, il les suivrait encore un peu avant de les aborder. Hier, il croyait qu'il parlerait à Michaël en premier, mais, aujourd'hui, il pensait qu'il s'adresserait d'abord à Marie-Catherine.

Il suivit la voiture chemin Saint-Louis, puis dans Grande-Allée et Salaberry, jusqu'à la rue Saint-Jean, et la vit ralentir, puis s'arrêter. Marie-Catherine sortit du véhicule qui redémarra aussitôt et elle poussa la porte d'un immeuble. Trevor chercha à se garer mais dut continuer sa route, tourner à droite dans Sainte-Angèle où il trouva enfin un espace libre. Avant de sortir de la voiture, il se regarda dans le miroir.

Il saurait bientôt quels traits il partageait avec Marie-Catherine. Que ferait-il en sa présence ? Parviendrait-elle à prendre suffisamment de place dans sa vie pour confiner Claude dans un coin de son cerveau qu'il verrouillerait à clé ?

Il se mordit les lèvres, se répéta que ce n'était pas le moment de penser à Claude. Il devait être positif !

Il inspira lentement, se rappela qu'il voulait inviter Marie-Catherine en voyage. Il était sûr à quatre-vingt-dix pour cent qu'elle ne l'avait pas donné à Marcus de son plein gré, qu'elle n'était pas sa complice. Qu'elle le croyait mort noyé. Marcus était responsable de tout. Il était le mari de Claude, il devait bien savoir qu'elle n'était pas normale, qu'elle ne serait jamais une bonne mère, une vraie mère. Pourquoi l'avait-il confié à Claude ? Pourquoi ne l'avait-il pas élevé avec Marie-Catherine ? Elle aurait pu se séparer de Patrick.

Inspirer, expirer, inspirer, expirer, chasser la confusion. Mais comment ne pas être confus quand on a vécu dans le secret et le mensonge si longtemps ?

Il gagna un café rue Saint-Jean, d'où il pourrait voir Marie-Catherine quand elle sortirait de l'immeuble où elle était entrée. Vers midi, probablement. Elle irait manger. Avec des collègues peut-être. Et si elle était seule ? Si elle venait précisément dans ce café ? Si elle s'assoyait près de lui ? Que ferait-il alors ? Il hésita en entrant dans le café et finit par s'asseoir près de la fenêtre. Il avait apporté un roman, mais il savait parfaitement qu'il ne le lirait pas. Il était trop fébrile pour arriver à se concentrer.

La serveuse qui s'approcha de lui portait un parfum à la lavande et il faillit sortir de l'établissement. Il commanda un croissant et un café, et attendit qu'elle s'éloigne pour respirer de nouveau. Sur la table voisine, il prit le journal qui parlait des recherches qui se poursuivaient pour retrouver la fillette disparue. Il eut soudainement envie d'aller voir la mère de Tamara pour lui dire qu'elle n'était peut-être pas morte comme on semblait le croire, qu'elle ne devait pas avoir le même destin que lui, être confiée à une ogresse. Il retint les larmes qui lui montaient aux yeux.

11 h 30

— Calme-toi, dit Rouaix à Graham.

— Ça ne sert à rien de t'énerver, renchérit Joubert.

— Non, elle a raison, protesta Tiffany. Je ne comprends pas qu'on ne nous ait pas accordé de mandat.

— On n'a rien remarqué d'anormal chez Mario Frémont. Je suis allé au sous-sol et j'ai…

— On n'a pas fouillé la maison de fond en comble. On a fait un petit tour de reconnaissance et Frémont n'a pas nié qu'il avait vu Tamara ! C'est quand même bizarre qu'il rencontre la gamine au centre commercial après avoir été des semaines sans la voir.

— Pas tant que ça, il a déménagé plusieurs fois. Et il peut nous mentir. On a parlé à ses voisins, à son employeur ; Frémont est un gars tranquille. Ils n'ont rien à dire sur lui.

— On continue à suivre Frémont, déclara Graham. Je m'en chargerai personnellement s'il le faut.

— Je suis de la partie, assura Tiffany.

— Moi aussi, dit Joubert.

— Pareil pour moi, soupira Rouaix. De toute façon, on n'a rien d'autre.

— Il faut bien que Tamara soit quelque part !

Maud Graham s'approcha de la fenêtre, jeta un coup d'œil dehors ; il pleuvait de nouveau. Elle vit Marcotte s'engouffrer dans sa voiture, suivi de Bonneau. Ils étaient aussi furieux qu'elle de la décision du juge.

— Apportez-moi un élément de plus pour me décider, avait déclaré ce dernier. Frémont a seulement croisé la fillette. On ne le voit sortir du centre commercial avec elle sur aucune bande. Vous n'avez que le témoignage d'Agnès Giroux. Et c'est elle qu'on voit sur la bande vidéo, pas votre suspect. Ça pourrait être sa parole contre celle de Frémont. Je ne peux autoriser la fouille tout de suite. Continuez à chercher dans ce sens si vous le souhaitez, mais j'ai besoin d'avoir un dossier un peu plus épais. Pensez à creuser aussi du côté de la famille.

— Ce n'est pas un drame intrafamilial, avait assuré Graham.

— Un élément de plus, c'est tout ce que je veux. La petite amie de Tamara qui rencontrait Frémont avec elle au dépanneur ne vous a rien appris ?

Graham fulminait. Pourquoi s'était-on adressé à ce juge qui n'avait pas d'enfants ? avait-elle reproché à son patron. Il avait eu un geste d'impatience pour toute réponse.

Un élément de plus… Frémont n'était fiché ni dans les dossiers de la police municipale, ni dans ceux de la Sûreté, ni dans ceux de la GRC.

— Soit il n'a pas commis d'acte criminel, soit il ne s'est pas fait pincer, dit McEwen, mais j'ai envoyé sa photo à tous les corps policiers du Québec et du Canada.

— Envoie-la aussi aux États-Unis.

— C'est déjà parti.

Graham esquissa son premier sourire de la journée ; bien sûr que la zélée Tiffany avait envoyé une photo de Mario Frémont là-bas.

— Il faut que Balthazar entre dans son ordinateur. Je suis certaine qu'il apprendra des choses. S'il a des amis, par exemple. On dirait qu'il aime seulement les chiens, pour l'instant.

— On ne peut pas se croiser les bras en attendant une réponse, fit Joubert. On devrait se pencher de nouveau sur la famille. Je sais que c'est délicat pour toi…

— Je ne pense pas que je suis influencée parce que Claire et moi allions à l'école ensemble, mais McEwen va retourner interroger Claire et Dimitri. Et leurs voisins.

Tiffany sourit, ravie de quitter son bureau.

— C'est vrai, j'y vais ?

— *Go !* fit Maud Graham. La vieille garde va relire tous les témoignages et les…

Un agent l'interrompit pour les prévenir qu'un homme s'était présenté, affirmant avoir des informations importantes au sujet de Tamara.

— On veut le voir, dit Graham.

— C'est un médium…

— Il me semblait bien qu'on n'y échapperait pas, gémit Rouaix.

— Qu'est-ce que j'en fais ?

Graham lui indiqua d'aller chercher le fameux mage.

— Comme si on avait du temps à perdre ! soupira-t-elle.

L'homme était très grand et avait le teint pâle des blonds, mais les yeux noirs, la jeune vingtaine. Il tendit une main moite, aux ongles rongés, à Maud Graham en se présentant. Il s'appelait Nicolas Legault et travaillait pour une compagnie d'informatique.

— Vous ne gagnez pas votre vie avec votre don ? s'informa Rouaix.

— Non. Je n'aide pas les gens pour le fric. Je n'exige rien, ils me donnent ce qu'ils veulent.

— Vous avez beaucoup de clients ?

Legault hocha la tête avant de révéler qu'il avait rêvé d'un homme avec un chien, qui jouait avec la fillette disparue.

Malgré elle, Maud Graham fronça les sourcils en entendant mentionner le chien, mais c'est d'une voix parfaitement neutre qu'elle demanda des précisions. Legault s'était sûrement fait la même réflexion qu'eux : les pédophiles savaient bien que les enfants étaient attirés par des animaux. Il avait inventé ce chien.

— Un chien ?

— Un petit chien.

— Et que se passait-il, dans votre rêve ?

— L'homme emmenait l'enfant dans une camionnette.

— De quelle couleur ?

— Claire. Blanche ou grise.

— Et l'homme ? Vous pouvez nous le décrire ?

Rouaix s'était avancé vers le médium.

— Un brun de taille moyenne.

— Comme moi ?

— Comme vous.

— Vous pouvez nous en dire plus ?

— Je regrette, c'est tout ce que je sais pour l'instant. Si vous me permettez de me joindre à vous, je pourrais vous aider. Je voudrais vraiment…

Graham secoua la tête. Il était interdit de mêler des civils à une enquête.

— Mais vous avez besoin de moi ! insista l'homme. Si vous me dites où vous en êtes, je pourrai peut-être ressentir plus de choses… Je n'ai pas pu rencontrer la famille, on m'a empêché de parler à la mère.

— Elle n'a pas envie de voir des étrangers par les temps qui courent, laissa tomber Graham. Vous qui êtes si sensible, vous auriez dû le deviner. Merci de vous être déplacé.

Legault faillit protester, mais le regard froid de Graham l'en dissuada. Il déposa sa carte sur son bureau et sortit.

— Tu crois que c'était un journaliste ? demanda-t-elle à Rouaix.

— Pas certain. Il m'a semblé très anxieux. C'est peut-être un minable diseur de bonne aventure qui veut profiter du kidnapping pour se faire de la publicité. Tu peux être certaine qu'il racontera à tout le monde qu'il nous avait décrit un homme brun avec un chien et une camionnette.

— C'est Jasmin qui s'occupe des bénévoles ? s'enquit Joubert.

— Je le plains, avoua Graham. Les gens ont beaucoup de bonne volonté, mais il y a toujours des curieux dans le lot, qui viennent pour se distraire.

— Tu es sévère, protesta Rouaix. Ils nous sont utiles.

— Je l'admets. Mais les recherches autour du centre commercial ne nous ont rien apporté. On a besoin de témoins ! Des personnes qui auraient vu Frémont partir avec Tamara. Ça nous prend quelqu'un qui affirmerait qu'elle est vraiment montée dans sa camionnette blanche. Et maintenant, il faut enquêter en plus du côté du médium, savoir qui est ce zigoto qui mentionne lui aussi une camionnette claire. On ne peut rien laisser de côté. Peut-être qu'il en sait plus qu'il nous le dit. Et du côté des revenus de Frémont ?

— Son salaire n'a pas pu lui permettre d'acheter cette demeure, même si elle est modeste, affirma Joubert.

— Il avait peut-être de l'argent de côté. Un héritage ?

— Sa mère est toujours vivante et habite dans un petit appartement à Vanier.

— Peut-être qu'il fait plus d'aménagements paysagers ? Il affirme qu'il accepte des contrats, que ça fonctionne de bouche à oreille, mais…

— Dans ce cas-là, il cacherait des revenus à l'impôt ? Il ne doit pas avoir envie qu'on mette le nez dans sa comptabilité.

— Ça expliquerait qu'il ait été réticent à ce que je descende au sous-sol et voie l'ordinateur, le cinéma maison. Moi, si j'avais une telle télé, je la regarderais tout le temps. C'est surprenant que Frémont n'ait pas vu la photo de Tamara aux infos. Peut-être qu'il ne se passe que des films ? J'aimerais savoir quel genre…

— Quelqu'un a sûrement vu Tamara sortir du centre commercial ! reprit Rouaix.

— On dirait qu'elle s'est évaporée ! tempêta Graham. Elle a tout de même dû traverser un stationnement, que ce soit celui de devant ou de derrière. Il faut qu'elle soit montée dans un véhicule !

— À moins qu'elle ait parcouru au complet le stationnement arrière et gagné les rues voisines. Et que là, quelqu'un l'ait ramassée.

— C'était facile de lui demander si elle était perdue et de lui proposer de la ramener à sa maman…

— Dans une fourgonnette blanche ? Comme l'a affirmé un des témoins ?

Et Nicolas Legault avait parlé d'une camionnette blanche ou grise, pensa Graham qui se surprit à douter de son jugement à propos du médium. Et s'il avait vraiment des pouvoirs particuliers ? Elle ferma les yeux pour chasser cette idée. Il fallait qu'elle soit désespérée pour s'imaginer, ne serait-ce qu'un instant, qu'elle pouvait faire confiance à des mages ! À chaque affaire criminelle un tant soit peu médiatisée, il y avait toujours des hurluberlus qui prétendaient en savoir plus long que les enquêteurs. Legault devait être journaliste et avoir tenté de ruser afin d'en apprendre davantage sur la disparition de Tamara. Elle en aurait rapidement le cœur net.

Et si elle avait mordu à son jeu, il n'aurait rien su de plus, car elle-même nageait dans le brouillard. Qu'allait-elle bien pouvoir raconter à Claire ?

Elle fixa un moment la carte déposée sur son bureau par Legault, la ramassa.

— Je me renseigne sur lui. Il était nerveux. Et il est très jeune. Est-ce que c'est seulement son vrai nom ?

— Il t'agace.

— Oui, je n'ai pas cru à son histoire. Il était fébrile, ne nous regardait pas dans les yeux. S'il profite de la disparition de Tamara pour quoi que...

— Tu n'en sais rien pour l'instant.

— Je te reviens là-dessus avant la fin de la journée, je saurai qui est Nicolas Legault.

— Tu crois qu'il est entré dans notre système informatique ? Qu'il a appris l'existence de Frémont ?

— On est protégés des pirates, mais jusqu'à quel point ?

— Dans ce cas, il aurait continué à pêcher ses informations de cette manière. Il ne serait pas venu nous rencontrer, c'est trop risqué. Je suis certaine, comme toi, qu'il voulait obtenir quelque chose de nous.

— Si c'est le cas, on doit savoir quoi, ce qu'il sait vraiment.

— On a déjà vu des duos dans certains crimes.

— Alors pourquoi serait-il venu ici ? répéta Rouaix. Ça ne colle pas s'il est mêlé à cette affaire.

— Il faut qu'on reparle avec Balthazar Bouvier de notre service informatique. Je le rappelle et on avisera par rapport à notre médium...

La pluie cessa au moment même où Marie-Catherine Lemaire sortait de l'immeuble où Trevor l'avait vue entrer trois heures plus tôt. Elle sourit en constatant qu'elle pouvait refermer son parapluie et resta sur le trottoir quelques minutes à respirer l'air frais. Elle était belle, vraiment belle avec ses cheveux blonds qui caressaient la ligne des épaules, son long cou, mais, à cette distance et derrière la vitre du café, il ne pouvait distinguer la couleur de ses yeux. Il hésitait ; devait-il payer tout de suite afin de pouvoir quitter l'établissement rapidement pour la suivre ou attendre, au cas où elle viendrait précisément dans ce café ?

Une femme plus âgée la rejoignit et elles traversèrent la rue, poussèrent la porte du café. Trevor fit aussitôt signe à la serveuse qui vint vers lui.

— Je vais dîner ici, finalement.

— Je t'apporte le menu.

Elle lui avait souri, mais Trevor ne s'habituait pas à son parfum de lavande. Il avait dû faire des efforts pour lui sourire en commandant un deuxième, puis un troisième café pour s'attarder. Résultat, ses mains tremblaient maintenant. C'était peut-être parce que Marie-Catherine avançait dans la salle.

— Ça va ? demanda la serveuse en lui tendant le menu, remarquant la sueur au front de Trevor.

Aurait-elle des ennuis avec ce client si taciturne ?

— J'ai juste chaud. Je prendrai le plat du jour. Et un autre verre d'eau.

— Tout de suite !

Tandis que la serveuse s'éloignait vers le bar, elle évita de justesse Marie-Catherine et sa collègue, qui désignait une table derrière lui. Son cœur s'affola quand les femmes s'approchèrent, tirant les chaises pour s'asseoir. Marie-Catherine ne pouvait voir son visage, heureusement, mais comment parviendrait-il à résister à l'envie de se retourner et de la dévisager? Quels traits partageaient-ils? Même s'il s'efforçait de respirer calmement, il sursauta quand la serveuse posa un verre d'eau devant lui.

— Tu es certain que tout est correct? s'inquiéta l'employée.

— Oui, oui, merci.

Elle se tourna vers Marie-Catherine et sa collègue, s'enquit d'un contrat qui les préoccupait à cause de ses délais insensés.

Elles étaient donc des habituées de l'endroit si la serveuse connaissait leurs problèmes au bureau. Elles commandèrent deux salades, puis Marie-Catherine poussa un long soupir.

— Heureusement qu'on règle cette semaine ce contrat-là, dit-elle. J'ai assez de soucis à la maison avec Michaël.

— Qu'est-ce qui se passe?

— Rien, on ne se comprend pas. Parle-moi plutôt de ton voyage à Boston.

Trevor dut écouter le récit du séjour de Josette à Boston avant d'entendre de nouveau la voix de Marie-Catherine. Une voix claire, presque enfantine, qui jurait un peu avec son apparence de femme fatale.

127

— Nous, on doit partir à Rome, mais je ne sais pas ce qu'on fera de Michaël. Il ne veut plus nous accompagner.

— Il refuse de s'envoler pour l'Italie ?

— Il passe tout son temps avec son ami Maxime. J'ai appris que sa mère est policière. Si elle apprend qu'il a mis le feu à son école, elle déconseillera certainement à Maxime de fréquenter Michaël. Il perdra encore un ami. Déjà qu'il a mal réagi à notre déménagement…

— Tu paniques pour rien. Cette histoire est derrière vous. Il a commis une erreur parce qu'il était perturbé. Ça ne regarde pas du tout cette policière. Je suis certaine qu'elle a d'autres chats à fouetter. Surtout avec la disparition de la gamine… C'est épouvantable ! Est-ce qu'elle s'occupe de cette affaire-là ?

— Oui, mais changeons de sujet, je trouve ça trop déprimant.

— Imagine l'angoisse des parents…

— Arrête ! Je ne veux pas y penser !

Le ton était si brusque qu'il fut suivi d'un long silence avant que Josette répète qu'elle était certaine que Michaël n'avait rien à craindre de la policière.

— Tu dois avoir raison, convint Marie-Catherine, je m'inquiète toujours pour tout.

— Et Joël, dans tout ça ?

— Il est prudent. Il ne veut pas s'ingérer dans nos disputes. D'un côté, je voudrais qu'il prenne mon parti, mais s'il appuie Michaël, il marque des points avec lui. C'est compliqué. Peut-être que je n'aurais pas dû me marier.

Josette la taquina. Elle avait eu la chance de rencontrer l'homme idéal et elle doutait de son choix ?

— Est-ce que tu me caches quelque chose ? fit-elle plus gravement après quelques secondes de silence.

Marie protesta ; Joël était parfait. Elle devait être simplement fatiguée pour voir tout en noir.

— Les vacances ne seront pas un luxe !

Trevor n'avait pas touché à son assiette, refusant que le bruit des couverts ou sa propre mastication l'empêchent de saisir toute la conversation de ses voisines et la serveuse revint à sa table, l'air dubitatif.

— Ça ne te plaît pas ?

— Oui, c'est bon. Je prends mon temps.

Allait-elle le laisser en paix ? Cesser de l'agresser avec son parfum ? Elle lui rappelait subitement Claude lorsqu'elle insistait, à table, pour qu'il termine son assiette. Respirer. Respirer lentement. Il réussit à sourire, conscient que la jeune femme l'observait.

— Tout est correct.

Elle retourna derrière le comptoir, mais elle lui avait fait perdre des bribes de la conversation de Marie-Catherine et Josette qui demandaient l'addition.

— Déjà ? lança la serveuse.

— On a encore du boulot !

En repoussant sa chaise, Marie-Catherine heurta celle de Trevor et se pencha vers lui en se levant pour s'excuser.

— Je vous ai donné un coup…

Trevor mit du temps à hausser les épaules, incapable de répondre. Sa mère lui parlait. Il avait imaginé mille scénarios en roulant vers Québec, mais aucun ne se déroulait dans un café de la rue Saint-Jean.

— Tout est beau ? fit aussitôt la serveuse, s'adressant à Trevor et à Marie-Catherine en même temps.

— Oui, c'est mon écharpe de soie qui s'est coincée entre les deux chaises.

Trevor saisit l'écharpe qui avait glissé au sol et la tendit d'une main tremblante à Marie-Catherine qui la prit en remerciant. Durant une seconde, elle le dévisagea, puis elle sourit en lui souhaitant une bonne journée.

Le tremblement des mains de Trevor n'avait pas échappé à la serveuse. Ce client était-il en manque ? Quel âge pouvait-il avoir ? Vingt ans ? Elle repartit vers les cuisines en espérant que ce garçon finirait par quitter le café, il était décidément trop bizarre. Elle fut surprise de le voir engouffrer son repas comme si l'appétit lui était brutalement revenu, mais fut soulagée lorsque Trevor lui dit d'oublier le dessert. Il sortit son portefeuille pour payer.

Marie-Catherine et Josette étaient rentrées au bureau ; un collègue leur avait même ouvert la lourde porte centrale. Il n'avait plus rien à faire au café. Il échapperait enfin au parfum de lavande.

Marie-Catherine s'était-elle interrogée lorsque leurs regards s'étaient croisés et que Trevor avait cru y lire de l'étonnement ? Une mère peut-elle reconnaître, même inconsciemment, son enfant ?

Elle ressemblait vraiment à cette femme blonde à laquelle il rêvait. Il n'avait pas inventé cette image ; c'était bien celle de Marie-Catherine Lemaire. Quand elle s'était baissée vers lui, il avait ressenti une impression de déjà-vu si intense qu'il s'était dédoublé ; un Trevor adulte avait aidé le Trevor enfant à fixer les détails du visage de Marie-Catherine. Elle avait les yeux bleu saphir. Et elle était très belle.

Hésiterait-elle à renouer avec lui parce qu'elle avait trop de problèmes avec Michaël ? Elle considérait déjà qu'un fils était suffisant. Mais il ne lui causerait aucun souci, il souhaitait au contraire la rendre heureuse et fière de lui. Avec l'argent de l'héritage, il déménagerait à Québec, à Sillery, pour être près de sa famille. Et il écrirait un roman. Claude s'était moquée de lui quand il lui avait dit qu'il avait envie d'écrire. Qu'avait-il d'intéressant à raconter à son âge ? Elle avait changé d'attitude quand il avait répondu que les histoires de sexe fascinent les gens, que sa propre expérience pourrait intéresser des lecteurs. Elle avait cessé de rire de ses désirs de création, l'avait supplié de choisir un autre sujet que leur histoire d'amour.

— Les gens ne pourraient pas comprendre. Ils te rejetteront.

— Non, ils *te* rejetteront, *te* condamneront. C'est toi qui…

— Tu ne m'as pas repoussée ! Ne dis pas le contraire ! Tu serais seul sans moi !

— J'écrirai ce que je veux. Quand je serai majeur, je ferai bien ce que je voudrai.

Si elle n'avait pas tourné son envie d'écrire en ridicule, il ne l'aurait pas menacée de révéler leur histoire. Il n'écrirait jamais ce qu'il avait vécu avec Claude, il voulait tout oublier et il espérait que voyager balaierait ses souvenirs empoisonnés. Il écrirait ensuite des contes fantastiques qu'il situerait dans un autre univers, loin, très loin de Rimouski. À des planètes, à des systèmes solaires du Bas-Saint-Laurent.

Et s'il commençait maintenant? Au collège, le français était sa matière forte, il avait toujours eu de bons commentaires de ses professeurs. Ils louaient tous son imagination si fertile. S'il s'y mettait dès aujourd'hui, il pourrait affirmer sans mentir à Marie-Catherine qu'il écrivait un roman. Il avait du temps de toute manière, il ne retournerait pas au café pour la surveiller quand elle sortirait du bureau. Et il ne pouvait pas se poster tout de suite devant chez elle. Il attendrait l'heure du souper. Le vent qui charriait les nuages laissait espérer une soirée sans pluie. Peut-être que Michaël sortirait de nouveau et qu'il arriverait à le suivre?

13 h

Maud Graham repoussa sa tasse de thé vide, froissa en boule la pellicule plastique dans laquelle était enveloppé le sandwich aux œufs qu'elle avait dévoré en lisant le rapport que lui avait remis Balthazar Bouvier, leur spécialiste en informatique. Nicolas Legault travaillait réellement pour une compagnie d'informatique, mais il n'apparaissait nulle part en tant que médium, ni dans les petites annonces du *Soleil*, ni dans celles du *Journal de Québec*, ni sur un site Internet.

— D'habitude, ceux qui nous appellent pour nous offrir leurs services apparaissent dans ces sites où Bouvier a fait des recherches, dit Rouaix. Mais pas Legault.

— Balthazar pense qu'il peut le faire sur son blogue. Il est en train de tout lire.

Graham parcourut chaque page attentivement. Legault avait étudié à Laval et à Toronto, et demeurait à Boischatel. À Boischatel où résidait la famille Boileau-Hanzoff, où avait vécu Mario Frémont.

Elle claqua entre ses doigts, attirant l'attention de Rouaix tout en rappelant Balthazar à son poste.

— Notre médium habite le même quartier que Tamara. Ça me surprendrait que ce soit une coïncidence. Il faut qu'on l'interroge. As-tu trouvé autre chose ?

— Il n'y a pas grand élément sur son blogue, lança Balthazar en les rejoignant, sauf un passage nébuleux où il blâme une société qui ne sait pas protéger les siens, qui ferme les yeux.

— Sur quoi ?

— Il ne le dit pas.

— En tout cas, il ne fait pas sa propre pub pour ses pouvoirs paranormaux. Pas un mot sur la voyance.

— Je ne comprends pas qu'il soit venu nous voir pour nous raconter ses visions alors qu'il n'y a aucune trace de cette activité sur sa page.

— Admettons qu'il n'est pas le médium qu'il prétend être, commença Rouaix, il veut tout de même obtenir quelque chose de nous.

— On devrait prétendre qu'on a réfléchi, qu'on s'intéresse à ce qu'il pourrait nous apporter. Je ne suis plus aussi certaine que c'est un apprenti journaliste à la recherche d'un scoop.

— Qui serait-il, alors ?

— Un voisin, en tout cas. Et les voisins savent souvent des tas de choses sur ceux qui les entourent.

CHAPITRE 7

Québec, 17 mai, 13 h 30

Maud Graham observait deux fillettes qui jouaient à la marelle sur le trottoir en face de chez Nicolas Legault. La plus grande grondait la plus petite qui riait, peu impressionnée par ces remontrances. Elles se ressemblaient beaucoup, et Graham songea à sa propre sœur qui était si différente d'elle-même. Pourquoi avaient-elles si peu partagé de moments amusants ? Elle se disait régulièrement qu'elle devrait faire un effort pour communiquer avec sa sœur, mais elles se voyaient rarement alors qu'elles habitaient la même ville.

Est-ce que Nicolas Legault connaissait les gamines qui avaient dessiné les cases bleu pâle sur le trottoir ?

— Je suis curieuse de voir ce que Legault aura à nous dire.

— Il ne devrait pas être surpris de nous voir s'il est devin, plaisanta Michel Joubert sans toutefois sourire.

Les portières de la voiture claquèrent en même temps. Graham s'avança dans l'allée qui menait à un immeuble de trois étages en brique rouge où les locataires du deuxième avaient déjà installé des jardinières. Joubert repéra le numéro d'appartement de Legault sur les boîtes aux lettres et sonna chez lui.

— Oui ?

— Nicolas Legault ?

— Oui ?

— Maud Graham. Nous avons changé d'idée, nous avons besoin de votre aide.

Legault mit du temps à réagir, puis un bip se fit enfin entendre, déverrouillant la porte d'entrée qui les séparait de l'ascenseur. L'immeuble était correctement entretenu, mais sans aucune personnalité. Au dernier étage, la porte de l'appartement de Nicolas Legault était entrouverte.

— Est-ce qu'il y a du nouveau avec Tamara ?

Graham secoua la tête tout en examinant les lieux où dominait l'émeraude : les tapis, le futon, les chaises étaient vertes. Et les plantes, bien sûr, il y en avait partout.

— C'est une jungle, ici, fit-elle.

— Non, la jungle, c'est dehors. Ici, je me repose.

— Vos clients doivent apprécier. Même s'ils n'ont peut-être pas le cœur à admirer la végétation s'ils viennent ici pour entrer en contact avec un défunt ou connaître leur avenir.

— Qu'est-ce qu'ils vous demandent le plus souvent ? De se tourner vers le passé ou le futur ?

Nicolas Legault haussa les épaules.

— Vous n'avez rien trouvé pour Tamara ? Ce n'est pas possible ! Avez-vous cherché la fourgonnette blanche ?

— Elle est blanche ? Vous aviez parlé d'une fourgonnette claire.

— Et d'un chien. J'ai vu un chien.

— Un petit chien ou un gros chien ?

— Un petit.

— Et le maître ?

— Un homme brun, la trentaine avancée. Il me semble qu'il avait une moustache.

— Est-ce que ça se pourrait que ce soit un de vos voisins ? suggéra Michel Joubert.

— Un voisin ? répéta Legault en regardant autour de lui comme si l'enquêteur lui avait désigné quelqu'un de proche.

— Ou un ancien voisin ? insista Graham. Est-il possible que vous soupçonniez quelqu'un et tentiez de nous mettre sur sa piste ? Dans ce cas, pourquoi ne pas nous donner un nom, nous gagnerions du temps.

Nicolas Legault regarda Graham dans les yeux pour la première fois et elle y lut une infinie tristesse. Il désigna le futon avant de s'éloigner vers la cuisine. Il revint vers les enquêteurs avec un verre de scotch à la main.

— J'imagine que vous n'en voulez pas ?

— Racontez-nous ce que vous croyez savoir.

Legault eut un rire étranglé ; il ne *croyait* pas, il *savait*. Il était bien placé pour ça.

— Pour quoi exactement ?

— Mario Frémont est un pédophile. Je suis sûr que c'est lui qui a enlevé Tamara.

— Vous avez des preuves ? dit doucement Graham qui commençait à saisir les raisons qui poussaient Legault à accuser Frémont.

Tiendrait-elle enfin un motif nécessaire pour convaincre le juge d'accorder un mandat général ?

— Des preuves ? répéta Legault.

— Vous l'avez vu avec Tamara ?

— Non.

Il but le scotch d'un trait, le verre faillit se briser quand il le reposa sur la table. Graham s'approcha de lui, mit une main sur son avant-bras, compatissante. On entendait le tic-tac de l'horloge et la respiration saccadée de Legault.

— Depuis quand connaissez-vous Frémont ? demanda Joubert.

— Depuis dix ans. Il a abusé de moi il y a dix ans. Je venais d'avoir douze ans. Quand je l'ai reconnu en déménageant par ici, je lui ai dit de sacrer son camp. Que je ferais savoir à tout le monde qu'il était un ostie de pédophile. Il est parti. Mais c'est ma faute…

Legault cacha son visage dans ses mains avant d'éclater en sanglots, se reprochant d'avoir seulement chassé Frémont au lieu de le dénoncer.

— Si je l'avais traîné en justice, il n'aurait pas pu s'en prendre à Tamara. J'ai été trop lâche, je ne voulais pas aller en cour, qu'on sache pour moi et lui. Je fais tout pour oublier ça.

— Vous n'en avez jamais parlé, murmura Maud Graham.

— Non. J'aurais dû. J'avais trop honte. Il a quitté le quartier la semaine après que je l'eus menacé. Je ne pouvais pas imaginer qu'il s'en prendrait à Tamara.

— Vous ne les avez jamais vus ensemble ? redemanda Joubert.

Legault s'étira vers la table à café, saisit la première page du *Journal de Québec* et tapota le visage de Tamara.

— Regardez-la ! Elle est tellement mignonne. C'est sûr qu'il l'a voulue. Et qu'il l'a prise.

— Est-ce que vous connaissez d'autres personnes qui ont été victimes de Frémont à part vous ? En même temps que vous ?

— Non.

— Il s'est intéressé à vous quand vous étiez un petit garçon.

— Si vous pensez que les filles ne sont pas son genre, vous vous trompez, lâcha Legault. Il avait des films avec des filles. Autant qu'avec des garçons.

— Ça a duré longtemps ?

— Un an et demi, puis il a déménagé. Son truc, c'est d'acheter des maisons, de les retaper, de les vendre et de déménager. Il profite des enfants du quartier puis, quand la soupe est chaude, il crisse son camp. C'est un drôle de hasard de l'avoir retrouvé parce que j'ai déménagé plusieurs fois de mon côté aussi. Allez-vous l'arrêter ?

Graham sourit à Legault en l'assurant qu'elle interrogerait personnellement Frémont.

— Vous pourriez poursuivre Frémont.

— Ça ne me donnera rien d'aller en cour. Il ressortira de prison après trois ans.

Legault hésita un moment, puis finit par hocher la tête. Il raconterait son histoire si ça pouvait aider à sauver Tamara.

— Si on ne découvre pas d'éléments qui le relient à Tamara, il sera libre, affirma Joubert.

— Libre de recommencer ce qu'il a fait avec vous, ajouta Graham.

— Vous voulez que je porte plainte, je sais, sauf que…

— Ne nous répondez pas tout de suite, prenez le temps d'y penser. Merci de nous avoir aidés.

— J'aurais dû tout vous raconter au lieu d'inventer une histoire de visions. Mais je n'ai pas été capable, rendu au poste. J'ai perdu mes moyens et j'ai raconté que j'étais médium au policier à l'accueil. J'avais lu dans le journal qu'une voyante offrait ses services aux parents de Tamara, ça m'a donné cette idée.

— C'est ma faute, s'accusa Graham. Je n'ai pas eu la bonne attitude avec vous. J'aurais dû me montrer plus ouverte.

Elle le salua après avoir déposé sa carte sur la table.

— Je vous rappellerai.

Michel Joubert déverrouilla les portières, et Graham s'assit en disant qu'il fallait que Frémont paie d'une manière ou d'une autre pour ses crimes.

— Ses nouveaux voisins sauront qui il est réellement. Les enfants de ce quartier doivent être protégés ! On doit fouiller sa maison de fond en comble. Le juge va nous délivrer un mandat général, maintenant !

— Balthazar Bouvier tirera sûrement des infos de l'ordinateur de Frémont.

— Mais où a-t-il caché Tamara ? On a vérifié, il n'a pas de chalet ni de résidence secondaire.

— Et si c'était le chalet d'un de ses amis ? C'est l'ordinateur qui nous indiquera avec qui il communique.

— Je veux tout savoir de lui! martela Graham. Tout! Connaître tous les quartiers où il a résidé, parler à ses employeurs, à ses voisins.

— Tu es certaine que c'est lui?

— Non. Comment être sûre à cent pour cent? On doit continuer à chercher de tous les côtés. Tout le service est en alerte, c'est impossible qu'on n'obtienne pas de résultats! Quelqu'un finira par se rappeler un détail!

— Je me demande si ce serait salutaire à Nicolas Legault de poursuivre son abuseur, enchaîna Joubert. Est-ce que ça le libérerait de son anxiété? As-tu remarqué ses ongles, rongés jusqu'au sang?

— Grégoire n'a jamais voulu en entendre parler, dit Graham. Je lui ai déjà proposé d'entreprendre des démarches avec lui pour que son oncle Bob soit condamné, mais il a refusé. Le mal était fait, il préférait oublier.

— Sauf qu'il n'a pas oublié, murmura Joubert. On n'oublie pas ce genre de chose. Il fait des cauchemars, mais il ne veut pas me les raconter.

— Il a eu aussi de mauvaises expériences dans la rue.

— Tu dois avoir eu peur souvent.

Maud Graham hocha la tête, se rappelant ce soir d'automne, des années plus tôt, où elle avait croisé Grégoire dans Limoilou, le visage tuméfié, se tenant les côtes. Elle l'avait emmené à l'Hôtel-Dieu, était restée près de lui et l'avait interrogé sur son agresseur sans obtenir de réponse.

— Avec Grégoire, il faut se garder de poser trop de questions, il a toujours peur d'être piégé. C'est un chat de gouttière, il doit se sentir libre… pour revenir ronronner quand ça lui plaît.

— J'ai remarqué, je suis prudent. Je ne veux surtout pas qu'il se sente coincé dans notre relation.

— Penses-tu qu'il s'installera à Montréal comme il nous l'a annoncé ?

— J'espère que non, avoua Joubert, mais je ne veux pas l'influencer. Je suis plus vieux que lui, j'ai fait mes choix. Grégoire doit aussi pouvoir décider ce qu'il veut vraiment. Aller voir ailleurs s'il pense qu'il en a assez de Québec. Je voyagerai avec Alain, on prendra la 20 ensemble.

— Les retrouvailles ont leur charme, assura Graham.

Elle appela au poste pour prévenir qu'elle allait chercher le fameux mandat ; Rouaix l'attendrait avec Marcotte chez Frémont.

— On laisse McEwen continuer à fouiner du côté de la famille. Au cas où… On se retrouve là-bas.

17 h 30

Marie-Catherine Lemaire avait envie de boire depuis qu'elle était rentrée rue Sheppard. Non, elle ne devait pas se mentir, elle avait envie d'alcool depuis trois jours. Comme chaque fois qu'un enfant disparaissait. Et maintenant, le désir était exacerbé par sa dispute avec Michaël. Michaël qui ne comprenait pas qu'elle cherchait simplement à le protéger en lui conseillant de se faire d'autres amis, de ne pas fréquenter exclusivement Maxime.

— Qu'est-ce que tu as contre lui ?

— Rien du tout !

— C'est parce que je t'ai dit que Maud était dans la police ? On se tient ensemble depuis des mois. Maud ne m'a jamais parlé de… mes problèmes. Tu devrais être contente que Maxime me traîne au soccer et le remercier. Qu'est-ce que ça te prend de plus ?

— Tu ne l'as pas emmené souvent ici, protesta Marie-Catherine.

— Tu es toujours sur notre dos, à nous surveiller. On jurerait que c'est toi qui es dans la police !

— Tu n'as pas le droit de me parler ainsi ! Je suis ta mère !

— Je le sais, tu le répètes tout le temps ! Maxime n'a pas ce problème-là, lui.

— Ce qui signifie ?...

— Je te l'ai déjà dit, tu ne m'écoutes pas. Maud l'a adopté.

— Qu'est devenue sa mère ?

— Elle l'a laissé quand il avait deux ou trois ans. Il n'en parle pas souvent. Je pense que ça l'écœure encore, même s'il est bien chez Maud. Tu crois qu'elle ferait toute une histoire avec ce qui m'est arrivé, mais tu sauras que le père de Maxime était un dealer !

— Quoi ?

— Rien.

— Un dealer ? Il vendait de la drogue ?

— Oublie ça.

Il ouvrit la porte du réfrigérateur, saisit une boîte de jus de fruits qu'il but à même le carton.

— Sers-toi d'un verre. Et parle-moi du père de Maxime.

— Ce n'est pas de tes affaires.

— Est-ce que son père est en prison ?

— Non. Il vit au Saguenay. Il est correct, maintenant. As-tu fini ton interrogatoire ?

— Je m'inquiète pour toi, tu devrais le comprendre. Je ne veux pas qu'on revive ce qu'on a connu à Montréal.

— Je ne voulais pas mettre le feu à l'école ! Je voulais juste faire peur à Jeffrey. Est-ce que tu vas m'écœurer avec ça durant des années ?

— Michaël !

Il lui avait fait un doigt d'honneur avant de se diriger vers la porte arrière.

— Je t'interdis de sortir.

— Attache-moi. C'est ça que tu aimerais, hein ? M'attacher pour me contrôler en permanence.

Elle avait entendu claquer la porte de la cour, l'avait vu tourner au coin de la rue et, maintenant, elle s'efforçait de rester immobile, de ne pas ouvrir le cellier de Joël. Si Joël était rentré à temps pour souper, il aurait pu la rassurer, mais il n'arriverait pas avant la fin de la soirée. Elle devait se calmer. Ce n'était pas la première fois qu'elle et Michaël s'affrontaient. Elle se mit à pleurer. Pourquoi son fils avait-il tant changé ? Elle avait lu des essais sur l'adolescence et reconnaissait certains comportements chez Michaël, mais il lui semblait bien plus difficile que ce dont on faisait état dans les bouquins.

Elle était prête à parier que Michaël s'était dirigé directement chez Maxime. Peut-être qu'il disait vrai et que Maud ne se mêlerait pas de cette histoire d'incendie. Elle paniquait pour rien, son fils avait raison. Si Maud avait appris ce qui s'était passé à Montréal et avait voulu réagir, elle l'aurait déjà fait. C'était pour elle qu'elle s'inquiétait. L'idée qu'une policière pénètre dans l'univers qu'elle avait construit pour Michaël était anxiogène. Et si elle remuait le passé ? Si tout remontait à la surface ? Si elle s'informait par curiosité sur Michaël et découvrait que le père de Michaël avait travaillé pour un criminel avant de se noyer ?

Michaël savait seulement que son père avait péri dans le Saint-Laurent. Il ignorait qu'il avait été engagé par Marcus Duncan. Qu'il avait peut-être fait une énorme bêtise qui lui avait valu d'être assassiné. Voilà près de seize ans que Marie-Catherine se posait la question : Patrick avait-il essayé d'arnaquer Marcus ? Marcus avait-il voulu le faire taire parce qu'il parlait trop quand il prenait de la drogue ? L'avait-il puni ? Et pourquoi son meurtrier n'avait-il pas épargné son enfant ? Le petit Laurent n'aurait jamais dû se noyer avec Patrick. C'était un innocent ! Pourquoi avait-on repêché le corps de Patrick et pas celui de Laurent ? C'était celui de son fils que Marie-Catherine aurait voulu enterrer. Elle aurait voulu pouvoir se recueillir. L'autopsie avait montré des traces de drogue dans le sang de Patrick. Mais ça ne prouvait rien, car il en prenait régulièrement. Que s'était-il passé seize ans auparavant ? Que pouvait apprendre Maud Graham aujourd'hui ? Et à qui en parlerait-elle ?

Et pourquoi, si elle avait été assez large d'esprit pour adopter le fils d'un revendeur de drogue ?

Elle était folle de s'en faire ainsi. Michaël la traitait de déséquilibrée, et il n'avait pas tort. Elle devrait consulter un spécialiste, retourner chez un psy. Peut-être qu'il pourrait aussi l'aider dans sa relation avec Michaël. Mais que penserait le psy si elle lui racontait qu'elle cachait son passé à son fils et à son nouveau mari ?

Elle n'avait pas bu depuis la mort de Patrick, mais elle se souvenait parfaitement de la chaleur réconfortante qui se répandait en elle après une gorgée de vin. Le cellier de Joël contenait quarante bouteilles.

Elle ouvrit la porte de la cuisine et sortit en courant dans le jardin où elle demeura quelques minutes, tremblante, la gorge sèche. Elle se remémorait cette sensation de soif qui l'avait tenaillée quand elle avait cessé de boire après l'accident. Elle ne se rappelait pas tout ce qui avait suivi la visite des policiers, mais elle savait qu'elle avait beaucoup bu après la disparition de Laurent et Patrick, et qu'une détective, Anne Poirier, lui avait dit qu'elle devait se ressaisir, sinon la DPJ se chargerait de son bébé. Marie-Catherine avait cessé de boire aussitôt. Après avoir perdu Laurent, elle ne pouvait imaginer qu'on lui enlève Michaël. Heureusement, il n'était âgé que de deux mois. Il n'avait aucun souvenir de cette horrible soirée. Ni des semaines qui avaient suivi. Des visites quotidiennes d'Anne Poirier qui vérifiait alors si elle restait sobre. Au bout de dix jours, Marie-Catherine lui avait dit qu'elle n'avait pas à se déplacer, qu'elle savait qu'elle ne boirait plus jamais, mais Anne avait répondu qu'elle avait besoin d'une marraine et du groupe de soutien, et avait continué à lui rendre visite. Au début, Marie-Catherine s'était demandé si elle ne cherchait pas à obtenir des informations sur Patrick, sauf qu'elle ne l'avait jamais interrogée. Les enquêteurs l'avaient crue quand elle avait affirmé tout ignorer des activités de son mari. Et c'était vrai en partie. Elle n'avait jamais voulu avoir de détails sur ce qu'il faisait réellement, même si elle savait pertinemment qu'on ne pouvait graviter dans le monde de Marcus Duncan sans danger. Elle aurait dû quitter Patrick dès qu'elle avait compris que Duncan l'impliquait de plus en plus dans ses affaires. Rien ne pouvait en sortir de bon, mais elle avait gardé pour elle ses impressions alors qu'elle savait que Marcus était violent. Pourquoi n'avait-elle pas prévenu Patrick, alors qu'elle connaissait la nature abjecte de Duncan.

Une sonnerie dans la cuisine la tira de ses réflexions. Elle entra en vitesse, espérant un appel de Joël. Ou de Josette. Ou de n'importe qui prêt à la distraire.

Elle reconnut le numéro de téléphone de sa mère sur l'afficheur et se servit un verre d'eau. Il fallait qu'elle boive deux ou trois gorgées avant de lui répondre pour apaiser le doute, la confusion qui l'avaient envahie.

— Je voulais savoir si vous veniez toujours samedi ?

— Bien sûr.

— Tu as une petite voix, ça va ?

— Je me suis disputée avec Michaël.

— Ce n'est pas facile, l'adolescence. J'en sais quelque chose.

— Oui, sûrement. Tu es vengée aujourd'hui de tout ce que je vous ai fait endurer.

Il y eut un silence que rompit la mère de Marie-Catherine.

— Voyons donc ! Je ne me réjouis pas que tu éprouves des difficultés avec ton fils. Qu'est-ce que tu vas inventer encore ?

— Je dis n'importe quoi, je suis fatiguée. J'espère seulement qu'il ne sera pas aussi pénible que moi.

— Tu n'es plus seule, maintenant. Michaël est un bon garçon, ne te décourage pas. Ça finit toujours par s'arranger.

— J'apporterai un gâteau, je ne veux pas que tu aies tout à préparer.

19 h 30

Les bourgeons teintaient les rues du quartier Montcalm d'un vert plus tendre que celui de la pelouse des plaines, moins lumineux. Des crocus violet et safran poussaient sur les talus, et de la jacinthe des bois bordait les allées des perrons. Aucun des joueurs de soccer n'avait remarqué ces signes printaniers avant de commencer la partie, mais, après le match, Maxime sourit. Les jours allongeaient, ce serait bientôt le temps du barbecue.

— Grégoire cuisine les meilleures brochettes de porc au monde. Très piquantes...

— Tais-toi, j'ai faim, dit Michaël.

— On va manger une pizza, suggéra Bertrand, l'ailier gauche. Avec Tommy et Mathis.

Michaël jeta un coup d'œil à sa montre. S'il suivait les joueurs, il serait en retard chez lui. Et alors ?

Sa mère l'engueulerait de toute manière, que ce soit pour cette raison ou pour une autre.

— Tu viens ?

Maxime secoua la tête. Il préférait rentrer.

— *Come on !*

— Non, ça ne me tente pas, je suis fatigué.

— Fatigué de quoi ? demanda Tommy. Tu as joué comme un pied, je t'ai fait des passes que tu n'as même pas vues…

— Tu appelles ça des passes ?

— Viens donc, insista Michaël.

— Laisse-le, reprit Tommy. C'est le petit gars à sa maman, il va rentrer bien gentiment à la maison, hein, Maxou ?

— Ta gueule, Tommy.

— Hé, les gars, arrêtez ça, dit Bertrand. On mange une pizza, C'est quoi, le problème ?

— Il n'y en a pas, affirma Michaël. Allez, Max, *come on*. Pourquoi tu ne veux pas venir ?

Il posa une main sur l'épaule de Maxime qui se dégagea aussitôt.

— Ça ne me tente pas, c'est clair ?

— T'es donc bien susceptible. Reste tout seul si c'est ça que tu veux.

— Je ne vois pas comment ça peut vous tenter de manger une pizza quand on vient de se faire laver 7-0 !

— Ce n'est pas la fin du monde !

— Je suis écœuré de perdre, lança Maxime. Toi, ça ne te dérange pas, mais moi, oui !

Michaël, vexé, tourna le dos à Maxime et se rapprocha de Bertrand. Pour une fois que des gars de l'équipe l'invitaient à se joindre à eux, il fallait que Maxime refuse de les accompagner. Pourquoi était-il si bête ?

En gagnant la rue Moncton, Michaël fut tenté de se retourner pour rappeler Maxime, mais il n'en fit rien, sinon Bertrand, Tommy et Mathis croiraient qu'il tenait plus à lui qu'à eux et ils ne manqueraient pas de s'exprimer sur le beau petit couple qu'il formait avec Maxime. Les autres riraient de ces niaiseries, et il serait obligé de s'esclaffer, lui aussi. De toute manière, il en voulait à Max de l'avoir laissé tomber. S'il avait eu au moins une bonne raison de ne pas les accompagner…

Si Michaël avait été attentif, il aurait peut-être remarqué qu'un jeune homme suivait son ami. Trevor avait hésité quelques secondes, mais, comme Michaël était en bande, il serait moins facile de l'aborder. Il avait donc préféré se concentrer sur cet adolescent avec qui il avait vu Michaël l'autre jour. Ils semblaient s'être disputés, mais Trevor se souvenait qu'ils s'étaient retrouvés avec plaisir avant le match. En apprendre plus sur l'adolescent lui serait peut-être utile pour mieux connaître Michaël.

Maxime marchait d'un pas rapide et, à la façon dont il avait fait basculer son sac de sport par-dessus son épaule, on devinait qu'il était encore en colère. Qu'est-ce qui l'avait opposé à Michaël ? Trevor suivit Maxime en songeant que les détectives devaient avoir des techniques pour leurs filatures. C'était moins simple qu'il ne l'avait imaginé et il espérait que l'adolescent ne l'entraînerait pas trop loin. Il avait garé sa voiture dans Grande-Allée et il devrait marcher une bonne demi-heure pour la récupérer. Il ignorait s'il devait l'aborder ou non. Y renonça quand il le vit héler un autre homme devant une maison en brique fauve. Ce dernier lui donna des claques affectueuses dans le dos, le débarrassa de son sac à dos. Ils entrèrent ensemble par une porte de côté.

Trevor n'avait plus rien à faire là. Il aurait dû pister Michaël. Il était idiot d'avoir suivi l'adolescent, à pied de surcroît, au lieu de s'occuper de Michaël. Sa soirée était ratée. Comme le reste de sa vie. Il gâchait toujours tout. Claude lui avait bien dit qu'il ne s'en sortirait pas sans elle. Marie-Catherine ne voudrait pas de lui. Pourquoi aurait-elle envie de renouer avec un fils aussi bizarre que lui ? Marcus Duncan avait détruit sa vie. Il n'avait pas le droit de l'enlever juste pour prouver sa virilité, pour montrer qu'il était capable d'engendrer un garçon. À quoi ça lui servait d'avoir un fils qu'il couvrait de cadeaux, mais à qui il n'avait jamais rien à dire ? Et comment avait-il pu le confier à Claude ? Il devait bien savoir qu'elle était tordue !

Qu'est-ce que Marie-Catherine avait vécu avec Marcus Duncan ?

Où devait-il aller maintenant ? Devait-il retourner à l'hôtel ? Récupérer la voiture et se poster près de chez Marie-Catherine, attendre que Michaël revienne vers la maison et engager alors la conversation ? Il se sentait las, mais n'avait pas envie de rentrer à l'hôtel. Que pouvait-il faire ce soir à Québec ? Il envia Michaël qui s'amusait quelque part avec ses amis. Il ne connaissait pas l'effroyable sentiment d'inutilité qui accompagnait la solitude. Ce vide à l'intérieur qui lui donnait parfois l'impression de n'être qu'une enveloppe de chair, comme une poupée gonflable. La poupée de Claude.

Lorsque Maud Graham gara sa voiture, elle nota que le salon qui donnait sur la rue était éclairé : Grégoire devait être à la maison. Maxime, avec ses amis, se dirigeait immanquablement vers le sous-sol. Quand il était seul, il se réfugiait dans sa chambre. Grégoire, lui, avait adopté le salon dès ses premières visites. Il s'installait dans le vieux fauteuil recouvert de velours et appelait le vieux chat Léo qui grimpait aussitôt sur lui. Peut-être était-il présentement couché sur le dos, ronronnant, s'étirant sous les caresses de Grégoire. Combien de temps vivrait encore Léo ? Il n'avait pas de problèmes de santé majeurs, mais Maud Graham avait noté le pelage plus terne, les moustaches plus molles, l'œil moins vif, la démarche parfois hésitante. Elle secoua la tête, refusant d'imaginer la disparition du matou gris, et soupira, songeant à Claire qui vivait les pires heures de sa vie depuis que Tamara s'était volatilisée.

Où était-elle ?

La fouille chez Mario Frémont n'avait pas permis de trouver des indices le reliant à la fillette. Par contre, avec le mandat général enfin obtenu, on avait pu saisir l'ordinateur de Frémont, et Balthazar Bouvier avait déjà réussi à retracer des sites fréquentés par des pédophiles. L'un d'entre eux aurait-il pu garder Tamara avec lui, histoire de rendre service à un copain qui partageait les mêmes vices tout en se faisant plaisir ?

Graham avait vu trop de photos d'enfants sur des sites pornos pour ne pas redouter le pire pour Tamara, et elle se sentait à la fois vide et lourde. Elle n'avait mangé qu'une pomme dans la journée et avait bu trop de café. Elle était un peu nauséeuse, mais, curieusement, en entrant chez elle, une odeur de viande et de fromage fondu la fit saliver.

— Il reste du gratin dauphinois et des côtelettes d'agneau, dit Grégoire après l'avoir observée quelques secondes.

Elle lui sut gré de ne pas la bombarder de questions. Au fond, elle n'aimait pas davantage être interrogée que lui. Qu'aurait-elle pu raconter ? Elle s'attabla, refusa le vin que Grégoire s'apprêtait à lui servir.

— Je dois retourner là-bas. Je suis seulement venue me changer, manger un morceau, voir si tout était correct ici…

— Vous êtes combien sur la disparition de Tamara ?

— Tout le monde y travaille. On a interrogé des centaines de personnes depuis quatre jours…

— Veux-tu une salade, avant ?

Elle secoua la tête, elle n'avait pas assez faim.

— Qu'est-ce que tu fais ici ?

— Je savais que tu serais découragée. J'ai parlé à Michel tantôt. Je vous ai apporté à manger.

— C'était un prétexte pour conduire, le taquina Maxime qui les rejoignait. Tu capotes sur l'auto sport de ton chum. Il n'a pas peur de te la prêter ?

— Tu n'as pas le droit de me manquer de respect ! rétorqua Grégoire. Je t'ai nourri, je t'ai remonté le moral quand tu es rentré !

— Pourquoi ?

— Ils ont encore perdu.

— Tommy est nul. Michaël aussi.

— Michaël ? Je croyais que…

Maxime saisit un muffin aux pommes en haussant les épaules. Il n'avait pas envie de parler de Michaël.

— Qu'est-ce qui s'est passé entre vous ?

— Rien. Il m'a niaisé tantôt parce que je ne voulais pas aller manger une pizza après le match. Mais je l'ai écouté se plaindre de sa mère toute la journée. J'étais tanné.

— Ils traversent une crise, tenta Maud. Il a besoin d'en parler.

— Arrête avec ta psycho 101. Il me fait chier, c'est tout. On a perdu parce qu'on a trop de joueurs poches dans l'équipe.

— Vous êtes censés jouer pour vous amuser, dit Grégoire. Mais ça n'a pas l'air si plaisant…

— Sacrez-moi la paix, gronda Maxime avant de filer vers l'escalier qui menait au sous-sol.

Maud fronça les sourcils, surprise par le ton agressif de Maxime. Elle attendit quelques secondes avant d'interroger Grégoire. Que savait-il de cette prise de bec entre Maxime et Michaël ?

— Pas grand-chose. Il croit qu'il est en colère contre Michaël, mais c'est contre lui-même. Tommy lui a reproché d'avoir échappé ses passes. J'ai toujours détesté les sports d'équipe.

— J'espère qu'ils ne seront pas fâchés longtemps ; j'aime bien Michaël. Je sais que sa vie n'a pas toujours été rose, qu'il a eu des épisodes assez pénibles à Montréal.

— Tu l'aimes parce qu'il t'admire, la taquina Grégoire. Il est fasciné par ton travail. Il s'imagine que tu vis des aventures fantastiques. Il regarde beaucoup les séries à la télé… Ça ne me surprendrait pas que ça agace Max que son ami s'intéresse plus à toi qu'à lui.

— Voyons donc !

— Moi aussi, je capotais sur tes enquêtes, avoua Grégoire. Je haïssais la police, mais, en même temps, je trouvais ton travail excitant.

Maud Graham sourit ; tout cela avait changé.

— Tu aimes bien les policiers, maintenant, non ?

— Tu n'étais pas venue juste pour prendre une douche en vitesse et te changer ?

— Ça va toujours bien entre Joubert et toi ? fit Graham, inquiète que Grégoire élude la question.

Il éclata de rire.

— Oui. Vas-tu finir par arrêter de te tracasser pour moi ?

— Non. Redonne-moi un peu de gratin avant que je me change. Il est délicieux.

— Je remets aussi de la viande ? Tu ne veux vraiment pas de vin ?

— Je dois y retourner. On n'est pas beaucoup plus avancés. Où est Tamara ? On a saisi l'ordinateur d'un suspect, mais on n'a rien découvert chez lui. Je repasserai chez Claire tantôt sans savoir si j'y vais pour m'excuser de n'avoir encore rien trouvé ou parce que j'espère qu'un détail leur viendra à l'esprit, à elle ou à Dimitri, qui nous mettrait sur une autre piste.

— Si j'étais un pédophile, j'apprécierais ce genre de petite fête dans un centre commercial où il y a des enfants de tous âges, de tous les genres. C'est là que j'ai commencé à travailler, dans les toilettes d'un centre…

Graham piqua une rondelle de pomme de terre quand elle perçut la sonnerie du téléphone cellulaire de Maxime. Elle détestait le thème musical qu'il avait choisi. Pourquoi ne répondait-il pas ?

— Il doit avoir oublié son cell dans le salon, fit Grégoire.

Graham sortit de la cuisine, refusant d'entendre cette sonnerie plus longtemps, saisit l'appareil et répondit.

— Max ? C'est Mike ? Je suis dans le trouble.

— Michaël ? C'est Maud. Qu'est-ce qui se passe ?

— Max n'est pas là ?

Elle sentit qu'on lui arrachait le téléphone des mains, Maxime fronça les sourcils en écoutant Michaël lui raconter qu'il s'était battu avec Tommy devant la pizzeria. Il pensait qu'il avait le nez cassé. Il n'osait pas rentrer chez lui dans cet état.

— Je viens te chercher avec Greg. Tu auras juste à coucher ici. Appelle ta mère pour lui dire qu'on est revenus ensemble après le soccer.

Il referma l'appareil, se tourna vers Maud et Grégoire, expliqua la situation.

— Je ne peux pas laisser un chum dehors…

— En l'emmenant ici, tu me rends complice de vos mensonges, commença Graham, mais…

— Écoute, c'est juste pour ce soir, fais comme si tu n'étais pas là, que tu ne le savais pas. De toute façon, tu avais dit que tu venais juste en coup de vent, que tu repartais.

Elle s'informa de l'état de Michaël.

— Il a peut-être le nez cassé.

— Peut-être pas, dit Grégoire. On pisse le sang, c'est vrai, sauf que... On verra bien. Prends des serviettes, je n'ai pas envie qu'il tache l'auto de Michel. Il ne me la prêterait plus jamais !

Maxime courut vers la salle de bain.

— On dirait que leur chicane est finie, constata Graham en attrapant son chandail vert. Si c'est plus grave, appelle-moi. Et essaie de savoir pourquoi Michaël s'est vraiment battu.

Elle attrapa son lourd sac à main et embrassa Grégoire en le remerciant d'avoir pensé à son souper et de s'occuper de Maxime. Elle se sentait un peu plus légère en quittant la maison.

23 h 10

Maxime et Michaël fixaient le générique du film qui défilait à l'écran.

— T'endors-tu ? Je regarderais bien un autre film.

— Si Maud rentre, elle va nous engueuler, hésita Maxime.

— Elle ne rentrera pas tout de suite, fit Grégoire. Ils en ont pour la nuit. Mais couchez-vous quand même, vous avez de l'école demain.

— Arrête, Greg, on n'est pas des bébés. Tu peux retourner chez vous. On n'a plus l'âge de se faire garder.

— Non, non, je vais dormir dans le salon.

— Maud n'a rien dit de plus quand elle a appelé ?

Grégoire secoua la tête. Maud n'avait donné aucun détail sur la soirée.

Maxime et Michaël s'arrêtèrent à la cuisine pour remplir un bol de biscuits et vider le litre de lait avant d'installer le matelas gonflable dans la chambre de Maxime. Michaël aurait pu coucher au sous-sol sur le futon, mais il préférait continuer à parler avec son ami, content de s'être réconcilié avec lui.

— J'ai toujours trouvé que Tommy était bizarre, fit Maxime. Il se prend pour le *king* juste parce que son père est riche.

— Il m'écœure. J'ai juste dit que c'était poche que tu ne sois pas venu manger une pizza avec nous. Il n'avait pas à me niaiser en me répondant que, si je m'ennuyais de mon petit ami, j'avais juste à aller te retrouver.

— Est-ce que ton nez te fait encore mal ?

— Un peu… Et mon poing aussi, je n'ai pas manqué Tommy ! Il va avoir un œil au beurre noir. Je ne sais pas ce que je vais raconter à ma mère.

— Dis-lui que tu t'es blessé en jouant au soccer. De toute façon, c'est arrivé juste après la partie.

— Tu as raison. Mais ça m'écœure de revoir Tommy demain. Qu'est-ce qu'il va raconter aux autres ?

— Ça n'a pas d'importance, mentit Maxime. On s'en fout, de Tommy Duval.

— En tout cas, j'ai été chanceux que ce soit Joël qui réponde au téléphone tantôt. Ma mère m'aurait encore embêté. Ils partent chez mes grand-parents vendredi soir. Ça ne me tente pas d'y aller. Si je reste chez nous samedi, j'aurai la maison pour moi tout seul. Pour une fois que ma mère ne serait pas sur mon dos ! Elle pensait que Maud ferait toute une histoire avec ce qui m'est arrivé à Montréal. Elle ne m'en a jamais parlé.

— À moi non plus.

Il y eut un silence, puis Maxime confessa que la discrétion de Maud l'avait un peu étonné. Elle était habituellement plus curieuse.

— J'imagine que c'est à cause de la disparition de la petite fille, ajouta-t-il. Elle ne pense plus qu'à ça.

— Ma mère aussi. Mais elle, ce n'est pas son travail. Quand je te dis qu'elle est bizarre...

— Tu trouveras que Maud aussi est bizarre si jamais il se passe quelque chose de grave cette nuit. Elle ne dira pas un mot demain matin. En plus, elle connaît la mère de Tamara.

— À ton avis, ils vont la retrouver bientôt ?

— Je ne sais pas. Ça serait mieux.

— Tu crois qu'elle est morte ?

— Oui.

— Ma mère va paniquer.

— Ce n'est pas sa fille, commença Maxime.

— Je le sais, mais ce n'est pas la première fois qu'elle capote pour une histoire d'enlèvement. Et c'est pire cette fois-ci. Je comprends qu'elle soit triste de ne pas être enceinte, sauf que c'est quoi, le rapport, avec Tamara ? Des fois, je me demande si elle est normale.

— C'est quoi, une mère normale ? Elle est peut-être bizarre mais, au moins, tu la vois. Moi, la mienne...

— Quoi ?

— Rien. Il n'y a rien à dire. Elle m'appelle à Noël et à ma fête. Quand elle n'oublie pas. Je ne la vois jamais.

— Est-ce que tu la détestes ?

— Ça dépend des jours. J'aimerais ne plus y penser. Je suis bien avec Maud et Alain.

— Et Léo.

— Et Léo, fit Maxime en caressant la tête du vieux chat.

CHAPITRE 8

Québec, 18 mai, 18 h

Le ciel se dégagerait-il bientôt? se demandait Pierre-Ange Provencher avant de s'éloigner des fenêtres et de revenir vers Graham qui l'avait rejoint à l'instant. Balthazar avait découvert que, au secondaire, Mario Frémont avait eu pour ami un certain Jocelyn Riendeau, sur lequel une équipe de la SQ avait enquêté quelques années auparavant.

— Je n'en reviens pas que Riendeau soit sur Facebook. Ça veut dire qu'il n'a pas peur d'être inquiété…

— Riendeau a été reconnu coupable d'avoir eu du matériel pornographique en sa possession, mais il a nié en avoir distribué. On n'a pas pu prouver le contraire. Il s'en est tiré avec trois mois de prison. Peu de gens sont au courant. Il y a à peine eu un entrefilet dans les journaux. Ça remonte à longtemps, et il n'a écrit aucun commentaire à caractère sexuel sur sa page.

— Tout de même! s'insurgea Graham. Il a du culot. Il devrait plutôt chercher à ce qu'on l'oublie!

— En principe, il fait surtout de la publicité pour ses produits auprès des restaurateurs, des épiceries fines, mais il se cherche peut-être des amis qui partagent ses goûts. Avec qui il communique autrement.

— J'espère que Legault témoignera contre Frémont si on réussit à le coincer, souhaita Graham. Il restera un peu plus longtemps au pénitencier cette fois-ci. Est-ce que Riendeau habite Lévis depuis longtemps ?

— Deux ans. Depuis qu'il est à son compte. Il se promène beaucoup aux États-Unis.

— En voiture ou en avion ?

— Les deux. Il est aussi allé à Cuba et à Bucarest.

— D'après les relevés de ses cartes de crédit, Frémont était là en même temps que lui l'an dernier. La Havane et Bucarest, c'est de plus en plus à la mode, tellement plus près que les Philippines pour faire du tourisme sexuel…

Un appel radio interrompit Graham, Provencher répondit immédiatement.

— Suivez Riendeau. On vous envoie d'autres hommes. Que deux d'entre vous restent sur place. On sera là dans vingt minutes.

— Riendeau est sorti ?

— Oui, on ne le lâchera pas. Et en attendant, on peut visiter son nid.

— J'adore la technologie, dit Provencher. Avec le mandat d'écoute d'urgence, on a pu établir que nos deux moineaux se sont parlé. Si Riendeau est mêlé à la disparition de Tamara, il a dû bouger avant aujourd'hui.

— Oui, mais personne ne le surveillait avant cette nuit.

— Je serais content de découvrir un élément qui l'implique directement, fit Provencher. Il faut que la perquisition soit rentable !

— Et rapide. On ne sait pas de combien de temps on dispose en son absence.

— L'important, c'est qu'il ne se rende compte de rien dans l'immédiat. Comme pour Frémont, Riendeau ne doit pas se douter qu'on le surveille.

— Ses voisins lui parleront peut-être de nous…

— Peut-être, mais pas tout de suite. S'il a caché Tamara ou s'il sait où elle est, et si elle est toujours vivante, il aura envie de la rejoindre. Où qu'elle soit…

— Il faut qu'il nous mène à elle. Ou qu'on trouve des indices chez lui. On fera des tests au luminol s'il le faut.

— On fera tout ce qui est nécessaire, assura Provencher.

Alors que Provencher se garait derrière la voiture d'un des enquêteurs postés tout près du domicile de Riendeau, Graham prit une longue inspiration ; découvrirait-on un indice qui les guiderait vers Tamara ? Elle se réjouit encore une fois que Provencher ait obtenu rapidement un mandat général et qu'il accepte qu'elle reste à ses côtés même si elle n'était pas ici dans sa propre juridiction.

— Il vit seul, confirma Étienne Martineau. On y va ?

Graham regarda Provencher s'avancer avec Martineau, sonner à la porte de Jocelyn Riendeau, attendre quelques minutes pour utiliser le passe-partout et pénétrer à l'intérieur. Elle les imita et s'arrêta, comme eux, en entendant des cris étranges qui venaient d'une pièce au fond du couloir. Ils se précipitèrent, ouvrirent la porte et aperçurent un singe qui se balançait dans sa cage et qui cessa de hurler en les voyant.

— Un singe ! s'exclama Graham en enfilant des gants de caoutchouc. C'est encore mieux qu'un chien pour attirer les enfants.

Elle s'avança vers la cage, regarda la bête qui suivait ses mouvements avec attention et se pencha vers elle en lui parlant doucement.

— Je pensais que les animaux exotiques étaient interdits, dit Provencher.

— Ça doit être une femelle, avec cette boucle rose sur la tête, avança Graham. Je ne suis pas certaine qu'elle aime porter ça. Mon chat renâcle quand je lui mets son collier.

Graham se pencha, ramassa une barrette mauve au sol, se redressa en souriant.

— Tu vois, j'ai raison, ça ne plaît pas à mademoiselle, elle l'a jetée au sol.

La guenon poussa un gloussement au moment même où Graham rapprochait la barrette pour l'examiner. Mauve. La couleur préférée de Tamara. Elle sortit un sac de plastique pour y déposer l'objet et l'agita vers Provencher.

— C'est peut-être à Tamara. Si ses empreintes sont là… Il faut qu'on le sache au plus vite.

— La barrette ?

— Elle est trop large pour la tête de l'animal. Et Tamara porte des pinces, des barrettes, des serre-tête. Elle était vêtue de mauve quand elle a disparu. Et elle a suivi Agnès qui portait une robe de cette couleur.

Si Tamara s'était trouvée sur les lieux, où était-elle à cette heure ? Martineau, qui avait fait le tour des pièces, revint vers eux ; aucune trace de l'enfant dans la maison.

— Au sous-sol, il n'y a qu'une grande pièce avec des appareils de musculation et une salle de bain. Mais c'est juste un premier coup d'œil.

— Oui, on revoit tout lentement en attendant qu'on nous prévienne du retour du proprio. J'espère que sa liste de courses est longue, pour qu'on ait un peu de temps !

Ils scrutèrent le moindre espace avec attention, ouvrant les tiroirs, les garde-robes, soulevant les coussins du canapé, les oreillers sur le lit en silence, s'agenouillant pour examiner le tapis du salon.

En ouvrant le réfrigérateur, Provencher poussa une exclamation qui ramena Graham et Martineau près de lui.

— Des Minigo. Connaissez-vous beaucoup d'adultes qui mangent ces yogourts ?

— Et moi, j'ai découvert ceci, fit Martineau en montrant un comprimé déposé aussi dans un sachet. Des somnifères.

— Il en a peut-être besoin pour dormir. On a trouvé les mêmes chez Frémont.

— Ils ont prévu qu'ils devraient droguer Tamara pour la transporter.

— Mais où ? tonna Graham. Où est-elle ?

— Admettons que Frémont l'a repérée il y a quelques mois, qu'il a continué à se promener dans le quartier, qu'il a vu Claire et Tamara partir en voiture, qu'il les a suivies. Il a compris qu'au centre commercial, ce jour-là, c'était l'endroit rêvé pour approcher

165

un enfant sans qu'on le remarque. C'était la folie, les gamins couraient partout. Il a guetté Tamara et s'est arrangé pour se trouver sur son chemin quand elle a échappé à la vigilance de sa mère.

— Je te corrige tout de suite ; il ne savait pas qu'elle échapperait à Claire. Il a été tout simplement chanceux. Et vigilant. Il devait être à l'affût de la moindre occasion qui s'offrirait à lui. Ça arrive que des enfants se perdent dans les centres commerciaux. Il comptait là-dessus et a été récompensé au-delà de ses espérances. Il a croisé une gamine qu'il connaissait, Tamara lui a sauté dans les bras.

— Et Riendeau ?

— Frémont a profité de l'occasion, mais il a vite compris qu'il ne pouvait pas garder la gamine, estima Provencher. Il se doutait qu'on remonterait jusqu'à lui en faisant le tour du quartier où il habitait avant. Il s'est peut-être dit qu'il pouvait être sur les bandes vidéo, qu'il ne pouvait courir le risque de cacher Tamara chez lui. Il avait besoin d'un coup de main, il a pu offrir à Riendeau de partager sa prise…

Graham ferma les yeux, atterrée à l'idée que non seulement ces hommes se prêtaient Tamara, mais qu'elle pouvait être entrée dans un réseau plus vaste. Qu'elle était déjà loin de Québec. Dans quelle province ? Elle n'avait pu quitter le pays, sa photo avait rapidement été transmise dans les aéroports, les gares, les postes frontaliers. Les employés avaient le devoir de vérifier les coffres de tous les véhicules qui s'arrêteraient à la frontière.

Graham retourna dans la chambre de Riendeau, s'attarda aux photographies, aux cartes postales, tira sur une punaise pour libérer une image de Rome. Elle avait l'impression qu'il y avait des siècles qu'elle était allée dans la Ville éternelle avec Alain alors que c'était il y a deux ans. Chaque enquête déformait le temps. Le goût de cendres se précisait dans sa bouche, un goût d'espoir tombé en poussière, terriblement amer. Après tant de jours, elle était certaine d'avoir à annoncer à Claire la mort de Tamara et redoutait ce moment. Tous les policiers de tous les pays sont unanimes ; annoncer la mort d'un enfant à des parents est l'aspect le plus pénible de leur travail.

Il fait beau, les terrasses sont bondées à Rome, trop de touristes, mais on mange bien et le vin n'est pas cher. À bientôt ! Jo

Jo ? Pour Johanne ? Joseph ? Un homme, une femme ?

Graham remit la carte à sa place, s'approcha pour examiner les autres, se pinça les lèvres en saisissant une image de Bucarest.

Tout n'était pas si bien organisé que prévu, mais on trouve ce qu'il faut dans les boutiques de jouets. Tu aurais dû venir avec nous. M.

M ?

Elle regarda toutes les autres cartes, seulement le tiers était signé.

— C'est curieux, nota-t-elle, il n'y a jamais personne sur ces photos. Que des lieux. Des photos de voyage, j'imagine.

Provencher s'approcha du babillard où Graham replaçait une carte et la lui reprit.

— Regarde dans le coin inférieur gauche.

Graham remit ses lunettes.

— On dirait un pare-chocs.

— Mais haut, comme celui d'un véhicule récréatif. Et si tous ces endroits étaient des sites de camping ? Si notre moineau s'adonnait à ce loisir ? Il y a beaucoup d'enfants dans les terrains de camping.

— Il conserverait des photos des sites où il a repéré ses proies ?

— Ou les terrains de ses exploits ?

— Je m'en occupe, lança Martineau en composant immédiatement un numéro sur son portable.

Après avoir donné ses directives, il promit à Provencher qu'il aurait la liste des terrains de camping de la région de Québec dans l'heure.

— On n'a pas vu de matériel de camping au sous-sol.

— Et dans le garage ? On a fait le tour rapidement, on cherchait des preuves de l'éventuelle présence d'une enfant, mais si on s'intéressait maintenant au camping ?

Ils se dirigèrent vers l'arrière de la maison où une porte communiquait directement avec le garage. Provencher appuya sur l'interrupteur et ils revisitèrent les lieux.

— Une lampe de poche, mais pas de tente. Pas de sac de couchage. Pas de glacière.

— Parce qu'il a une tente-roulotte ou un véhicule récréatif, suggéra Graham.

Provencher appela aussitôt les équipes qui suivaient Riendeau. Pouvaient-ils distinguer, à l'arrière de la voiture du suspect, un système permettant de fixer une tente-roulotte ou une caravane ?

— Je vais aller voir, répondit Constant. Il vient d'entrer dans un supermarché, on a le temps de vérifier. Avez-vous trouvé quelque chose ?

— Riendeau pourrait être amateur de camping. On fait sortir la liste des sites. Graham est en train de parler avec Joubert, peut-être que Frémont est aussi adepte de camping.

— Je me demande où il nous emmène, dit Constant. S'il est juste allé faire son épicerie ou si on se rend plus loin. Quels terrains de camping sont ouverts si tôt dans la saison ?

— On le saura dans quelques minutes. Il est possible qu'il ait un terrain privé. Où serait installée sa roulotte... Qu'il se prépare à y passer la nuit.

— Je vous rappelle dès qu'il revient à sa voiture. On verra s'il prend l'autoroute ou non.

Provencher glissa le cellulaire dans la poche de son imper.

— Je boirais bien un café. La nuit risque d'être longue.

Graham hocha la tête sans répondre, songeant à Tamara, au cœur des ténèbres.

Nuit de mercredi à jeudi

La pelouse était parsemée de petites fleurs que Graham ne pouvait encore distinguer, mais l'aurore naissante les révélerait dans quelques heures. Dans l'immédiat, tout ce que voyait Graham, c'était un homme qui agitait les bras pour leur faire signe de contourner la palissade et de continuer vers la droite.

— Comment s'appelle-t-il ? demanda-t-elle à Joubert qui les avait rejoints.

— Jean-Marc Dumais. Il est propriétaire du terrain de camping depuis cinq ans. Il affirme que Riendeau est très sympathique, toujours prêt à rendre service, bien aimé des autres campeurs. Qu'il avait son emplacement avant que lui-même rachète le camping, dans la partie la plus éloignée, près du lac.

— Un lac.

— Je te l'ai dit tantôt.

— J'ai voulu l'oublier, avoua Graham. J'imagine que la SQ fera venir les plongeurs.

— Peut-être que non, dit Joubert sans conviction. Qu'en pense Provencher ? Il a traité plus de cas de disparitions que nous…

Graham haussa les épaules avant d'enfiler des gants de caoutchouc. Qu'est-ce qui les attendait dans la roulotte de Riendeau ? Il n'était pas allé au camping, était rentré chez lui après s'être arrêté à la pharmacie. Graham et Provencher l'avaient vu revenir, se garer, jeter un coup d'œil autour de lui en sortant de son véhicule, avant d'ouvrir le coffre pour récupérer les sacs d'épicerie. Il avait contourné la maison pour entrer par la porte arrière.

Provencher avait donné des consignes afin qu'on maintienne la surveillance de Riendeau, tandis que Graham rappelait aux agents chargés de suivre Frémont d'être très vigilants. Elle avait ensuite uni ses efforts aux hommes qui téléphonaient à tous les propriétaires de terrains de camping afin d'avoir la liste de leurs clients. Surpris par ces appels tardifs, les propriétaires mettaient du temps à comprendre ce qu'on leur voulait. Plusieurs n'avaient pas chez eux la liste de ces habitués et rechignaient à s'habiller pour se rendre à leurs bureaux, souvent situés sur le terrain qu'ils exploitaient.

À vingt-trois heures dix, Martineau avait discuté avec Jean-Marc Dumais. Il conservait chez lui tous les documents relatifs au camping Aux petits oiseaux et avait pu confirmer que Jocelyn Riendeau avait loué un emplacement les deux derniers étés, et réservé ensuite toute l'année.

— Il ne doit pas faire encore très chaud pour s'installer là, avait fait remarquer Joubert. Est-ce que les habitués arrivent si tôt dans la saison ?

— Ça dépend du modèle de roulotte. Celles qui sont bien chauffées pourraient passer l'hiver, sauf que c'est ennuyant quand il n'y a pas de monde. Avant la fin de mai, les gens ne sont pas pressés d'être là. Ils ne sont pas encore en vacances, mais, en juin, ils sont contents de se retrouver. C'est très social, ici. J'ai une bonne réputation pour les activités. Pour tous les goûts, pour tous les âges. On est aux oiseaux, chez nous ! Je ne sais pas pourquoi vous cherchez Riendeau, mais je suis sûr qu'il n'est pas au camping. Personne n'est encore arrivé pour la saison. Il n'y a que Germain Lantier qui finissait la peinture. C'est mon homme de confiance, il sait tout faire.

Apprendre qu'il devait se rendre immédiatement au terrain de camping en pleine nuit avait exacerbé la curiosité de Jean-Marc Dumais. Il s'était informé de nouveau de ce qu'on voulait à Riendeau ; Martineau lui avait promis d'être plus explicite lorsqu'ils se rencontreraient.

L'aube était l'heure des duels, songea Graham. Certains combattants en réchappaient indemnes, mais elle doutait que ce soit son cas. Elle perdrait la bataille si on trouvait le corps de Tamara au lever du jour. Elle savait qu'elle se souviendrait pour toujours de cette nuit-là, de l'aurore qui auréolerait bientôt de nacre les jeunes feuilles des arbres.

Deux voitures de la Sûreté du Québec étaient déjà sur les lieux quand Graham et Joubert arrivèrent. Ils entendirent claquer les portières de la camionnette que conduisait Martineau et virent celui-ci et Provencher s'avancer vers Jean-Marc Dumais. La soixantaine, l'homme souffrait d'un surplus de poids que sa salopette en jean ne parvenait pas à camoufler. Il ne portait ni pull ni veston malgré la fraîcheur de la nuit.

— Alors ? Qu'est-ce qui se passe ? C'est vous, Martineau ?

— Oui, et voici Provencher, Graham et Joubert.

Dumais désigna d'un geste les agents restés à l'écart dans l'attente des directives.

— Eux aussi sont avec vous ? Qu'est-ce que vous venez faire ici ?

— On ne peut pas vous le dire tout de suite, monsieur Dumais, mais…

— Laissez faire le monsieur, tout le monde se tutoie ici. On est une grande famille.

— Vous connaissez bien chacun de vos clients ?

— Tous les habitués. Après une semaine, je sais ce qu'ils mangent pour déjeuner et à quelles activités ils participeront.

— Beaucoup d'enfants passent l'été ici ?

— C'est la place ! Notre lac est propre ! Les installations aussi. C'est important, que ça soit net.

— C'est toujours bien entretenu ?

— Je tiens à la réputation du camping ! Je venais ici avant d'être propriétaire. J'en rêvais pour ma retraite. Je viens deux fois par semaine pour m'assurer que tout est correct. Je vérifie les travaux, je fais repeindre les bancs chaque année. C'est le paradis, ici !

Joubert échangea un regard avec Graham. Jean-Marc Dumais tomberait des nues et perdrait ses lunettes roses dans les prochaines minutes.

— Monsieur Dumais, commença Joubert, vous…

— Jean-Marc ! On s'appelle par nos petits noms. Qu'est-ce que tu veux savoir ?

— Vous… tu m'as parlé de l'homme à tout faire. Tu le connais depuis longtemps ?

— Germain Lantier travaillait ici du temps où j'ai commencé à passer mes étés au camping. Quand j'ai acheté, il a eu peur que je ne le garde pas, mais j'aurais été stupide de le renvoyer, il a des mains en or. Il a toujours bien gagné sa vie malgré son handicap.

— Son handicap ?

— Il est sourd. Ce ne sont pas nos petites fêtes durant l'été qui peuvent le déranger, il n'entend rien. Je sais qu'il y a des téléphones qui envoient des messages textes, ma nièce en a un, mais Germain et moi, on est trop vieux pour ces affaires-là. Je lui parle face à face, il lit sur les lèvres. Avec ses outils, il répare n'importe quoi. Vous passerez devant son atelier. Les enfants lui apportent leurs jouets brisés. Germain Lantier est patient avec eux autres, il leur montre comment il fait.

— S'il avait vu des visiteurs ici, il vous aurait informé ?

— Bien sûr. Il est aussi content que moi quand les premiers s'installent !

— Vous n'avez pas eu de ses nouvelles ?

— Non.

— Comment peut-il vous joindre ?

— Il demande à son voisin de m'appeler. Mais c'est rare. On n'a jamais de problèmes. Tout est toujours OK.

— Où est le véhicule récréatif de Jocelyn Riendeau ? Ou sa roulotte ? l'interrogea Provencher.

— Du côté de la forêt, plus au nord. Il dit qu'il a besoin de calme pour écrire, mais ça ne l'empêche pas de participer aux activités. Il joue de la guitare.

— Il écrit ? s'étonna Graham qui avait cru comprendre qu'il était importateur de produits alimentaires.

— Des chansons. On en a appris quelques-unes l'été passé.

Joubert remercia Dumais en lui demandant de rester près de sa voiture.

— J'ai ouvert la clôture. Il faut juste l'immobiliser, elle se referme toute seule. Vous avancez, puis vous tournez et continuez tout droit.

— On se reparle tout à l'heure, promit Joubert.

— Est-ce qu'il lui est arrivé quelque chose ? insista Dumais.

— Tout à l'heure, monsieur Dumais, répéta Graham.

Elle entendit Provencher indiquer aux agents Pelletier, Martel, Fiset et Simard de relever les traces au sol à l'entrée et autour du terrain de camping, jusqu'à l'embranchement de la petite route. Elle-même alluma sa lampe de poche afin d'éclairer la terre le long des allées en se gardant de piétiner d'éventuels indices.

Elle s'arrêta subitement, désigna le sol à Joubert, héla Provencher, s'agenouilla.

Des traces de pas partaient du coin sud-ouest de la grille et se dirigeaient en ligne droite vers le nord, vers la forêt.

Elle se releva, l'air sombre.

— Des marques différentes. Au moins deux hommes.

Elle courut vers le véhicule récréatif de Riendeau et constata qu'un énorme cadenas en verrouillait la porte. Elle colla son oreille contre le véhicule, n'entendit qu'un bruit de moteur.

— Je ne détecte rien.

— Ça nous prend des outils pour couper ça, lança Provencher.

— L'atelier de l'homme à tout faire, dit Joubert. J'y vais.

Tandis qu'il partait à la recherche de cisailles, Graham et Provencher examinaient les abords en silence, se hissaient sur la pointe des pieds pour tenter d'apercevoir l'intérieur du véhicule, mais ils ne pouvaient rien distinguer. Ils revinrent devant la porte où un miroitement les poussa à se pencher d'un seul élan

175

vers le sol. Graham éclaira plus précisément l'endroit où ils avaient vu un éclair, et Provencher s'accroupit pour saisir un bracelet de perles de verre. De verre mauve.

Graham ferma les yeux. Elle avait l'impression que son sang circulait à toute vitesse, mais elle se sentait gelée. Le bruit des cisailles coupant le cadenas la fit sursauter. Elle vit Provencher glisser le cadenas dans un sachet tandis que Joubert ouvrait la porte, et elle réagit en le poussant sur le côté.

— J'y vais la première, chuchota-t-elle. Tamara paniquera si elle voit d'autres hommes.

Voulait-elle conjurer le sort en parlant de Tamara au futur ? Elle balaya l'intérieur de la roulotte rapidement une première fois sans déceler de présence humaine, mais si quelqu'un était caché dans les toilettes ? Si Riendeau et Frémont avaient un complice ? S'il avait été chargé de « garder » Tamara ? Elle s'avança lentement vers la porte des toilettes, la poussa de sa main gantée tout en se collant dans le renfoncement. Elle tendit l'oreille, mais seuls les battements de son cœur troublaient le silence. Elle éclaira la minuscule salle de bain, déplaça le rideau de la douche en retenant son souffle, mais Tamara n'y était pas. Elle revint sur ses pas, souleva les bancs sous lesquels une enfant pouvait tenir.

— Elle n'est pas ici, dit-elle à Provencher et Joubert.

— Les techniciens seront sur place dans dix minutes. Ils vont trouver des empreintes.

— On a le bracelet en attendant leurs résultats, fit Joubert. Si Claire l'identifie comme étant à Tamara,

Riendeau aura de la difficulté à prouver qu'il n'est pour rien dans cette affaire !

— C'est son bracelet, affirma Graham. Elle le porte sur une des photos que nous a remises Claire.

— Qu'est-ce qu'ils ont fait de la petite ?

— Je veux une battue des kilomètres autour du camping, souffla Provencher. Des plongeurs pour le lac et…

Il se tut en entendant des cris. La radio grésilla aussitôt.

— Qu'est-ce qui se passe ?

— Pelletier et Fiset viennent de trouver un corps. C'est un homme.

— Un homme ? Le cadavre d'un homme ? Ce n'est pas Tamara ? Où ?

— De l'autre bord du stationnement. À l'ouest. Les gars éclairent déjà.

Quand Graham, Provencher et Joubert arrivèrent sur les lieux de la découverte, ils surent tout de suite qu'ils regardaient le cadavre ensanglanté de Germain Lantier. La soixantaine, en bleu de travail, de la peinture sur les mains.

— On lui a défoncé le crâne ! s'exclama Provencher.

— On va avoir besoin de Dumais pour nous confirmer que c'est bien son employé, dit Joubert. Je m'en charge.

En ramenant Dumais vers la scène de crime, il tenta de le préparer à un choc, mais, en voyant le corps de Germain Lantier, le propriétaire du camping eut un malaise. Graham se précipita pour aider Joubert à le soutenir. Ils le ramenèrent vers une des voitures,

177

l'installèrent à l'arrière avant de lui demander s'il avait reconnu Germain Lantier.

Dumais, si bavard habituellement, se contenta de hocher la tête.

— On va avoir besoin de vous, dit doucement Joubert.

— Je ne veux pas le revoir !

— Non, mais vous connaissez ses proches. Nous devons les avertir.

— Il n'a pas de famille. C'est nous, sa famille ! Je ne peux pas le croire ! Pas ici !

— Quelqu'un aurait-il pu lui en vouloir ? demanda Joubert alors qu'il était persuadé de la culpabilité de Riendeau et Frémont.

Il était certain qu'ils avaient paniqué en s'apercevant qu'ils n'étaient pas seuls au camping et qu'ils avaient supprimé un témoin gênant.

— Tout le monde l'aimait ! Quand je vais apprendre ça aux autres…

— Dans l'immédiat, on préférerait que vous gardiez le silence sur ça. On ne veut pas avoir les journalistes sur le dos tout de suite, vous comprenez ?

— Les journalistes ?

— Ils pourraient sauter trop vite aux conclusions et penser que votre terrain de camping est dangereux, précisa Martineau pour être sûr que Dumais ne serait pas tenté de divulguer trop vite la découverte.

L'homme gémit. Ce n'était pas possible qu'un crime ait eu lieu Aux petits oiseaux ! Les habitués paniqueraient !

— Ça dépend comment la nouvelle sortira dans les médias. Laissez-nous gérer tout ça, affirma Joubert

178

d'un ton assuré, même s'il savait très bien que Provencher disposait de peu de temps avant d'être obligé de s'adresser aux médias.

Il retourna vers la scène de crime. Graham, agenouillée près du corps, semblait perdue dans ses pensées, tandis que Provencher s'entretenait avec l'équipe technique qui venait d'arriver sur les lieux, après avoir appelé les détectives chargés de surveiller Riendeau.

Frémont l'avait rejoint et il s'était aussitôt engouffré dans la voiture de Riendeau. Les policiers ne les avaient pas lâchés d'une semelle depuis. Provencher avait ordonné leur arrestation, et on sut rapidement que les deux hommes voyageaient avec leurs passeports.

Joubert tendit son bras à Graham pour l'aider à se relever.

— On doit montrer le bracelet à Claire. L'envoyer ensuite au labo pour vérifier s'il y a des empreintes dessus. Je m'en charge ?

— Oui, répondit Provencher, tu connais les parents…

— Veux-tu que je t'accompagne ? suggéra Joubert.

— Non, Tiffany est toujours là. Tu seras plus utile ici. Je vous rejoindrai quand j'aurai vu Claire.

— Bonne chance.

En s'engouffrant dans sa voiture, Graham se mit à trembler et regretta d'avoir cessé de fumer. Elle aurait voulu griller une cigarette pour se calmer. Ou s'en donner l'illusion. Mais comment aurait-elle pu être calme alors qu'elle avait, dans sa poche, dans un petit sac plastique, un minuscule bracelet mauve et une barrette avec des brillants ? Même si elle avait froid, elle

179

ouvrit la fenêtre dans l'espoir de mieux respirer. Elle inspira longuement avant d'appeler Tiffany McEwen pour l'aviser des derniers développements.

— Ça ne sera pas facile avec Claire, prévint Tiffany. Elle est à bout de nerfs.

— Et son mari ?

— Tétanisé. Il ne bouge pas. Ça pétera à un moment ou un autre.

— J'en ai bien peur. Les journalistes vont se ruer ici. Il y en a déjà, et le téléphone sonne constamment. Tu ne seras pas seule à gérer la presse, c'est sur le territoire de la SQ qu'on a trouvé le corps de Lantier et les indices de la présence de Tamara. Provencher et Martineau interrogeront Riendeau et Frémont ce matin.

— Le corps de Lantier ? C'est qui ?

— Un pauvre homme à la mauvaise place au mauvais moment. Je t'expliquerai. On cherche toujours Tamara. Il y a un lac ici.

19 mai

Trevor Duncan se réveilla à l'aube, en sueur, persuadé que Claude était ressuscitée, qu'elle l'attendait derrière le rideau de la douche, qu'elle l'attraperait par le bras et lui demanderait de sa voix rauque de lui savonner le dos. Il se redressa tout à fait dans le lit, tendit l'oreille. Aucun bruit ne s'échappait de la salle de bain, il avait encore rêvé. Les battements de son cœur s'apaisèrent, il sortit du lit, s'approcha de la fenêtre.

L'aurore tapissait de miel les façades des immeubles du boulevard Charest, et cette lumière chaude annonçait une belle journée. Oui, une belle et bonne journée. Il parlerait à Marie-Catherine aujourd'hui. Il la suivrait un moment pour être certain d'être seul avec elle quand il l'aborderait. Il cherchait encore la première phrase qu'il devrait prononcer pour s'adresser à elle. Depuis qu'il avait appris son existence, il n'arrêtait pas de penser à Marie-Catherine, mais il n'arrivait pas à se décider à lui parler, et cette indécision le troublait. Le soleil l'agaça subitement. Il préférait la pluie à la lumière agressante du soleil. L'odeur de l'eau lui manquait.

Comment était-ce possible alors que le fleuve était relié à tant de mauvais jours ? Il regarda l'heure au radio-réveil : cinq heures vingt-six. Il avait le temps de se rendre jusqu'au port pour voir le Saint-Laurent et d'aller ensuite chez Marie-Catherine et Michaël. Il emprunterait le boulevard Champlain, longerait le fleuve. Il n'était pas de la même couleur bleutée qu'à Rimouski, plus mat, avec une nuance de gris. Il monterait vers Sillery par la côte Gilmour. Il l'avait repérée sur la carte de Québec qu'il avait achetée au garage. Il avait jeté celle qu'avait utilisée Claude. Il n'avait pas envie de cette vieille carte. Il recommençait à neuf.

Et s'il suivait plutôt Michaël ?

Non. Marie-Catherine.

Ou Michaël ? Il devait se décider !

Michaël. Oui, il devait savoir s'il allait l'aimer ou le détester. Si Michaël lui avait volé sa place ou s'il ignorait tout, si on lui avait menti, à lui aussi. Marie-Catherine était-elle aussi malhonnête que Claude ?

Trevor secoua la tête ; il ne voulait pas considérer de nouveau cette hypothèse. Il devait s'en tenir à ce qu'il avait envisagé : Marcus Duncan était le seul responsable de ce gâchis.

Le quartier Petit Champlain était quasiment désert, et Trevor put garer sa voiture aisément. Il s'avança vers le fleuve, jeta un coup d'œil au traversier qui n'allait pas quitter Québec avant une bonne heure. Combien de personnes l'empruntaient par jour ? Des gens s'étaient-ils déjà jetés au milieu du fleuve comme lui-même en avait eu envie lorsqu'il était venu à Québec avec Claude deux ans plus tôt ? Qu'est-ce qui l'en avait empêché ? Pourquoi était-il toujours vivant ? Il devait pressentir qu'une autre vie l'attendait ailleurs. Il ne connaissait pas l'existence de Marie-Catherine, mais leurs liens de sang étaient si puissants qu'ils avaient cheminé jusqu'à son âme, l'avaient pétri de cette conviction que son existence changerait.

Il s'approcha des quais, écouta le son des vagues qui se fracassaient contre le béton mais fut déçu de ne pas percevoir l'odeur de l'iode. À cette heure-là, il y avait peu de circulation, les émanations de gaz n'avaient pas encore troublé le parfum de l'aube, il aurait dû pouvoir s'emplir les poumons de la fraîcheur du fleuve. Il se mit à pleurer. De dépit, de confusion. Il s'était juré d'oublier le Saint-Laurent et voilà qu'il le regrettait, qu'il cherchait l'odeur de son passé. Comment pouvait-il trouver du réconfort dans la contemplation de ce fleuve qui avait été son compagnon de solitude ? Il se secoua, ses pensées dérivaient. Il devait tout freiner, se concentrer sur le présent. Le présent. Il fallait jeter son passé par-dessus bord. Dans cette eau gris acier qui s'étendait jusqu'à l'île d'Orléans.

Il visualisa son cerveau comme s'il s'agissait d'un château avec ses douves et ses oubliettes. C'est là qu'il devait précipiter le souvenir de Claude et Marcus. Et dans les pièces richement décorées, dans la grande salle de bal, il valserait avec Marie-Catherine.

La crête des vagues, brillante dans le soleil qui montait dans le ciel, donnait l'impression que des milliers de poissons d'argent s'ébattaient tout le long du boulevard Champlain. Un couple de cyclistes s'arrêta sur la piste aménagée et échangea un baiser. Juste un baiser avant de reprendre la route. Trevor leur envia leur légèreté, leur insouciance. Ils n'avaient visiblement pas de lourds secrets à dissimuler, alors qu'il ne pourrait jamais raconter à Marie-Catherine ce qui s'était passé entre Claude et lui. Elle en serait dégoûtée.

Quand il s'assit avenue Maguire au Cochon Dingue, une des serveuses lui sourit.

— Ça va bien, ce matin ?

Il répondit oui, alors qu'il ne savait pas s'il allait bien ou mal, et songea ensuite à sourire pour commander un café au lait et deux croissants. Il devait avoir l'air normal. Il aurait même le temps de lire le journal avant de se poster pour surveiller Michaël. Il s'empara du *Soleil*, frémit : Tamara Boileau-Hanzoff n'avait pas encore été retrouvée, mais la police quadrillait un terrain de camping. Il était probablement trop tard. Il détailla la photo

183

de Tamara en médaillon, songea qu'elle lui ressemblait. Il était sûr qu'elle avait les yeux du même bleu que les siens. C'était impossible. Il délirait. Il était trop tendu, depuis trop longtemps. La question, la maudite question de la première phrase à dire à Michaël ou Marie-Catherine le harcelait. Il aurait aimé être plus spontané, mais il était tellement habitué à se contrôler, à veiller à ne pas se trahir.

— Veux-tu un autre café? demanda la serveuse, lui souriant de nouveau.

— Tu travailles à temps plein?

— Non, je finis mon cégep. Toi?

— Moi aussi, mais j'ai pris congé cette semaine. Ma mère est morte.

Pourquoi avait-il dit ça? Il n'avait parlé à personne du décès de Claude. Il aurait voulu rattraper ces mots alors qu'il lisait de la stupéfaction, puis un certain malaise, sur le visage de la serveuse.

— Je… je…

— C'est correct, elle était malade. C'est une délivrance.

Il avait su rapporter les paroles que la plupart des visiteurs lui avaient dites au salon funéraire.

— Je prendrais un cappuccino pour faire changement.

— Tout de suite!

La jeune fille était ravie de s'éloigner de lui. Évidemment. Il avait encore tout gâché. Elle ne lui sourirait plus de la même manière s'il revenait au Cochon Dingue, elle le prendrait en pitié. Et Trevor ne voulait de pitié de personne.

Il trouva un goût amer au cappuccino, mais il le but en entier et paya son petit déjeuner en souriant. La serveuse lui souhaita une bonne journée avant d'ajouter en souriant : « Et à bientôt ? »

Peut-être qu'il se trompait et qu'elle ne le regardait pas avec commisération. Qu'elle était gentille avec lui parce qu'elle supposait qu'il était attristé par la mort de sa mère. Mais il n'avait pas perdu une mère. Il ne l'avait simplement pas encore retrouvée.

Que devait-il dire à Michaël ?

Il remit sa veste de cuir en sortant du resto, jeta un coup d'œil à sa montre. Il était tôt, mais Trevor préférait attendre dans la voiture plutôt que rater le départ de Michaël pour le collège.

Un homme sortit de la maison voisine et ralentit à son niveau, lui indiqua de baisser sa vitre.

— Vous attendez quelqu'un ?

Trevor dévisagea le vieillard, faillit lui crier de se mêler de ses affaires mais secoua la tête. Il s'était simplement senti un peu fatigué et s'était garé dans une rue calme pour se reposer avant de partir pour Montréal.

L'homme aux cheveux blancs l'observa un moment avant de tourner les talons et de continuer sa promenade. Trevor sentit la colère monter en lui. De quoi se mêlait ce vieux débris ? La rue était à tout le monde. Ce bonhomme n'avait pas à venir l'importuner. Il n'avait de comptes à rendre à personne. Le premier qui voudrait lui dire quoi faire aurait toute une surprise. C'était fini, le temps où il obéissait. Il avait une arme, maintenant. Et il saurait s'en servir.

Il se força à inspirer lentement, il devait se calmer, se concentrer sur son but.

Après une trentaine de minutes, il vit Marie-Catherine sortir de la maison, vêtue d'un léger manteau marine. Elle se dirigea vers la voiture, s'étira, scruta le ciel, hésita quelques secondes avant de rentrer chez elle pour en ressortir trois minutes plus tard avec un pull de couleur claire. L'homme avec qui elle vivait s'installa au volant, les portières claquèrent en même temps, et la voiture s'éloigna vers la rue Saint-Louis. Il était huit heures onze.

Mais où était Michaël? Était-il sorti plus tôt? Les cours devaient commencer à huit heures trente, comme dans la plupart des établissements scolaires. Était-il malade et couché, ou parti avant que Trevor commence à surveiller sa maison? Il regarda les fenêtres du haut. Laquelle était celle de la chambre de Michaël? Était-elle près de celle de Marie-Catherine? Y avait-il une chambre d'amis qui pourrait devenir la sienne? Quand il aurait vendu la maison de Rimouski, touché l'argent de l'héritage, il serait vraiment riche. Il pourrait écrire dans cette nouvelle chambre. Il pourrait préparer le souper de toute la famille. Il les épaterait par ses recettes quand ils rentreraient du travail ou de l'école. Il ne savait pas très bien cuisiner, mais il apprendrait; il y avait tellement d'émissions à la télévision où des chefs expliquaient comment réussir un souper.

Où était Michaël?

CHAPITRE 9

Québec, 19 mai, 10 h 30

Maud Graham était assise devant Claire Boileau et se demandait pourquoi son mari ne la prenait pas dans ses bras et si elle-même devait s'en charger. Elle entendait les gémissements déchirants de Claire, regardait les mouchoirs de papier qu'elle réduisait en charpie dans des gestes saccadés et priait pour qu'Émilie les rejoigne rapidement.

Tiffany McEwen revint de la cuisine avec une théière et des tasses qu'elle posa sur la table basse du salon. En se penchant pour verser le thé, Maud sentit une bosse sous le coussin mais n'osa pas le soulever, persuadée de découvrir une peluche ayant appartenu à Tamara. Il n'y aurait probablement plus jamais d'oursons ni de poupées dans cette maison. Plus de rires d'enfant, plus de courses à travers la pièce, plus de sauts interdits sur le canapé rouille.

Le corps de Tamara n'avait pas encore été retrouvé, mais un agent avait découvert une autre barrette avec des brillants près du lac où des traces de pas avaient été relevées. D'ici peu, les plongeurs remonteraient avec le petit cadavre ; Graham n'imaginait pas d'autre issue à leurs recherches. Le bracelet en perles de verre mauve était bien celui de Tamara.

— Je vais tuer ces gars-là ! cria subitement Dimitri Hanzoff avant de balayer la table, envoyant valser la théière sur le tapis.

Claire se mit à hurler même si elle n'avait pas reçu une goutte du liquide brûlant mais demeura assise, alors que Graham et McEwen s'étaient levées d'un bond pour éviter d'être ébouillantées. Dimitri répétait qu'il arracherait les yeux des ravisseurs de sa fille, tout en frappant la cloison qui séparait le salon de la salle à manger. Maud Graham se rapprocha de Claire et la serra contre elle, la sentit ramollir presque aussitôt, comme si la vie l'avait quittée.

— Ça ne se peut pas, Maud. Tu dis que vous ne l'avez pas retrouvée ! Je le saurais si… J'ai entendu sa voix, je l'entends encore ! Elle est là, au fond de moi, elle veut que je vienne la chercher. Ça ne peut pas être elle !

— J'aimerais tellement ça, me tromper, murmura Graham. Mais j'ai ramassé ce bracelet et cette barrette, et un homme a été tué.

— C'est quelqu'un qui l'a tué pour sauver Tamara ! Notre fille doit être ailleurs, avec quelqu'un d'autre. Je te jure que j'entends toujours sa voix.

Graham caressa les cheveux de Claire. Souhaitait-elle vraiment apprendre que Tamara était aux mains d'un autre ravisseur ? Graham était certaine qu'on avait jeté son corps dans le lac, mais si l'instinct d'une mère était plus puissant que tout ? Si Claire sentait que sa fille était vivante et qu'elle avait raison ? Où était alors l'enfant ? Il fallait que Riendeau et Frémont avouent tout à Provencher et Martineau, qui montaient actuellement un plan d'interrogatoire à la Sûreté du Québec. Graham les rejoindrait aussitôt qu'elle pourrait quitter Claire, dès qu'Émilie serait arrivée.

Celle-ci sonna à la porte au moment même où McEwen ramassait la théière par terre.

— Vous l'avez retrouvée ? demanda Émilie.

— Non ! s'écria Dimitri. Ils ont juste sa barrette et son bracelet. Mais ça prouve seulement qu'elle était là. Claire a raison, Tamara peut être ailleurs, maintenant.

Émilie interrogea Graham. Devait-elle encourager Claire à s'accrocher à cet espoir ?

— On a appréhendé deux suspects, annonça Graham. Ils sont détenus dans les locaux de la Sûreté du Québec.

— Qu'est-ce qu'ils ont fait de Tamara ?

— Ils se taisent pour l'instant, mais…

Graham sentit son cellulaire vibrer contre sa hanche et prit l'appel de Paul-André Pelletier, resté avec les équipes au camping. Elle fixa la fenêtre devant elle, le pommier devant la maison, la rue où roulaient doucement les voitures, où les enfants pouvaient jouer en rentrant de l'école.

— Graham.

— Les hommes-grenouilles ont repêché le corps de Tamara.

— Aucun doute ?

— Non.

— Elle est là depuis longtemps ?

— C'est difficile à évaluer. Le coroner devrait être là d'une minute à l'autre. On l'enverra ensuite à Parthenais. Es-tu toujours chez les parents ?

189

— Affirmatif.

— J'ai appelé Provencher, ajouta Pelletier, il est confiant d'amener Riendeau à dénoncer Frémont. Bonne chance, même si ça ne sert à rien. Je te rappelle dès que le coroner m'aura fait part de ses premières impressions.

Graham referma le portable, vit McEwen qui s'était avancée vers elle et battit des paupières pour confirmer ses appréhensions avant de chercher le regard d'Émilie alors qu'elle retournait vers Claire. McEwen, elle, s'approchait de Dimitri. Graham avait l'impression que la scène se déroulait au ralenti et que les mots qu'elle prononçait résonnaient en écho. Elle vit Claire se plier en deux en se tenant le ventre, ses genoux toucher le sol comme pour prier, puis s'écrouler. Elle entendit Dimitri hurler tandis que McEwen le ceinturait pour l'empêcher de briser la vitre d'une des fenêtres du salon. Elle perçut l'odeur âcre de la peur de cet homme quand elle se rua vers lui pour aider McEwen à le maîtriser. Comme Claire plus tôt, elle le sentit se briser tel un pantin désarticulé et elle le ramena vers le canapé où Émilie avait relevé Claire qui secouait la tête dans un mouvement discontinu, refusant l'horrible vérité.

Dans un élan, Émilie se leva et ouvrit l'armoire en palissandre, en tira une bouteille de cognac et tendit deux verres, revint vers les parents éplorés et leur ordonna de boire.

Est-ce l'alcool qui parvint à les calmer un peu ou la rupture de cette tension née de l'attente désespérée ? Graham finit par entendre la voix de Dimitri.

— Je veux voir notre fille. Il faut nous emmener la voir.

— Bien sûr. Nous irons ensemble à l'hôpital.

— À l'hôpital ? s'étonna Claire.

Graham perçut cette fraction de seconde où Claire s'imaginait que sa fille était seulement blessée, puis l'infinitésimal instant où elle comprenait qu'on emmenait le corps de Tamara à l'hôpital pour une autopsie. Dans les minutes qui suivirent, elle entendit Claire vomir dans la salle de bain et les paroles de réconfort prodiguées par Émilie.

Elles revinrent et Claire, chancelante, soutenue par Émilie, s'avança vers Maud Graham et l'accusa de lui avoir menti.

— Tu m'avais juré que tu retrouverais ma fille ! Qu'est-ce que tu as à me dire maintenant ?

Graham se tut, affronta le regard chargé d'effroi et de colère de sa compagne de classe, prête à prendre le blâme, car il fallait immédiatement un coupable à ces parents anéantis.

McEwen composa le numéro de la clinique où travaillait le médecin de famille des Boileau-Hanzoff et prévint qu'on l'envoyait chercher après avoir expliqué la situation à la secrétaire. Elle sortit pour relater les derniers événements aux patrouilleurs postés autour de la maison. Ils devraient redoubler de vigilance et de patience pour repousser les journalistes qui ne tarderaient pas à réclamer des témoignages des parents éplorés. Quand elle rejoignit Graham au salon, celle-ci détaillait, avec tous les ménagements nécessaires, les étapes qui jalonneraient la journée.

— Je ne les quitterai pas, promit Émilie Mathurin.

Dimitri se redressa et, tout en serrant Claire contre lui, tourna son visage d'une extrême pâleur vers Graham.

— Vous ne servez à rien ici, on n'a pas besoin de vous à la maison.

Il se reprit pour préciser qu'on avait davantage besoin de Graham ailleurs.

— Vous avez arrêté deux hommes ! Je veux les voir ! Emmenez-moi !

— Ce n'est pas possible.

— C'est notre fille qu'ils ont tuée ! Je veux leur…

— Si vous voulez qu'on puisse les condamner, on doit respecter la procédure, intervint McEwen. Si on bafoue les règles, leurs avocats pourront les faire libérer. Ce n'est pas ce que vous voulez, n'est-ce pas ?

— Fais-les avouer ! supplia Claire dans un sanglot. C'est tout ce qu'il nous reste, maintenant.

Elle ravala ses larmes avant d'ajouter que Graham devait envoyer les bourreaux de Tamara en prison pour le restant de leurs jours. Elle ne voulait pas qu'ils ressortent dans cinq ans parce qu'un juge ne les aurait pas trouvés assez coupables. Graham aurait voulu lui jurer qu'aucun juge ne ferait preuve de clémence envers ces pédophiles, mais elle avait vu des procès capoter pour des détails légaux qui lui avaient alors donné envie de démissionner.

Midi

Trevor s'était garé près de l'entrée principale du collège, s'était demandé si lui-même aurait aimé étudier à cet endroit, si Michaël s'y plaisait, s'il avait beaucoup d'amis. Plus que lui, certainement. Il avait attendu presque une heure avant d'entendre les rires des étudiants qui sortaient pour aller dîner. Dès qu'il perçut cette rumeur, il se mit à chercher Michaël du regard et faillit crier victoire en le voyant. Il reconnut aussi le petit brun qui marchait à ses côtés.

Ils venaient tous deux vers lui, et Trevor se félicitait d'avoir été persévérant, tout en se demandant s'il devait aborder Michaël et son ami. Il aurait vraiment préféré qu'il soit seul. Alors qu'il se décidait à s'avancer vers eux, deux étudiants les rattrapèrent au moment où ils franchissaient l'enceinte du collège. Un grand blond et un rouquin poussèrent Michaël, tentant de le faire tomber au sol.

— Eh ! arrêtez ! hurla Maxime en fonçant sur les étudiants. Laissez-le tranquille.

Le rouquin répondit par un coup de pied qui fit trébucher Maxime, et il se mit à rire.

— Tu vas t'excuser pour ce que tu m'as fait, dit Tommy à Michaël en lui tordant le bras derrière le dos pour l'obliger à s'agenouiller.

— Arrête, Tommy, répéta Maxime.

Michaël se débattait pour échapper à l'emprise de Tommy, mais ce dernier était plus fort que lui.

— T'es malade !

— Tu vas voir que je le suis encore plus que…

Tommy ne put terminer sa phrase, Trevor s'était jeté sur lui pour l'obliger à relâcher Michaël en tirant ses cheveux vers l'arrière de toutes ses forces. Tommy hurla en libérant Michaël, et Trevor le projeta vers les grilles de l'enceinte du collège. Tommy cria en heurtant les grilles et s'effondra. Sonné, inquiet, il demeura sans bouger jusqu'à ce que Mathis le rejoigne pour l'aider à se relever. Ils reculèrent sans cesser de surveiller Trevor qui s'était aussi immobilisé, puis ils détalèrent.

Maxime, éberlué par la rapidité avec laquelle s'était déroulée cette attaque, s'avança vers Trevor. S'il l'avait croisé dans la rue, il n'aurait jamais soupçonné que ses allures d'ange, son visage presque féminin dissimulaient un type aux puissantes réactions.

— Merci !

— Oui, on t'en doit une, dit Michaël.

— Je passais par là, mentit Trevor. Qu'est-ce qu'ils ont contre vous ?

— Je me suis battu avec Tommy avant-hier soir. Il voulait sa revanche. C'est un nul. Un ostie de nul.

Il se massait le bras en observant Trevor qui s'inquiéta. Avait-il très mal au bras ?

— Non, c'est juste un peu sensible.

— Tant mieux. Vous étudiez là tous les deux ?

— Oui, dit Maxime. Toi ?

— Moi, je suis en congé. Je viens de Rimouski.

— J'y suis déjà allé. Qu'est-ce que tu fais à Québec ?

— Eh ! On dirait la police, plaisanta Trevor. Poses-tu toujours autant de questions ?

— C'est parce qu'il… En tout cas, merci.

— Tu as réagi vite, ajouta Maxime.

— On n'a rien vu venir, renchérit Michaël.

— Je n'ai même pas réfléchi. Je pense que c'est parce que votre Tommy ressemble à quelqu'un que je connais et qui me tape sur les nerfs.

194

— On va dîner, viens-tu avec nous ?

— C'est loin ? J'ai ma voiture, précisa Trevor en indiquant l'Acura.

— Tu l'as depuis longtemps ? s'enquit Maxime.

— Non. Une semaine.

— C'est pour ça que tu es venu à Québec ? Tu avais envie de conduire ?

Trevor sourit à Maxime sans savoir s'il aimait qu'il lui pose toutes ces questions ou non. Il n'était pas habitué à ce qu'on s'intéresse à ce qu'il faisait, à qui il était.

— Je ne connais pas trop Québec, mais vous pourriez me guider. On peut manger où vous voulez. Je vous invite.

— Tu nous invites ? s'étonna Michaël. Ça serait plutôt à nous de...

— Mais pourquoi ?

Le ton de Maxime s'était teinté de soupçon. Pourquoi ce type leur offrait-il le lunch ? Ils ne se connaissaient pas cinq minutes plus tôt, et il avait entendu Maud raconter tellement d'histoires sordides qu'il se méfiait. Il se rapprocha imperceptiblement de Michaël.

— On ne sait même pas comment tu t'appelles, fit-il.

— Trevor. Vous ?

— Michaël. Lui, c'est Maxime.

— On va manger un sous-marin à côté, dit Maxime. Tu n'auras pas à te trouver un autre stationnement.

Trevor hocha la tête. Finalement, il n'aimait pas tellement le copain de son frère. Il avait une manière de l'observer qui lui déplaisait. Sa méfiance était manifeste, même s'il s'efforçait de lui sourire.

— Je ne veux pas m'imposer, avança Trevor, désireux que Michaël insiste pour qu'ils dînent ensemble.

— Non, c'est cool.

— Ce n'est pas loin, répéta Maxime d'un ton plus amène, soulagé de ne pas avoir à refuser de monter à bord de la voiture de Trevor.

Il ne voulait pas le blesser inutilement.

Ils commandèrent leurs sous-marins, Trevor insista pour payer et ils s'assirent à une table au fond du restaurant.

— Vous venez souvent ici. La serveuse savait ce que vous vouliez.

— Deux ou trois fois par semaine. C'est plus cher qu'à l'école, mais c'est meilleur.

Michaël prit une bouchée qu'il avala sans la mâcher vraiment, pensa à Marie-Catherine qui lui aurait sûrement fait remarquer qu'il mangeait trop vite, envia Trevor qui semblait libre comme l'air. Il n'avait pas une mère qui l'énervait avec ses questions.

— Penses-tu que je pourrais encore dormir chez vous ce soir ?

Maxime haussa les épaules. Marie-Catherine ne serait probablement pas d'accord.

— Oublie ma mère ! rétorqua Michaël.

— Tu ne t'entends pas avec elle ? fit Trevor.

— Elle est toujours sur mon dos. Elle me surveille comme si j'avais six ans.

— C'est parce qu'elle t'aime.

Le commentaire de Trevor surprit Maxime et Michaël qui cessèrent de manger. Trevor sentit le malaise et mordit à son tour dans le sous-marin auquel il n'avait pas encore touché.

— C'est bon, fit-il.

— C'est la première fois que tu viens à Québec ?

Maxime avait subitement envie d'en savoir plus sur Trevor. Il semblait à peine plus âgé qu'eux, mais il s'exprimait différemment, avec un léger décalage, comme s'il pesait toujours ses mots avant de répondre à une question ou s'il surveillait son langage.

— Non, j'ai déjà visité la ville. Un voyage avec l'école, mentit Trevor.

— On s'emmerde, ici, dit Michaël. J'aurais aimé mieux rester à Montréal.

— Tu as habité là longtemps ?

— Quelques années. Ça bougeait plus qu'ici.

— Ce n'est quand même pas si pire, à Québec, protesta Maxime. C'est comment, à Rimouski ?

— Ça dépend des jours, répondit Trevor sans le regarder.

Pourquoi trouvait-il Michaël plus intéressant que lui ? Était-il gay ? Ses espoirs seraient déçus. Michaël était pâmé sur Tina, une fille qui ne le voyait même pas. Tommy l'avait remarqué alors qu'il était peu observateur et l'avait agacé à son sujet. Pourquoi avait-il alors traité Michaël de tapette ? C'était vraiment un épais.

15 h 20

Maud Graham fixait sa tasse de thé vide ; elle l'avait bue sans s'en rendre compte. Elle avait fait des tas de choses aujourd'hui d'une façon mécanique, obsédée par le désir d'entendre les aveux de Riendeau et Frémont.

— Je parie sur Frémont, déclara Joubert.

— Pari tenu, répondit Graham. Ils se valent. Ça me surprend qu'ils n'aient pas déjà avoué.

— Leurs avocats leur ont conseillé de rester muets, dit Martineau, mais ils vont finir par tenter de se faire porter mutuellement le chapeau. On a les traces de leurs pas sur les lieux, au bord de l'eau et près du corps de Lantier. On a prélevé des empreintes d'enfant dans le véhicule récréatif et de la salive sur le lit.

— Ils avoueront peut-être qu'ils ont enlevé Tamara, précisa Provencher. Pas qu'ils l'ont tuée. C'est ce qu'ils refuseront d'avouer.

— Nous n'allons pas y passer la nuit! s'exclama Graham. Ils ont tué Lantier. Vous avez intercepté Riendeau et Frémont avec leurs passeports sur eux. Ils voulaient sûrement traverser la frontière.

— Graham, tu me suis? fit Provencher.

— Oui, Joubert peut accompagner Martineau?

— Pas de problème.

Maud Graham se dirigea vers la salle où Provencher avait interrogé Frémont. Il céderait bientôt. Il fallait qu'il craque. Il raconterait tout, il enfoncerait Riendeau. Mais elle ne se satisferait pas de ces aveux; elle voulait tout savoir sur les sites, les réseaux auxquels appartenaient les deux pédophiles. La mort de Tamara devait servir à protéger d'autres enfants même si Maud Graham ne s'illusionnait pas. Les réseaux ont mille ramifications et renaissent toujours de leurs cendres, mais elle se réjouirait de les désorganiser pour quelques semaines, quelques mois. Si Tiffany McEwen espérait que les suspects les mèneraient à la tête d'une organisation importante, Graham ne croyait pas au miracle. Elle observa Mario Frémont, assis en face de Provencher, et il lui sembla que sa peau était plus terne, ses cernes plus marqués. Elle sourit. Il ne pouvait plus s'imaginer qu'il serait relâché en attendant son procès, malgré les talents de son avocat.

Provencher récapitula les preuves qui reliaient Frémont à la mort de Lantier et à sa présence auprès de Tamara : des empreintes relevées dans son véhicule, ses échanges téléphoniques avec Riendeau, ses propres empreintes dans la roulotte de ce dernier, la barrette et le bracelet de Tamara découverts sur les lieux.

— C'est vrai qu'elle est montée dans ma fourgonnette, avait avoué Frémont à Provencher en fin de matinée, juste avant de parler à son avocat. Mais c'était pour l'aider. Elle était perdue au bout du stationnement. Elle aurait pu se faire écraser par une voiture en traversant l'autoroute. Je l'ai ramenée à la porte principale du centre commercial.

— Et vous l'avez laissée là ? Vous n'avez pas pensé à la confier à la sécurité alors que vous aviez eu peur pour elle, pour éviter qu'elle soit heurtée par une voiture ? Vous vous inquiétiez à moitié, c'est ça ?

— J'aurais dû, mais j'étais pressé.

— Pourquoi ne l'avez-vous pas dit à Graham et à Joubert quand ils vous ont interrogé ? avait soulevé Provencher en consultant ses notes. D'après eux, vous avez prétendu qu'elle était partie avec sa gardienne.

— Je veux un avocat, avait alors exigé Mario Frémont.

Provencher avait cessé de le questionner, il était sorti de la salle d'interrogatoire pour rejoindre Graham qui avait assisté à la fin de leur échange dans la salle voisine. Frémont avait discuté depuis avec un avocat commis d'office, qui lui avait probablement conseillé de se taire, car, lorsque Provencher était retourné dans la salle pour poursuivre l'interrogatoire, il s'était heurté à un mur. Frémont gardait les bras croisés devant lui et fixait le mur du fond. Provencher avait avancé ses hypothèses sans obtenir de réaction verbale de la part du suspect, mais il avait vu s'effriter son assurance et avait décidé de le laisser seul durant deux bonnes heures avant de recommencer à le questionner. Il était maintenant temps de s'y remettre.

— On voit une fourgonnette blanche quitter l'aire de stationnement à l'heure où Tamara a disparu, dit Provencher en s'assoyant devant Frémont.

Frémont releva la tête, haussa les épaules.

— C'est embêtant qu'elle soit là à l'heure où Tamara s'est volatilisée.

— Ce n'était pas la seule, grommela Frémont. J'en ai vu d'autres quand je me suis garé.

— Pourquoi ne voulez-vous pas vous soumettre au polygraphe ?

— Pourquoi j'accepterais ?

— Ça prouverait votre bonne foi.

— C'est à vous d'apporter des preuves, pas à moi. Et de toute façon, ce test-là ne vaut rien. Je connais la loi.

— On gagnerait du temps. Vous savez qu'on a vos empreintes dans le véhicule récréatif de Riendeau.

— Puis ? Je suis déjà allé chez lui. Ce n'est pas une preuve de ma participation au meurtre de Tamara.

— Notre technicien a vérifié vos communications. Vous avez eu de nombreux échanges avec Riendeau à partir du moment où Tamara a disparu.

— Riendeau s'intéresse à un de mes chiots, répondit Frémont avec une assurance qui plut à Graham.

Il croyait avoir trouvé une parade à leurs questions, mais il s'embourberait dans ses explications. Le plus important avait eu lieu, il avait recommencé à parler. Ces deux heures de solitude dans cette petite pièce sans fenêtre avaient été concluantes.

— Pourquoi n'a-t-on pas trouvé ses empreintes chez vous, alors ? Il est bien descendu au sous-sol pour voir les chiens, pour en choisir un ?

— Les premiers jours, j'ai demandé aux visiteurs de porter des gants pour ne pas contaminer les chiots. Ils sont nés un peu en avance, ils étaient fragiles. Au prix qu'ils valent, je ne voulais pas qu'ils attrapent de microbes. Rappelez-vous, vous avez dû insister pour les voir.

— Mais Joubert n'a pas mis de gants, fit remarquer Graham.

— Ils avaient déjà quelques jours.

— Combien ?

Frémont s'était tu, avait détourné le regard. Graham et Provencher avaient alors quitté la salle d'interrogatoire pour rejoindre Martineau et Joubert. Ceux-ci avaient questionné Riendeau sans rien en tirer.

— Pour le moment, mais il commence à comprendre dans quel merdier il est plongé.

— C'est juste une question de patience.

— Ce n'est pas ma vertu principale, reconnut Graham.

Changerait-elle un jour ? Alain la taquinait souvent sur sa fougue, mais elle doutait qu'il puisse mesurer à quel point elle devait lutter contre sa tendance à se jeter trop vite dans la mêlée. Elle réussissait à freiner son impatience lors de ses enquêtes en se répétant qu'en étant trop rapide elle passerait à côté d'importants indices, de détails qui pouvaient tout changer, mais c'était un travail personnel quotidien. En même temps, lorsqu'elle menait un interrogatoire, elle goûtait le sentiment d'acculer lentement mais sûrement le suspect au pied du mur, elle appréciait chacune des minutes qui s'écoulaient alors qu'elle tissait sa toile autour d'un criminel en prêchant le faux pour savoir le vrai, en disposant des photos du corps de la victime devant son bourreau, en étalant les preuves. Elle goûtait même l'instant où des taches sombres marquaient les aisselles des suspects, trahissaient leur peur. Quand ils commençaient à suer, elle savait que l'interrogatoire était en bonne voie.

— On y retourne.

Les enquêteurs revinrent vers les salles d'interrogatoire, et Graham s'approcha de Frémont en faisant semblant de relire ses notes.

— Vous nous avez dit que Jocelyn Riendeau voulait vous acheter un chien.

— Oui.

— Mais on a appris qu'il est allergique aux animaux.

— Ce n'est pas pour lui, rétorqua Frémont après quelques secondes d'hésitation.

— C'est pour une petite fille ou un petit garçon ? Qui a-t-il envie de séduire ?

— C'est quoi, cette question ?

— Je veux seulement savoir quel genre d'homme est Riendeau. Vous vous connaissez bien.

— On baise ensemble, sortit Frémont. C'est ça que vous voulez entendre ?

Provencher fit mine d'être surpris avant d'attaquer. Depuis combien de temps durait leur relation ? Comment avait-elle débuté ?

— Ça ne vous regarde pas. Je vous explique juste ce que je faisais au camping. Je vois bien à votre façon de me dévisager que vous êtes contre les gays, mais on a des droits. Vous mêlez homosexualité et pédophilie parce que c'est plus facile que d'essayer de comprendre.

— Expliquez-moi.

Graham sourit. La voix de Provencher était suave, onctueuse. Il s'attendait à cet argument, avait parcouru les sites de pornographie infantile où des agresseurs donnaient des conseils à leurs pairs en cas d'accusation, leur proposaient diverses échappatoires. Tenter de déstabiliser un enquêteur en le traitant d'homophobe faisait partie de la liste, et Provencher était tout prêt à s'avancer sur ce terrain. Elle quitta la pièce pour voir où en étaient Martineau et Joubert. À l'écran, elle constata tout de suite que Martineau avait déplacé sa chaise de quelques centimètres vers Riendeau pour créer un climat d'intimité propice aux confidences. Il était certain d'amener Riendeau à trahir Frémont s'il lui laissait croire qu'il était convaincu que ce dernier était responsable, qu'il avait profité de lui, de sa roulotte parce qu'il n'avait plus su quoi faire avec Tamara après l'avoir enlevée.

— Au fond, vous avez été mêlé à cette histoire parce que vous n'avez pas assez réfléchi.

Riendeau leva la tête et Martineau insista.

— Ça s'est fait trop vite, c'est ça ?

Graham admirait le ton persuasif de Martineau lorsqu'un appel la fit sursauter. Pelletier répondit, sourit, leva le pouce en signe de victoire : au laboratoire, on avait comparé les empreintes des chaussures trouvées chez Frémont et chez Riendeau aux traces bien fraîches qu'on avait relevées au terrain de camping, et elles correspondaient. Pelletier s'empressa de transmettre l'information à Joubert et Martineau, tandis que Graham rejoignait Provencher qui sortait de la salle d'interrogatoire en s'étonnant de le voir sourire.

— Ne vous inquiétez pas, je reviens, promit-il à Frémont. On a encore des tas de choses à se raconter.

CHAPITRE 10

Québec, 19 mai, 16 h 30

— On pourrait quasiment souper dehors, dit Joël à Marie-Catherine en rentrant à la maison. On devrait acheter un brasero, on sortirait plus tôt au printemps et on étirerait l'automne, et…

Il se tut en voyant sa femme recroquevillée sur le canapé du salon, fixant les éclats d'un vase de porcelaine éparpillés au sol. Elle ne semblait pas l'avoir vu ni entendu.

— Marie ? Qu'est-ce qui se passe ?

Elle sursauta lorsqu'il s'assit auprès d'elle qui écarquilla les yeux sans parler.

— Marie ! Il est arrivé quelque chose à Michaël ?

— Michaël ! s'écria-t-elle. Il me rend folle ! Je m'inquiète pour lui et tout ce que je récolte, c'est du mépris.

— Vous vous êtes disputés ?

— Il me ment ! Il prétend s'être blessé au soccer, mais il a le nez enflé. Il s'est battu. Il ne veut pas me dire contre qui. C'est pour ça qu'il n'est pas venu coucher l'autre soir. Quand je lui ai posé des questions, il m'a crié qu'il en avait assez de m'avoir sur son dos ! Il ne se rend pas compte que je m'inquiète pour lui ? Qu'il pourrait lui arriver n'importe quoi ? Regarde la petite Tamara ! Sa mère avait raison d'avoir peur pour elle, non ? C'est normal que les mères s'inquiètent pour leurs enfants !

Joël faillit faire remarquer à Marie-Catherine que Michaël n'était pas un gamin, qu'il n'avait pas été kidnappé, mais le regard tourmenté de son épouse l'en dissuada ; elle était vraiment bouleversée par la mort de la fillette. Mais il ne s'agissait plus d'empathie, elle avait eu des réactions disproportionnées chaque fois qu'il avait été question de Tamara Boileau-Hanzoff à la télévision. Pourquoi était-elle à ce point touchée par ce drame ? Quel écho trouvait-il en elle ? Et pourquoi Marie-Catherine ne se confiait-elle pas à lui ?

— Il est ici ?

— Dans sa chambre.

Joël grimpa l'escalier, puis s'arrêta devant la porte close de la chambre de Michaël. Devait-il attendre que l'adolescent se calme un peu avant de tenter de discuter avec lui ? S'il était aussi énervé que sa mère, il l'enverrait promener. Joël soupira. S'était-il bercé d'illusions avant d'emménager en rêvant d'une vie de famille harmonieuse ou l'adolescent avait-il beaucoup changé ces dernières semaines ? Quand il avait rencontré Marie-Catherine, Joël avait craint que Michaël ne démontre une certaine jalousie à son égard, vivant seul avec sa mère depuis de nombreuses années, mais il ne lui avait jamais témoigné d'animosité malgré les problèmes qu'il avait alors à l'école. Où était passé cet enfant charmant ? Joël chassa ces pensées. C'était seulement la crise d'adolescence. Il ne devait pas en faire une montagne comme Marie-Catherine, mais la soutenir sans rompre le dialogue avec Michaël.

Il allait frapper à la porte quand celle-ci s'ouvrit.

— Qu'est-ce que tu veux ? Je t'ai entendu monter.

Joël dévisageait Michaël. Le haut de son nez était marqué d'une teinte sombre.

— Ça fait mal ?

— Plus maintenant.

— Et l'autre ?

— Je ne l'ai pas manqué. Tu peux le répéter à ma mère.

— Elle s'inquiète. Elle ne s'est jamais battue, tu comprends ? À nous, ça finit toujours par arriver. Que ce soit à l'école, à la sortie d'un bar, à un match... Ça se passe, puis c'est tout.

— Tu vas le lui expliquer ? Moi, je ne veux plus lui parler. Elle capote !

— Elle est un peu nerveuse, ces jours-ci. Tu sais pourquoi ?

— Parce qu'elle n'est pas enceinte ?

— Peut-être. Mais je pense qu'il y a autre chose. J'espérais que tu m'aiderais à y voir clair.

— Moi ?

Michaël était à la fois étonné et méfiant. Son beau-père espérait-il l'amener à admettre qu'il manquait de respect à Marie-Catherine ?

— L'histoire de la fillette enlevée l'a bouleversée. Vraiment beaucoup.

— Elle était pareille, à Montréal, quand un garçon avait disparu à la Ronde. Qu'elle arrête de regarder les nouvelles ! Elle panique et veut ensuite m'attacher, que je ne sorte plus jamais de la maison. Comme si j'allais m'évaporer dans la nature ! C'est pénible ! Quand j'étais petit, elle venait me reconduire jusqu'à la porte de l'école. J'ai assez fait rire de moi à cause de ça. Le chouchou à sa maman.

— Tu étais rejeté ?

— Oui. Mais je ne le lui ai jamais dit. Elle se serait plainte aux profs.

— Et maintenant ? Ton nez ?

Michaël sourit. Il avait juste répondu à des insultes, montré que c'était fini, le temps où il s'aplatissait devant les autres.

Tout en parlant, il était retourné s'asseoir sur son lit et Joël était entré dans la chambre, s'était dirigé vers la fenêtre, se demandant pourquoi Marie-Catherine avait surprotégé son fils.

— As-tu déjà disparu ?

— Moi ?

— Quand tu étais petit. Peut-être que tu ne t'en souviens pas, mais que c'est arrivé ? Ça expliquerait l'attitude de ta mère à ton égard.

— Voyons donc ! Je me rappellerais ! Elle me l'aurait dit. Elle te l'aurait raconté…

— Si tu étais un bébé ? On n'a pas vraiment de souvenirs avant deux, trois ans… Elle n'a jamais fait allusion à ce genre d'histoire ?

— Je m'en souviendrais. Tu lui cherches des excuses.

— J'ai trop d'imagination.

— Le mieux, ça serait que vous ayez un bébé. J'aurais la paix. Qu'est-ce qu'on mange pour souper ?

Joël était content et même fier de lui : il avait su s'adresser à son beau-fils.

— Si on commandait des sushis ?

— Cool. Je finis mon livre avant.

— On mangera dans une heure, c'est bon ?

— Oui, ça marche.

Joël descendit pour annoncer à Marie-Catherine qu'il s'occupait du souper. Elle était toujours assise sur le canapé, tenant la télécommande entre ses mains, tétanisée.

— Dans le lac. La police l'a trouvée dans le lac !

— Elle s'est noyée ? Je pensais que…

— Ils l'ont retrouvée, elle ! Parce que c'est un lac, mais, dans le fleuve, les corps sont engloutis.

Joël retira la télécommande des mains de sa femme et éteignit le téléviseur.

— Oublie cette histoire ! Tu es trop sensible. Tu ne peux rien y faire de toute manière. C'est le travail des enquêteurs.

Quand elle tenta de reprendre la télécommande, Joël la tint fermement.

— C'est assez ! Ça te rend malade. Je ne sais pas pourquoi, mais ça te détruit. Je me suis même demandé si Michaël avait déjà disparu pour que cette histoire t'angoisse autant. Il prétend que non, mais peut-être qu'il a oublié ?

Marie-Catherine ferma les yeux ; Joël avait-il tout deviné ? Essayait-il de lui arracher des confidences ? C'était impossible qu'il connaisse son passé. Personne ne lui avait jamais reparlé de ce qui était arrivé plus de quinze ans auparavant, personne n'avait évoqué son fils disparu. Perdu.

Perdu. Le mot lui semblait toujours aussi étrange. Elle n'avait pas égaré son fils comme on égare des clés! Il était parti avec son père et il n'était pas revenu. Elle ne l'avait plus jamais vu, jamais touché, jamais entendu. Le matin, elle lui avait donné un baiser sur le front, avait respiré l'odeur de ses cheveux fins avant qu'il quitte la maison avec Patrick. Elle avait observé ce dernier et elle s'était mise à rêver qu'il commençait à s'attacher à l'enfant puisqu'il l'emmenait en promenade. Peut-être que tout s'arrangerait, qu'il n'apprendrait jamais la vérité sur elle et Marcus. Peut-être même qu'un jour elle pourrait reparler à ses parents. Il faudrait auparavant qu'elle arrête complètement la drogue. Elle fumait beaucoup moins qu'avant, mais il faudrait qu'elle soit totalement sobre avant de penser à renouer avec les siens.

— Il n'est rien arrivé à Michaël? répéta Joël, ramenant Marie-Catherine au présent.

— Non. Bien sûr que non. C'est une bonne idée, les sushis.

Elle regarda Joël se diriger vers le cellier.

— Un petit riesling les accompagnera parfaitement.

Marie-Catherine imagina l'odeur florale du vin et frémit. Elle aurait tant voulu en vider un verre, sentir la chaleur de l'alcool interdit dans son sang, être apaisée. Mais elle ne le serait jamais. La paix n'était pas pour elle.

Michel Joubert avait déroulé les manches de sa chemise et les reboutonnait en sifflotant. Mario Frémont et Jocelyn Riendeau avaient avoué les meurtres de Tamara et de Germain Lantier. Il ressentait à la fois une excitation en repensant au moment où ils s'étaient dénoncés l'un l'autre et une extrême lassitude teintée de tristesse en se remémorant le calvaire de la fillette.

Il se tenait devant la distributrice en se demandant s'il allait opter pour un chips ou une barre chocolatée quand Grégoire le joignit sur son portable. Voulait-il souper avec lui ?

— C'est la plus belle chose qui puisse m'arriver aujourd'hui. Mais ça va ressembler plus à un réveillon qu'à un souper, on n'est pas sortis d'ici.

— C'est plus d'un panier-repas que tu aurais besoin.

— Non, je veux te voir. C'est seulement que ce ne sera pas avant une couple d'heures. Je m'excuse…

Grégoire le rassura ; il avait l'habitude des retards et des attentes avec Graham. Quand il se prostituait, il affirmait que leurs horaires étranges se ressemblaient.

— Je pourrais emmener Graham, avança Joubert.

— C'est toi qui décides. Je fais un osso buco et une verrine de crabe à la vanille. Mais on devrait souper chez vous, c'est plus confortable, tu as un vrai salon.

— Je peux acheter le dessert. On l'a mérité.

— Tu veux en parler ?

— Tantôt.

— C'est *weird* ?

— Tellement. On ne s'habitue pas.

Il rejoignit Graham qui n'avait pas encore quitté la salle où Provencher et elle avaient interrogé Frémont. Elle n'avait pas bougé, les mains à plat sur les dossiers, sur les photos du corps de Tamara, les yeux dans le vague.

— Viens-tu souper chez moi avec Grégoire ?

— Avec Grégoire ?

— Alain n'est pas à Québec, sinon on l'aurait invité.

Graham eut son premier sourire de la journée. Joubert acceptait qu'elle pénètre dans leur intimité, qu'elle le voie avec Grégoire. Et chez lui !

— Qu'est-ce qu'on mange ?

Joubert lui rapporta le menu avant de lui donner son adresse et de lui proposer d'emmener Maxime.

— Il est trop tard. On ne sera pas assis autour d'une table avant un bon bout de temps. Il a des cours demain. Et de toute manière, il évoquerait sa partie de soccer pour éviter de sortir en ma compagnie.

— C'est de son âge. Je n'aurais jamais suivi ma mère quand j'étais adolescent. La honte !

— Tu n'étais pas près d'elle ?

— Je l'aimais, et je l'aime toujours, mais être vu avec sa mère, ça ne se fait pas quand on a quinze ans. Surtout quand on est gay. Je voulais absolument jouer au mâle viril. Par contre, je serais sorti avec mon père s'il me l'avait offert…

Il marqua une pause avant de dire que son père avait dû deviner avant lui qu'il était gay et n'avait pas su comment agir avec lui.

— Je ne me plains pas quand je me compare à Grégoire… Tu parles d'une famille ! C'est mal fait, la vie. Claire et Dimitri adoraient leur fille et elle meurt, et la mère de Grégoire l'a quasiment tué en laissant l'oncle Bob abuser de lui. Il l'a marqué pour la vie.

— Mais c'est un résilient. Il est tellement mieux dans sa peau qu'au moment où je l'ai rencontré.

— J'espère que tu ne te trompes pas. Il reste secret.

Joubert fit une pause avant d'avouer qu'il avait hâte de se doucher.

— On a l'impression que leur odeur de peur nous colle à la peau, non ? C'est à la fois huileux et acide, l'odeur de la peur. Âcre.

— Rouaix dit « métallique », précisa Graham.

— Il a raison. Il a remporté son pari, c'est Frémont qui a craqué en premier…

— Oui. Mais personne n'a gagné. C'est trop sale. Je ne comprendrai jamais qu'on puisse s'en prendre à des enfants.

— J'espère que les liens que Balthazar Bouvier a mis au jour avec les ordinateurs nous mèneront plus loin. Maintenant, je dois revoir Claire. Je ne peux plus attendre…

Graham se leva, attrapa son imperméable et obliqua vers la salle de bain. Elle soupira en voyant son image dans la glace ; elle avait des cernes sous les yeux et il lui semblait que des plis s'étaient durcis autour de ses lèvres.

— Je peux t'accompagner, proposa Joubert.

— Non, rejoins les autres. Provencher doit s'adresser aux journalistes. On devrait ensuite pouvoir souper chez vous.

213

En empruntant l'autoroute pour se rendre chez les Boileau-Hanzoff, Graham eut la tentation de filer jusqu'au pont Pierre-Laporte, de prendre l'embranchement vers Montréal, d'aller se réfugier auprès d'Alain, même si ce n'était certainement pas avec lui qu'elle pourrait oublier l'enquête. Quand il rentrerait à Québec, ils tenteraient d'éviter de parler du drame durant quelques heures mais y reviendraient. Ils ne pourraient pas ne pas en discuter, même si leur rôle à jouer dans cette enquête était quasiment terminé. Les coupables avaient avoué, Alain donnerait les derniers résultats de l'autopsie et, dans plusieurs mois, Graham, Rouaix, Joubert, Provencher, Pelletier ou McEwen se présenteraient à la cour pour rapporter les événements qui avaient entraîné la mort de Tamara et celle de Lantier, qui avait eu la malchance de surprendre Riendeau et Frémont alors qu'ils transportaient le corps de la petite.

Dans quel état serait alors Claire ?

Et maintenant, comment lui rapporter les aveux des assassins ? Elle n'avait pourtant pas le choix. Il fallait qu'elle s'acquitte de cette tâche, sinon les journalistes s'en chargeraient. Claire et Dimitri ne devaient pas apprendre aux infos que Tamara avait été agressée par Riendeau avant d'être étouffée.

— Par accident, avait juré Frémont. Riendeau voulait l'empêcher de crier trop fort. On lui avait dit qu'on la relâcherait. Je lui ai même promis un chien si elle était gentille. Et je le lui aurais donné. C'est sûr ! Mais elle se débattait. Quand j'ai essayé de la calmer…

— La calmer comment ? l'avait interrompu Provencher. Vous l'aviez droguée.

— La drogue se dissipait, avait prétendu Frémont. Elle gigotait beaucoup.

— Alors vous l'avez tenue pour rendre service à votre copain ? Et il devait vous rendre la pareille ? Comment avez-vous décidé de qui violerait Tamara en premier ?

Frémont avait protesté ; il n'avait jamais voulu la violer. Juste regarder.

Juste. Graham avait eu envie de lui sauter à la gorge pour avoir prononcé ce mot. Ce mot qui, croyait-il, pouvait le disculper.

Juste. Juste regarder une enfant se faire torturer. Juste pour le plaisir. Juste pour lui.

Juste pour ses amis pédophiles à qui il aurait envoyé des photos du viol. Elles étaient peut-être déjà sur Internet. Non ! Graham refusait de croire qu'ils étaient arrivés trop tard pour empêcher la diffusion de ces images. Elle avait fixé le dossier devant elle durant un bon moment avant de parvenir à reprendre l'interrogatoire d'un ton neutre.

— Mater et filmer. Vous deviez bien avoir une caméra pour immortaliser vos ébats ?

— Je l'ai cachée.

— Cachée où ? avait demandé Provencher.

— Ça vous donnera la preuve que c'est Riendeau qui a tout fait, avait assuré Frémont.

Graham était sortie de la pièce, écœurée. Il s'agissait d'une enfant, du film sur le viol et la mort d'une fillette, et ce type-là parlait de négocier ses informations. Elle savait pourtant que les choses se déroulaient presque invariablement de cette manière. Les enquêteurs, les avocats et leurs clients concluaient des marchés. Mais le mot « négocier » associé au martyre de Tamara lui donnait la nausée.

Elle avait croisé Joubert qui avait quitté la pièce du fond, où Martineau et lui cuisinaient Riendeau, pour aller chercher des cafés.

— Frémont affirme qu'il a filmé Riendeau avec Tamara. Que ça prouve que c'est lui qui l'a tuée. Il veut négocier.

— Incroyable ! C'est lui qui l'a enlevée !

— Mais pas tuée. Ni violée, d'après ce qu'il nous dit. Et il paraît qu'il n'a pas assommé Lantier non plus.

— Il est quasiment innocent, c'est ça ?

— Vois comment Riendeau va réagir quand tu lui parleras du film. Le mieux, ça serait qu'il avoue sans qu'on se serve de la vidéo ; Frémont n'aurait plus cette monnaie d'échange. Je veux qu'il prenne le maximum ! On a fouillé chez lui, on n'a pas trouvé la caméra ; Frémont a pu la cacher à tellement d'endroits.

— Ce qui me surprend, c'est que Riendeau la lui ait laissée si cette vidéo l'incrimine autant.

— Et s'il ne savait pas qu'il était filmé ?

Joubert avait acquiescé, promis d'avancer avec cet élément.

À l'étonnement de tous les enquêteurs, même les plus optimistes, Riendeau avait avoué dès que Joubert lui avait appris que son complice l'avait filmé avec sa victime et s'apprêtait à négocier sa peine en échange du film. Riendeau avait hurlé qu'il n'irait pas seul au pénitencier et il avait tout raconté.

19 h 30

Claire marchait lentement, comme si tous les muscles de son corps étaient douloureux. Elle s'assit près de Dimitri qui se rapprocha d'elle pour l'enlacer. Ils n'étaient plus que chagrin et désespoir.

— On a obtenu des aveux, commença Graham d'une voix douce. Je vous jure qu'ils vont payer.

Il faisait sombre dans le salon, mais personne n'aurait pensé à l'éclairer davantage ; la nuit était tombée pour longtemps sur cette demeure.

22 h 10

— Je vais me coucher. Michaël m'a épuisée, dit Marie-Catherine. Je ne sais plus ce que je dois faire avec lui.

— Vous êtes trop sensibles, tous les deux, avança Joël. Honnêtement, je pense que tu aurais dû le laisser prendre un autre verre de vin. Je n'avais pas rempli le premier à ras bord. C'est à la maison qu'on apprend à boire. Toi, tu ne veux pas de vin, mais ce n'est pas une raison pour en priver ton fils. Il est curieux…

— Je n'ai pas envie qu'il fasse les mêmes bêtises que moi !

— Tu as dit toi-même que c'est parce que ton père était très sévère que tu as connu des épisodes délinquants, que tu t'es mise à boire, mais tu ne souhaites pas avoir le même rapport avec Michaël, non?

— Évidemment pas.

Marie-Catherine répéta qu'elle était fatiguée. Elle ne voulait pas continuer sur ce terrain glissant. Elle avait raconté à Joël qu'elle ne prenait jamais d'alcool parce qu'elle avait fait, à l'adolescence, des excès qui l'en avaient dégoûtée, mais il en ignorait l'intensité et la durée. Il s'imaginait qu'elle avait bu durant quelques mois, en révolte contre ses parents. Il était loin de la vérité. Elle avait effectivement quitté la maison pour mener sa vie comme elle l'entendait, la résumant en trois mots: drogue, sexe, alcool. Mais il ne s'agissait pas d'une crise d'adolescence. Elle n'avait pas vu ses parents durant des années. Elle ne l'avait jamais confessé à Joël et avait même prié sa mère et son père de se taire sur ce point. Ils avaient tiqué, puis fini par accepter.

— Je n'ai jamais eu de problèmes d'abus, continuait Joël. Chez nous, il y avait du vin à table.

— Ton père est français, c'est normal.

— Justement, c'est normal. On n'en fait pas toute une histoire. Si Michaël s'habitue à boire du vin d'une façon intelligente, il n'aura pas envie de boire n'importe quoi par curiosité ou par défi à ton autorité. Tu l'as vexé, il a l'impression que tu le traites comme s'il avait onze ans.

— Il n'est tout de même pas majeur! De toute manière, il aurait trouvé une autre raison de s'en prendre à moi. Rien de ce que je dis n'a d'importance à ses yeux. Qu'est-ce que…

— C'est un adolescent, plaida Joël. Ne dramatise pas tout.

— Avec toi, ce n'est jamais grave.

— Michaël est un bon garçon. Tu n'as pas de vrais problèmes avec lui.

— Tu penses que je suis trop stricte.

— Je ne t'accuse de rien, Marie. Je crois simplement que tu pourrais être un peu plus souple.

— Et moi, je me demande si tu prends son parti pour être certain d'être bien accepté par lui. En tout cas, Michaël ferait mieux d'être de bonne humeur demain matin.

— Veux-tu que j'essaie de lui parler?

— Non. Laisse-le bouder dans sa chambre. Je ne veux pas qu'il pense que je fais marche arrière ou que je regrette ce que j'ai dit.

— Mais tu le regrettes un peu tout de même.

— On verra ça demain. Tu viens?

Joël secoua la tête; il finirait de visionner le film et se coucherait plus tard. Marie-Catherine faillit lui demander s'il était fâché contre elle, mais abandonna cette idée. Elle n'avait plus envie de discuter. Elle était vidée. Elle avait pris l'excuse de sa dernière dispute avec Michaël pour expliquer sa fatigue, alors qu'elle savait très bien que c'était la nouvelle de la mort de Tamara qui l'avait privée de son énergie. Elle avait peur d'en rêver, peur que les monstres surgissent en portant le cadavre de son fils aîné qui lui demanderait pourquoi elle ne l'avait pas cherché avec plus de ténacité.

Elle ouvrit le tiroir de sa table de chevet, attrapa le flacon de somnifères. Elle ne pouvait pas se permettre une mauvaise nuit : les patrons de Toronto seraient à Québec demain, et elle devait être en forme au réveil. Les draps de coton trop frais la firent frissonner et elle faillit aller retrouver Joël pour le prier de venir la réchauffer, mais elle y renonça. Elle devait dormir. Se calmer. Joël regretterait de l'avoir épousée s'il était témoin de querelles à chaque repas. Il fallait qu'elle change d'attitude avec Michaël. Il avait raison de lui reprocher de le traiter comme un enfant, mais elle ne parvenait pas à s'en empêcher. Elle devrait consulter un professionnel. Elle parviendrait à confier ses craintes sans révéler tout son passé. Elle le devait à Joël qui lui avait offert la chance de fonder à nouveau une famille. Une famille dont elle pouvait être fière. Son père et sa mère adoraient son nouveau mari. Ils n'avaient jamais osé espérer qu'elle leur présenterait un jour un homme comme lui, équilibré, sain, solide, patient.

Si Marie-Catherine n'avait pas avalé de somnifère, si Joël n'avait pas terminé la bouteille de vin avant de monter la rejoindre, peut-être qu'ils auraient entendu grincer la porte de côté quand Michaël quitta la maison avec son sac à dos. Joël aurait sûrement couru derrière lui pour le raisonner. Mais Joël dormait et Michaël gagna l'avenue Maguire d'un pas rapide. Il y avait du monde aux terrasses, et il avait envie de tenter sa chance, de s'asseoir pour commander une bière. Juste pour emmerder sa mère. Il ralentit, hésitant. Même s'il avait l'air plus vieux que son âge, on pourrait exiger une carte d'identité…

Mais à quoi pensait-il ? Boire une bière à deux rues de la maison ! Un voisin pourrait remarquer sa présence et s'en inquiéter. Il s'immobilisa en face de la librairie. Où devait-il aller maintenant? Il avait rempli son sac sans réfléchir, obsédé par l'idée de quitter sa folle de mère, mais il hésitait à appeler Maxime à cette heure-là. Pourquoi ne l'avait-il pas rejoint avant? Il ne prenait que de mauvaises décisions. Sa mère l'avait tellement exaspéré qu'il n'était même plus capable de réfléchir correctement. Et s'il se rendait chez Maxime, il verrait bien s'il y avait de la lumière à sa fenêtre. Et si la voiture de Maud était garée dans l'entrée. Peut-être que, avec la découverte du corps de Tamara, elle était encore au poste en train d'interroger des suspects. Michaël rajustait le sac qui glissait dans son dos quand il entendit prononcer son nom.

— Michaël? Salut!

— Salut.

— Qu'est-ce que tu fais là?

— Rien. Je me promenais. Toi?

Trevor sourit. Il venait de boire une bière, mais il s'embêtait un peu; il ne connaissait personne à Québec.

— C'est triste de sortir seul.

Il parlait sans cesser de sourire, tandis que Michaël l'observait. Il avait à peu près la même taille que lui mais était plus costaud. Ou c'était la veste de cuir noir qui créait cette impression.

— J'ai une idée, lança-t-il. Si on allait boire une bière ailleurs?

— Ailleurs?

— Je m'ennuie un peu ici, mais je n'ai pas du tout le goût de retourner à Rimouski.

221

— Non ?

— Problèmes de famille.

Michaël compatit ; il était bien placé pour le comprendre. Il n'avait aucune envie non plus de rentrer à la maison.

— Tu ne t'entends pas avec ton beau-père ?

— Joël ? Comment sais-tu que…

Trevor haussa les épaules pour se donner une contenance. Il avait failli se trahir bêtement, mais il se reprit en prétendant que les conflits avec un beau-père étaient fréquents.

— Tu as eu le même problème ? demanda Michaël.

— Non.

Bien sûr que non ! Claude n'avait pas besoin d'un conjoint, puisqu'elle lui avait attribué ce rôle. Ne pas penser à Claude. Rester présent, attentif, ne pas alarmer Michaël.

— Et alors ?

— Je ne suis pas sûr qu'on voudra me servir un verre, avoua Michaël.

— J'ai acheté de la bière tantôt. J'en ai dans mon auto. Qu'est-ce que tu en penses ?

Qu'avait-il à perdre ? Quelques heures de sommeil ? Tant pis s'il dormait le lendemain durant les cours. C'était le dernier de ses soucis.

— Je pense que je m'en fous d'être poqué demain au collège. Je voudrais donc être ailleurs.

— Où ?

— À Montréal. Je tripais, là-bas.

— OK. On y va.

Michaël dévisagea Trevor qui continuait à lui sourire.

— Tu es bizarre, toi… Aller à Montréal ? Comme si on pouvait partir tout de suite.

— Ma voiture est dans l'autre rue. Si on quitte maintenant, on arrive juste avant la fermeture des bars là-bas. On prend un verre et on revient.

— T'es malade !

Michaël riait en secouant la tête, ravi par cette folle idée.

— Je suis sérieux. Mais si tu n'es pas *game*, rentre chez vous.

— Tu veux dire qu'on partirait là, tout de suite ?

— Pourquoi pas ? J'ai besoin de me changer les idées.

— Moi aussi, c'est sûr. Mais je ne peux pas partir comme ça.

— On peut y aller un autre jour si tu préfères. On peut se contenter de boire une bière dans un parc.

Michaël se détendit aussitôt.

— Bonne idée !

— Ça nous donnera le temps de parler de Montréal.

— On irait vraiment à Montréal ensemble ? s'étonna Michaël. Tu ne me connais même pas. Pourquoi tu m'emmènerais à Montréal ?

— Pourquoi pas ? C'est ça que j'aime, des voyages, on rencontre du nouveau monde. Sinon je serais resté à Rimouski. Où est-ce qu'on peut aller ?

— Sur les plaines. Je joue au soccer là-bas, je connais des coins. S'il fait trop froid, on restera dans l'auto.

Michaël observait Trevor à la dérobée tandis qu'ils gagnaient l'Acura.

Était-il sérieux en évoquant un voyage à Montréal? Ça serait vraiment super. Il pourrait dire qu'il couchait chez Maxime. Il retournerait dans son ancien quartier. Oui, ça serait génial. Le mieux serait que Maxime vienne avec eux; ils pourraient prétendre aller voir Alain à Montréal. Oui, c'était un bon plan. Peut-être qu'ils pourraient même vraiment dormir chez Alain puisque lui serait à Québec. Ça ne le dérangerait pas.

Une fin de semaine loin de Marie-Catherine? C'était trop beau pour être vrai... Trevor n'avait pas ce genre de problème. Michaël avait tellement hâte d'avoir dix-huit ans, le droit de faire ce qu'il voulait, quand il voulait, avec qui il voulait! Comme maintenant; il irait boire une bière sur les plaines, même s'il n'aimait pas tellement le goût du houblon. Avec son nouvel ami.

20 mai, 9 h 35

— *Come on*, Max! Pourquoi tu ne veux pas venir avec nous? se plaignit Michaël à la pause.

— On ne le connaît même pas, ce gars-là.

— Je te dis qu'il est super cool. C'était tripant, hier soir, sur les plaines. Je suis rentré à une heure! J'ai été chanceux que personne ne se réveille, mais ça valait la peine!

— On ne connaît pas ce gars-là! répéta Maxime.

— Moi, je le connais, maintenant. Il m'a raconté plein de choses sur lui.

— Qui te dit que c'est vrai ?

Michaël s'impatienta ; pourquoi son ami était-il si négatif envers Trevor ?

— Tu le juges au lieu de profiter d'une occasion de le connaître en venant à Montréal avec nous.

— Tu veux que j'y aille parce que tu veux avoir une place pour coucher chez Alain.

— Ce n'est pas juste pour ça. Je pensais que tu étais mon ami, que tu accepterais tout de suite. Tu n'es pas tanné de tourner en rond à Québec ? On fait toujours les mêmes affaires ! Pour une fois qu'on a une occasion de se pousser, tu dis non. J'ai aussi des amis à Montréal. Je ne m'inquiète pas, je trouverai une place pour dormir.

— Je pensais que tu avais perdu tes amis quand tu t'étais installé à Québec. Tu t'en plains tout le temps.

Michaël dévisagea Maxime avant de lui dire qu'il était jaloux, tout bêtement jaloux qu'il ait un nouvel ami, qu'un gars plus vieux s'intéresse à lui.

— T'es con, Mike. Tu ne te demandes même pas pourquoi Trevor se tient avec toi ?

— Si tu penses qu'il est gay, tu te plantes. Il m'a parlé d'une fille, hier, Sophie. Elle travaille dans un café de l'avenue Maguire. C'est pour ça qu'il était là hier soir.

— Il la connaît depuis longtemps ?

— Tu recommences à jouer à la police ? Tu te prends pour Maud ? J'ai assez de ma mère qui pose des questions ! Reste donc à Québec en fin de semaine !

Michaël tourna le dos à Maxime, déçu par son attitude. Il était certain qu'il serait ravi à l'idée de cette virée dans la métropole, qu'ils s'amuseraient comme des fous, tous les trois. Il était jaloux, c'était la seule explication. Ou alors il redoutait que Maud découvre qu'il lui avait menti. Et alors ? Il raconterait à sa mère qu'il couchait chez Maxime. Tant pis si elle apprenait qu'il lui avait menti. Il était prêt à courir ce risque. S'il partait après l'école et revenait vers midi le lendemain, il n'y avait pas de raison qu'elle appelle chez Maxime pour lui parler. Elle le joindrait sur son cellulaire si c'était vraiment urgent.

Il fit claquer ses doigts, éclata de rire. Il avait oublié que Joël et Marie-Catherine allaient chez ses grands-parents. Ils seraient occupés et ne se soucieraient pas de lui.

Il irait à Montréal, triperait avec Trevor. Il n'avait pas besoin de s'encombrer d'un bébé comme Maxime. La cloche retentit et il se dirigea vers la salle de cours, s'installa à sa place habituelle, mais se garda de saluer Maxime quand celui-ci s'assit à côté de lui.

À la fin du cours, Maxime gagna les vestiaires sans un regard pour Michaël et évita de le croiser en sortant de la pièce. Jaloux ! Il lui avait dit qu'il était jaloux ! Ils n'avaient plus rien à faire ensemble. Il pouvait aller à Montréal si ça lui tentait. Ou au bout du monde, ce n'était pas de ses maudites affaires.

17 h

— Que veux-tu pour souper ? demanda Graham à Maxime quand il rentra à la maison. Pour une fois que je suis là, je m'en occupe.

— N'importe quoi. Je n'ai pas faim.

Graham se tourna vers Maxime, le dévisagea.

— Tu as toujours faim. Es-tu malade ?

— Est-ce que je peux avoir la paix deux minutes ?

— Maxime !

— Quoi ?

— Qu'est-ce qu'il y a ?

— Arrête avec tes questions, on n'est pas au poste.

Graham ne put répliquer, trop surprise par l'agressivité de Maxime. Pourquoi se comportait-il ainsi avec elle ? Payait-elle ses absences répétées des derniers jours ? Alors qu'elle voulait justement se faire pardonner en préparant un bon souper… Elle ouvrit le réfrigérateur, le referma. L'attitude de l'adolescent lui avait coupé l'envie de cuisiner. Elle avait rêvé d'une soirée avec lui devant la télé, ce n'était pas arrivé depuis si longtemps.

S'en apercevrait-elle si Maxime se droguait ? Un de ses collègues avait un fils qui avait vendu de la coke des mois avant qu'il l'apprenne. On voit bien ce qui se passe chez les voisins, mais chez soi ? Elle revint vers le réfrigérateur, sortit la bouteille de bourgogne entamée quelques jours plus tôt et se servit un verre, se dirigea vers le salon et se cala dans le canapé. Léo sauta aussitôt sur ses genoux et le ronronnement du chat la rasséréna. Elle s'inquiétait sûrement pour rien. Maxime était simplement un adolescent. Elle en avait encore pour quelques mois, une année ou deux peut-être, avant que leur relation soit de nouveau harmonieuse. C'était ce qu'avait dit Léa. Et Rouaix. Elle n'avait jamais imaginé que l'enfant qu'elle avait recueilli pourrait changer à ce point, être quasiment muet par moments, adorable ou insupportable en une même journée, une même heure. Elle ne s'était pas assez préparée à ce passage. Et n'était pas douée, manifestement, pour improviser. Qu'aurait-elle dû lui répondre quand il avait marmonné qu'il voulait la paix ? Elle lui avait à peine adressé la parole.

Comment aurait réagi Alain à sa place ? Il ne tarderait plus, maintenant. Elle eut envie de le joindre sur son cellulaire, se leva pour prendre le téléphone. Au moment où elle se rassoyait après avoir récupéré l'appareil, Maxime la rejoignit au salon et se mit à flatter Léo comme si tout allait bien. Et peut-être que tout allait mieux, effectivement. Ou assez bien, en tout cas, pour qu'elle ne gâche pas tout en tentant de savoir à quoi était due plus tôt sa saute d'humeur.

— Ça me fait de la peine de penser que Léo est vieux. J'aurais aimé ça, le connaître quand il était jeune.

— C'était un beau chaton. Moi, c'est toi que j'aurais voulu voir quand tu étais bébé. Tu es tellement mignon sur les photos que Bruno m'a montrées. Tu n'as pas trop changé…

Elle avait adopté un ton léger, craignant qu'il s'imagine qu'elle avait pris ce biais pour lui parler de son père.

— Ça m'énerve d'avoir l'air jeune. À côté de Michaël…

— Tu as déjà beaucoup grandi, fit remarquer Graham.

— J'ai hâte d'avoir dix-huit ans. Toi, avais-tu hâte ?

— Évidemment. Connais-tu quelqu'un qui n'a pas le goût d'avoir dix-huit ans ? Et je serais quasiment prête à retourner en arrière certains jours…

— Comme ce soir avec moi ?

— Non. Comme hier soir. Ce n'était pas facile avec les parents de la petite Tamara. Je me sentais nulle. Même si les gars ont avoué. Elle est morte. On les a retracés trop tard.

Maxime échangea un regard avec Maud. C'était la première fois qu'elle lui parlait ainsi de son métier. Elle évoquait parfois son travail quand Alain était présent, mais s'adresser directement à lui ? Lui confier ses impressions ?

— Il y a quelque chose que vous auriez dû faire que vous n'avez pas fait ?

— Je ne sais pas. On a réagi tout de suite, mais si on avait trouvé Riendeau plus tôt… Vraiment plus tôt. Tamara était décédée depuis un bon moment quand on l'a découverte. Ils ne l'ont pas gardée longtemps.

— Je ne comprends pas ça, murmura Maxime. Ça doit être dur de voir un petit cadavre…

— Ça me vire à l'envers. Ça nous vire tous à l'envers.

— La mère de Michaël aussi. Elle capote chaque fois qu'elle regarde le téléjournal, ces jours-ci.

— Ce n'est pas la première fois que tu me le fais remarquer, nota Graham.

— Il paraît qu'elle est toujours comme ça quand il y a des histoires avec des enfants. C'était pareil à Montréal quand le garçon a disparu à la Ronde. Elle passait tout son temps devant la télé à se rendre malade.

— Elle doit être très sensible.

— Toi aussi, mais tu ne capotes pas.

Graham haussa les épaules. Avait-elle le choix ? Elle devait conserver son sang-froid pour travailler. Chaque minute comptait dans une disparition d'enfant. Il fallait apprendre à gérer l'émotivité.

— Mais après ? Quand vous l'avez trouvée ?

— Je n'étais pas sur les lieux alors, mais j'ai eu la nausée quand on a reçu l'appel de Pelletier. C'est irréel et trop vrai en même temps, on ne veut pas y croire. Joubert a de la difficulté à digérer tout ça…

— Je suis content qu'il soit avec Grégoire, dit Maxime. Je l'aime mieux que son autre chum.

— Toi, as-tu discuté de Tamara avec la mère de Michaël ?

— Pas vraiment.

— À quelle heure vous retrouvez-vous sur les plaines ?

— Je ne sais pas si je vais y aller ce soir.

Maxime s'était rembruni et Graham s'interrogeait. Y avait-il un lien entre l'attitude de Maxime et le fait que son meilleur ami se soit battu avec Tommy ? Michaël avait-il des ennuis qui risquaient d'atteindre Maxime ? Quel genre d'ennuis ? Alain questionnerait-il Maxime ou non ?

— J'ai faim, finalement. Tu prépares vraiment le souper ? Alain n'arrivera pas à temps pour t'aider.

Graham fit mine d'ébouriffer Maxime : doutait-il de ses compétences ?

— Grégoire m'a rendu exigeant. Quand il habitait ici, il nous préparait des…

— Des cuisses de canard confites, ça vous convient, monsieur Maxime ?

Maxime hocha la tête en signe d'assentiment. Il oublierait Michaël pour la soirée. Il n'y avait pas que Michaël dans la vie. Il fallait qu'il cesse de se demander ce qu'il faisait avec Trevor.

CHAPITRE 11

Montréal, 20 mai, 18 h 45

Dès qu'ils atteignirent le pont Jacques-Cartier, Michaël désigna les manèges de la Ronde en contrebas, qui lui rappelaient tant de bons souvenirs.

— J'y allais chaque été. Ça ne me tentait pas de déménager à Québec. Si on y allait un jour ?

— À la Ronde ?

Le ton de Trevor manquait d'enthousiasme ; il commençait à se demander si Michaël profitait de lui. Comme l'avait fait Claude. Pensait-il qu'il pouvait l'utiliser et le remiser ensuite dans un coin tel un jouet ? Il ne serait plus le jouet de personne ! La Ronde ? Pourquoi pas ? Il s'efforcerait de repousser l'image de Claude qui, sous prétexte d'avoir peur, se serrait contre lui dans le Monstre. Il se rappelait ses cris hystériques qui devaient faire croire qu'ils s'amusaient. Qu'ils étaient comme tout le monde alors qu'elle lui caressait les cuisses dans les montagnes russes, riait en répétant qu'on la prenait pour sa blonde, qu'ils étaient libres d'être eux-mêmes loin de Rimouski.

— Est-ce que tu allais à la Ronde avec Marie-Catherine ?

— Quand j'étais plus jeune. Mais elle a le vertige, elle a peur de tout, elle imagine que les manèges vont tomber en panne quand on est en plein ciel ou qu'on va s'écraser au sol. Elle panique tout le temps pour rien. Toi, tu y es déjà allé ? C'est loin de Rimouski…

— Oui.

— Tu étais aussi coincé avec ta mère ? plaisanta Michaël.

Trevor acquiesça avant de prendre la voie de droite qui les mènerait au centre-ville.

— Tu n'y es jamais allé avec ton père ? Ah non, c'est vrai, on est pareils là-dessus, ton père aussi est mort. Te demandes-tu ce qui se serait passé s'il était encore là ?

— Non, mentit Trevor avant d'ajouter que ça ne servait à rien d'y penser.

Ils empruntèrent le boulevard René-Lévesque jusqu'à Université, puis tournèrent dans la rue de la Gauchetière. Trevor gara la voiture dans le stationne-ment de la gare Centrale, sortit une casquette et une paire de lunettes de la boîte à gants.

— Qu'est-ce que tu fais ? s'étonna Michaël.

— C'est préférable qu'on ne nous voie pas arriver ensemble pour louer une chambre, non ? Le récep-tionniste nous posera peut-être des questions. Je mets une casquette et des lunettes pour avoir l'air plus vieux.

— C'est quoi, le problème ? fit Michaël, subitement méfiant.

— Il n'y en a pas…

— Tu es majeur, non ? Tu as le droit de louer une chambre.

— C'est sûr. Mais ce serait plus simple si tu l'étais aussi.

— Tu as peur qu'on passe pour des gays?

— Non, mais je veux aller acheter du vin avant. Je t'appelle sur ton cell dès que j'ai la chambre et les bouteilles. On est juste en dessous du Reine Elizabeth. Ça te va?

Michaël n'était pas très à l'aise, mais il finit par hausser les épaules.

— Ça sera long?

— Le temps de m'inscrire. Je t'appelle d'ici quinze minutes, trente gros max. Je te donne le numéro de la chambre, tu me rejoins, tu déposes ton sac, puis on sort. J'ai payé le stationnement pour une heure.

— Tu connais bien l'hôtel.

— Je suis déjà venu ici avec ma mère. Pour me rejoindre, tu tournes à gauche, tu montes la côte et tu entres par l'entrée principale de l'hôtel. Une fois dans le hall, tu te rends directement aux ascenseurs.

— Si on me pose des questions?

— Tu donneras le numéro de ma chambre. Ce n'est pas plus compliqué que ça. Mais on ne te posera pas de questions. Tu pourrais bien aller rejoindre tes parents…

— Ne me parle pas de ma mère, je suis ici pour l'oublier! Vas-y. Je vais attendre ton appel.

— N'oublie pas de verrouiller, fit Trevor en lançant les clés de la voiture à Michaël.

Il sentit aussitôt que celui-ci se détendait; cette marque de confiance était décidément très efficace.

Trevor s'éloigna rapidement, tandis que Michaël s'assoyait au volant et s'imaginait qu'il conduisait enfin! Marie-Catherine refusait qu'il suive des cours de conduite avant qu'il soit majeur. C'était tellement ridicule ! Il faudrait que Joël la fasse changer d'avis.

Après quelques minutes, il jeta un coup d'œil dans la boîte à gants. Elle contenait les papiers de la voiture. Il vit la photo d'une femme qui devait être la mère de Trevor. Il ne lui ressemblait pas du tout. Il remettait les documents à leur place quand il trouva un sachet de plastique où il y avait des graines, des brindilles séchées qu'il identifia tout de suite. Trevor fumait du pot. Michaël avait déjà essayé avec un de ses anciens amis, mais ils s'étaient étouffés. Peut-être qu'il recommencerait avec Trevor. Pourquoi Trevor ne lui en avait-il pas offert la veille sur les plaines ? Le sac était plein. Il devait avoir payé cher pour cette quantité.

Et s'il en vendait ? S'il gagnait son argent ainsi ? Michaël se mordit les lèvres, songea à Maxime qui croyait que Trevor leur cachait quelque chose. Il allait composer son numéro quand Trevor l'appela. Il était à la chambre 1212.

Michaël balaya ses hésitations, saisit son sac à dos. Après tout, il n'était pas dans une ville inconnue. Il n'avait pas donné de nouvelles depuis longtemps à ses amis de l'époque, mais il y en aurait bien un pour le dépanner s'il se disputait avec Trevor. Maintenant qu'il y était, il n'allait tout de même pas prendre le train pour rentrer à Québec seulement parce que Trevor ne lui avait pas parlé de la drogue. C'était la faute de Maxime qui avait insinué le doute dans son esprit. Tout s'était bien passé, sur les plaines. Ils s'amuseraient et Maxime regretterait de ne pas les avoir accompagnés quand il lui raconterait leur voyage. Un seul point le turlupinait : il craignait d'avoir l'air de profiter des largesses de Trevor.

— Ça m'embête que tu paies tout, dit-il à Trevor dès que celui-ci lui ouvrit la porte de la chambre.

— Ne t'en fais pas avec ça, le rassura Trevor. C'est juste de l'argent. Puis, aimes-tu la vue, ici ?

Michaël s'approcha de la fenêtre, acquiesça avant d'interroger Trevor :

— Tu n'étudies plus, tu travailles, c'est ça ? Tu es en vacances, tu ne manques pas tes cours comme tu nous l'as dit ?

Il y eut un silence durant lequel Michaël hésitait à demander à Trevor s'il gagnait de l'argent en vendant de la drogue, mais il n'était pas censé avoir ouvert la boîte à gants.

— J'ai pris des vacances, oui. Mais je suis au cégep en sciences humaines. Tes chums ? Tu ne veux pas les rappeler ?

— Ça ne répond pas chez Julien, et la mère de Guillaume m'a dit qu'il était parti à New York avec l'école.

— À New York ?

— J'aimerais ça y aller un jour.

— Pourquoi pas demain ? C'est à sept ou huit heures de Montréal.

Michaël n'en croyait pas ses oreilles. Trevor lui proposait de traverser aux États-Unis. Il se mordit les lèvres, c'était exagéré. Les doutes l'assaillaient de nouveau ; pourquoi Trevor était-il aussi généreux avec lui ? Comment pouvait-il lui proposer de partir à New York alors qu'ils ne se connaissaient pas la semaine précédente ?

— Je n'ai pas mon passeport, répondit-il.

— Moi non plus, admit Trevor. Mais pour une autre fois, on y pensera. Qu'est-ce que tu as envie de manger pour souper ?

— J'aimerais bien aller dans mon ancien quartier manger à la Pizzaiolle. Ça me tenterait de revoir la maison, de te montrer où je vivais. C'est correct pour toi ?

— Pourquoi pas ?

— Un jour, j'irai à Rimouski et tu me montreras tes coins préférés.

— À Rimouski ?

— Tu as l'air surpris. Il paraît que c'est beau, le Bas-Saint-Laurent.

— C'est sûr, mais Montréal est plus excitant.

— Tu as raison, ma mère ne m'a pas demandé mon avis quand elle a décidé qu'on déménageait à Québec. C'est ça qui m'écœure. J'aurais aimé qu'on en discute. Ça me concernait. Si ta mère t'obligeait à rester à Rimouski, qu'est-ce que tu dirais ?

— Ma mère est morte la semaine dernière.

Michaël écarquilla les yeux. Trevor avait-il vraiment dit que sa mère était décédée quelques jours plus tôt ? Pourquoi n'en avait-il pas parlé avant ? Et comment pouvait-il avoir ce ton détaché en annonçant cette nouvelle ?

— Je… je suis désolé, finit par murmurer Michaël alors que l'envie de téléphoner à Maxime lui revenait en force.

C'était lui qui avait raison : Trevor était bizarre.

— Non, ça va. Elle… Elle était malade. Mais ça explique que j'aie envie de me changer les idées. C'est pour ça que je suis parti de Rimouski. Et qu'on est ici maintenant.

— Pourquoi tu ne me l'as pas dit?

— Je n'aime pas qu'on me prenne en pitié. J'ai eu peur que tu penses qu'on n'aurait pas de *fun* ensemble à cause de ça. C'est le contraire, crois-moi! Il faut que tu me guides jusqu'à ton quartier, je ne connais pas les rues de Montréal. Ne me regarde pas comme ça, je te jure que je vais bien. Elle est mieux morte, elle ne souffre plus.

— Qu'est-ce qu'elle avait?

— Un cancer. Ça arrive, dit Trevor en jouant avec le bouton de la radio. Occupe-toi de la musique.

Michaël opta pour du rock avant d'indiquer l'avenue des Pins à Trevor.

— On pourrait aussi manger un smoked-meat chez Schwartz's, suggéra Michaël. Ça coûterait moins cher que la pizzeria.

— Arrête de t'inquiéter pour ça. J'ai de l'argent. Ma mère m'en a laissé.

— Je ne pourrai jamais te remettre ça. Je ne travaille pas. Tu es chanceux d'avoir dix-huit ans. As-tu fait un gros party pour ta fête?

Trevor mit du temps à répondre. Devait-il s'inventer une fiesta du tonnerre pour épater Michaël ou être franc avec lui? Il opta pour une demi-vérité, il y avait déjà assez de zones d'ombre entre eux. Qu'il pourrait bientôt dissiper, évidemment. Ce soir, peut-être? Michaël était de plus en plus chaleureux avec lui. Il serait sûrement content d'apprendre qu'ils étaient beaucoup plus liés qu'il le croyait.

— J'étais seul à mon anniversaire. Ma mère se mourait.

— Mais tes amis ?

— Je ne voulais pas les appeler de l'hôpital.

Il n'allait pas pousser la franchise jusqu'à avouer à Michaël qu'il n'avait jamais eu de véritable ami. Tout allait changer maintenant ! Il ne traînerait pas comme un boulet ces années perdues à cause de Claude, ces années d'isolement, ces années où il avait si peur qu'on apprenne ce qui se passait chez lui. Comment aurait-il pu inviter des amis à la maison alors qu'il redoutait qu'un regard trop insistant de Claude trahisse son amour pour lui ? Personne ne l'avait jamais observé avec autant d'intensité que Claude, elle lui répétait qu'il était beau, de plus en plus beau, le plus bel homme qu'elle ait connu. Devant le miroir, il cherchait à comprendre ce qu'elle voyait, il ne distinguait qu'un masque sombre aux orbites vides.

Durant une fraction de seconde qui l'emplit instantanément d'une sorte de dégoût, il s'ennuya du regard de Claude. Il se sentait si anodin, si transparent depuis qu'elle était morte, sans réelle consistance.

— Trevor ?

La voix de Michaël le ramena à la réalité. Il lui sourit.

— On peut stationner ici, on n'est pas loin de la pizzeria.

Une des serveuses reconnut Michaël dès qu'ils s'avancèrent vers la table qu'on leur avait désignée.

Mona s'informa de Marie-Catherine. Elle se souvenait de cette cliente qui laissait de généreux pourboires.

— Êtes-vous de retour à Montréal ?

— Non, je suis venu pour la soirée avec mon ami Trevor.

Trevor tendit la main à Mona en souriant ; Michaël l'avait présenté comme un ami. Un ami. C'était sorti spontanément, il n'avait pas hésité une seconde.

— La même chose ? s'enquit Mona.

— Tu te souviens de la sorte de pizza que j'aime ?

Mona acquiesça tandis que Michaël conseillait à Trevor de choisir, comme lui, la pizza au poulet cajun.

— Je voudrais aussi du vin blanc, dit Trevor.

En quittant le resto, Michaël proposa de rouler jusqu'à son ancienne demeure.

— C'est drôle de revenir dans mon quartier. Il me semble que ça fait tellement longtemps. Pourtant, j'étais ici à Noël. Mais c'était avec ma mère et Joël. Là, on s'amuse vraiment.

Ils empruntèrent la rue de l'Épée jusqu'à l'avenue Elmwood, puis tournèrent dans Outremont.

— C'est ici ! Arrête-toi !

Trevor ralentit tandis que Michaël lui expliquait que sa chambre était à l'arrière de cette maison en brique.

Ils se garèrent et Michaël se planta devant la maison.

— J'aurais aimé ça qu'il y ait de la lumière, je serais allé sonner…

Trevor leva les yeux vers la propriété à demi dissimulée par des sapins.

— On en décorait un à Noël. On avait un des plus beaux arbres du quartier !

Une image de carte postale s'imposa à l'esprit de Trevor : Marie-Catherine tendant une guirlande à Michaël en riant avant de lui promettre un chocolat chaud lorsqu'ils en auraient terminé avec le sapin, lui ébouriffant les cheveux dans un geste affectueux, complice. À cet instant, Trevor ressentit une telle colère contre Michaël, qui avait tout eu de Marie-Catherine, qu'il s'écarta de lui, étourdi.

Michaël ne s'était aperçu de rien, tout à son égoïste plaisir, occupé à se vautrer dans ses beaux souvenirs. Il le détestait. Il ne pourrait jamais s'entendre avec ce bébé gâté. Pourquoi l'avait-il traîné ici ? Et jusqu'à Montréal ? Il avait envie de mordre, de tuer et de pleurer en même temps. Et que Claude le console. Non, pas Claude. Il ne pouvait pas, ne devait pas s'ennuyer de Claude.

— Eh ? Qu'est-ce que tu as ? Tu es tanné de m'entendre radoter ? Je m'excuse… Tu m'emmènes ici et je n'arrête pas de parler. Que voudrais-tu faire, maintenant ? Mon pèlerinage est terminé. C'est toi qui décides.

Peut-être que Michaël n'était pas si immature, finalement. Il s'était enthousiasmé en revoyant sa maison, mais il avait perçu son malaise. Parce qu'ils étaient frères. Il y avait un lien secret entre eux même si Michaël l'ignorait.

— Maxime aurait dû nous suivre, dit Michaël. C'est trop cool. C'est mon ancien voisin qui vient d'arriver.

Michaël traversa la rue en diagonale, attendit que Derek Caine sorte de sa voiture.

— Eh ! Michaël ! *How are you ?*

Trevor observait le voisin qui avait tout de suite pris la main tendue de Michaël et la secouait avec enthousiasme. Il semblait ravi de le revoir, mais son visage s'assombrit subitement et Michaël lui tapota le dos gentiment. Pour le consoler ? Trevor hésitait à s'avancer vers eux, Michaël semblait l'avoir de nouveau oublié. Est-ce que cette conversation durerait encore longtemps ? Michaël finit par se retourner vers lui.

— J'en ai pour deux minutes, attends-moi dans l'auto.

Trevor battit des paupières. Il n'aimait pas tellement le ton désinvolte de son frère, mais il n'allait pas le contredire devant témoin. Il s'assit, posa les mains sur le volant, il aurait tout aussi bien pu partir et planter Michaël là. Il ne dit pas un mot quand il ouvrit la portière de la voiture.

— Excuse-moi, je ne savais pas que Mme Caine était morte en février. Je ne pouvais pas interrompre M. Caine. Ils ont toujours été gentils avec moi. On fait ce que tu veux, maintenant.

— Si on allait sur le mont Royal ? J'aimerais ça voir Montréal d'en haut. Est-ce qu'on peut atteindre la croix ? On pourrait boire le vin qui est dans mon sac à dos.

— Bonne idée ! J'appelle Maxime pour lui dire ce qu'il manque. Il voudra venir, la prochaine fois !

Il composa le numéro de Maxime qui répondit à la première sonnerie. Ils faisaient de la télépathie, il voulait justement l'appeler. Où était-il ?

242

— À Montréal. Tu aurais dû nous accompagner. Mais c'est un peu ma faute, j'ai été bête avec toi.

— Oublie ça… Ta mère a téléphoné ici tantôt. C'est Maud qui a répondu. Elle a dit qu'elle ne t'avait pas vu, mais qu'on était dehors ensemble. C'est ce qu'elle croyait…

— *Fuck!*

— Tu lui as raconté que tu couchais chez nous, j'imagine ?

— Ça te dérange ?

— Non, mais tu aurais dû me le dire, je me serais arrangé pour répondre moi-même. Ça ne sera pas long avant que Maud me pose des questions. Il va falloir que tu inventes autre chose. Tu reviens quand ?

— Demain midi. Trevor a loué une super chambre. Là, on grimpe sur la montagne. Après, on verra. C'est vraiment cool. On ira ensemble à Rimouski aussi. Et à New York.

— À Rimouski ? À New York ? s'écria Maxime.

— Pas tout de suite. Mais ça va être tripant. Tu pourrais embarquer avec nous.

— Rappelle ta mère, je n'ai pas envie qu'elle téléphone encore ici.

— Je m'en débarrasse tout de suite. T'es un chum, Max. Je te revaudrai ça. Je n'aurais pas dû te dire n'importe quoi ce matin.

Québec, 22 h 20

Maxime agitait distraitement une ficelle sous le nez de Léo avant de jeter un coup d'œil à sa montre.

Il sourit, soulagé ; à cette heure, la mère de Michaël ne rappellerait pas. Maxime ignorait ce que son ami avait inventé, mais il avait de la chance que Marie-Catherine le croie. C'était plus compliqué quand il voulait mentir à Maud. Elle devinait trop de choses.

— Il y a un problème ? s'enquit Maud en rentrant à la maison. Tu es resté ici toute la soirée. Tu n'as pas vu Michaël. Vous êtes pourtant inséparables.

— On n'est pas des jumeaux. J'aimais mieux attendre Alain.

— Tu es certain ? insista-t-elle. Michaël est venu dormir ici après s'être battu et aujourd'hui, un vendredi soir, tu es planté devant la télé au lieu de faire quelque chose avec lui. Où est Michaël ?

Maxime haussa les épaules, marmonna qu'il ne surveillait pas les allées et venues de Michaël, et se leva pour gagner sa chambre afin d'éviter d'autres questions.

Pour le moment. Maud reviendrait sûrement à la charge demain. Ou Alain. Que leur raconterait-il ? Il avait eu raison de rester à Québec. Michaël aurait sûrement des ennuis à son retour.

Montréal, 23 h 30

La nuit était tombée depuis longtemps lorsque Trevor et Michaël décidèrent de quitter le mont Royal pour rentrer au Reine Elizabeth.

— J'aurais dû apporter les deux bouteilles, s'excusa Trevor. Mais rien ne nous empêche de boire dans la chambre. D'accord ?

— Oui, c'est cool d'être à l'hôtel. Et puisqu'on n'en profitera pas demain matin…

— Tu n'es pas trop déçu de ne pas avoir revu tes chums ? La prochaine fois, tu les appelleras pour les prévenir. On peut aussi rester une journée de plus si tu veux. Tu n'as pas dit que ta mère est partie de Québec ?

Trevor déverrouillait les portières tout en l'interrogeant du regard.

Michaël hocha la tête, partagé entre le désir de s'amuser à Montréal et le doute qui germait dans son esprit. Il se remémora sa conversation avec Marie-Catherine. Elle lui avait demandé ce qu'il faisait et il avait affirmé qu'il allait au cinéma avec Tommy et qu'il dormirait chez lui. Il avait même précisé qu'il couperait son cellulaire afin de ne pas gêner les autres spectateurs. Il y avait eu un silence au bout de la ligne, puis Marie-Catherine avait dit qu'elle le rappellerait plus tard.

— Je t'appellerai, moi, quand j'aurai rouvert mon cell. Tu es rendue chez grand-maman ?

— Oui. Elle regrette que tu ne sois pas avec nous.

— Dis-lui que j'irai l'embrasser quand je serai en vacances. C'est bientôt. J'y vais, Tommy m'attend.

Et il avait refermé le téléphone en espérant avoir été assez naturel pour tromper Marie-Catherine. Il n'en était plus aussi certain maintenant.

— Excuse-moi, fit Trevor en accrochant le bras de Michaël alors qu'il s'étirait pour attraper son sac à dos sur le banc arrière. Il faut que je remette ma casquette et les lunettes.

— Pourquoi ?

— Parce que j'utilise la carte de crédit de ma mère. Au cas où il y aurait des caméras. Ce n'est pas tout à fait légal. D'un autre côté, je suis son seul héritier. Son argent est mon argent, sauf qu'il y a beaucoup de paperasse à remplir, à signer. Il faut que je voie le notaire avant de toucher mon héritage.

— Comment peux-tu utiliser sa carte ? C'est une femme !

— Elle s'appelait Claude. Il n'y a pas de photo sur les cartes de crédit. Je connais son code.

— Je ne comprends pas que tu sois obligé de porter ça maintenant. Au moment où tu paieras, oui, mais on est sortis tantôt sans que tu la mettes. Personne ne va te suivre jusqu'au douzième étage. Es-tu mêlé à quelque chose de louche ? Est-ce que tu vends de la drogue ?

— Moi ?

— Le pot qu'on a fumé sur le mont Royal, tu le vends ? C'est un maudit gros sac.

— Non, mais tu as raison pour le reste ! fit Trevor en enlevant la casquette d'un geste brusque. Je dois être un peu paranoïaque. Quand même, on devrait monter séparément à la chambre. Tu me rejoins dans cinq minutes ?

Michaël parvint à sourire à Trevor même s'il était de plus en plus mal à l'aise. Ce déguisement. Puis Trevor qui utilisait la carte de sa mère morte sans se troubler. D'un autre côté, ne ressemblait-il pas à Marie-Catherine en s'imaginant toutes sortes de choses ? Elle l'énervait si souvent en s'inquiétant pour rien. Il regarda Trevor s'éloigner vers l'hôtel d'une démarche assurée. Si lui ne s'en faisait pas, pourquoi tout compliquer ? Il était trop étourdi pour se poser autant de questions.

Il avait envie d'appeler Maxime pour lui parler de Trevor, mais si Maxime était en compagnie de Maud quand son cellulaire sonnerait ? Elle se demanderait pourquoi il téléphonait si tard. Il y renonça et se dirigea à son tour vers l'hôtel en s'efforçant de marcher droit ; ce n'était pas le moment d'attirer l'attention du portier ou de la réceptionniste.

Baie-Saint-Paul, 23 h 55

Marie-Catherine ne parvenait pas à s'endormir et enviait Joël qui avait réussi à trouver le sommeil. Elle n'avait rien voulu dire devant ses parents, mais, dès qu'ils s'étaient retrouvés seuls dans la chambre d'amis, elle lui avait appris que Michaël lui avait menti : il n'était pas chez Maxime pour la soirée.

— Où est-il ?

— Chez un autre de ses amis. Pourquoi ne me l'a-t-il pas dit tout de suite dans ce cas ? Pourquoi prétendre aller au cinéma avec Maxime puis avec Tommy ? Avec qui est-il vraiment en ce moment ? On n'aurait pas dû rester à coucher ici.

— Rappelle-le !

— J'ai essayé, il a éteint son cellulaire. Ou ne répond pas à mes appels. Il me rend folle ! Qu'est-ce qu'il fabrique ?

Joël avait posé ses mains sur les épaules de Marie-Catherine pour l'apaiser.

247

— D'après moi, il a organisé un party à la maison. C'est évident : il savait qu'on serait absents jusqu'à demain, l'occasion était trop belle. Il veut se faire des copains. Il aura invité ceux du soccer. Il commence à mieux les connaître. Ce sont des amis de Maxime.

— Ils vont boire…

— C'est possible.

Joël avait grimacé avant d'avouer qu'il espérait que les jeunes ne pigent pas trop dans le cellier…

— J'ai fait la même chose à son âge. Toi, dans cette situation, ça ne t'aurait pas tentée d'inviter tes amis ? On est toujours très populaire quand on offre un endroit pour fêter.

Elle avait soupiré sans répondre. Revenir chez ses parents la mettait toujours mal à l'aise. Elle ne pouvait s'empêcher de se revoir à la porte de la cuisine avec son sac à dos, en pleine nuit, surexcitée à l'idée de fuguer et de partir si loin, cette fois, que son père ne la retrouverait jamais. Patrick Jolin avait une moto qui les mènerait au bout du monde. Aux États-Unis. Au Mexique. Finie la petite vie plate à la maison ! Elle se souvenait de la texture rêche de sa veste de motard, de la force avec laquelle elle s'accrochait à cet homme qu'elle croyait aimer pour la vie.

Elle n'était pas allée au bout du monde, mais au bout de ses illusions.

— Ça se peut qu'on trouve la maison en désordre demain, avait continué Joël. Que veux-tu qu'on fasse à cette heure ? Ils ne mettront pas le feu ! Il va y avoir de la bière renversée sur le divan, peut-être. C'est possible que les jeunes dérangent les voisins, on le saura en arrivant.

— Je n'aime pas ça. Michaël m'a menti. Et je n'aime pas l'idée qu'il s'enivre avec ses amis.

— Et s'il était avec une fille ? Qu'il profite de notre absence pour passer la nuit avec elle ?

— Il ne nous a jamais parlé d'une fille…

— Ce n'est pas à ma mère que je me serais confié. Mais Maxime doit être au courant.

— Ça expliquerait pourquoi ils ne sont pas ensemble. S'il y avait un party, Maxime y serait. Il était chez lui ce soir. Tu penses vraiment que Michaël peut avoir une blonde ?

— Tu ne le vois pas vieillir parce que tu es sa mère, mais réjouis-toi qu'il ait du succès auprès des filles.

Elle y croyait à moitié. Et encore moins à une fête : qui aurait-il invité ? Michaël n'était pas un garçon si populaire. Ça s'était amélioré depuis qu'il jouait au soccer, mais de là à ce qu'il organise une fête à la maison… Joël le voyait avec des yeux trop bienveillants, tellement désireux de leur bonne entente.

Elle aurait dû rappeler chez Maxime.

Elle jeta un coup d'œil aux chiffres lumineux du réveil électrique qui palpitaient dans le noir. Combien de fois les regarderait-elle encore avant de s'endormir ? Y parviendrait-elle seulement ? Même si elle dormait mal depuis des jours, même si elle était épuisée, elle était trop fébrile pour trouver le sommeil. Chose certaine, elle rentrerait à Québec dès l'aube.

Trevor regardait dormir Michaël. Il était à quelques centimètres de son visage, en scrutait les moindres détails, faisait l'inventaire de leurs points communs. Dans la soirée, il avait appris que Michaël aimait les mêmes séries américaines, avait lu les mêmes livres, qu'il rêvait aussi d'aller vivre en Australie et détestait comme lui les bananes et les chanteurs français qui ne parviendraient jamais à être de vrais rockers.

Mais il n'était pas habitué à boire. Ils étaient différents sur ce point-là. À peine avaient-ils entamé la deuxième bouteille qu'il s'était endormi. Il ronflait depuis. De retour à la chambre, Trevor avait ouvert tout de suite la bouteille, désireux de retrouver la complicité qu'ils avaient sur le mont Royal avant de lui révéler leur lien fraternel. Il y était prêt, vraiment prêt, mais Michaël s'était subitement allongé sur le lit sans même enlever ses chaussures, le laissant veiller seul avec son secret.

Seul, toujours seul. Il avait pensé que Michaël finirait par deviner qu'une forme de communication particulière existait entre eux, mais il n'y avait pas fait allusion. S'il était seul à ressentir ce lien secret, il ne valait rien. Ce n'était même pas un lien. Il s'était illusionné ; Michaël ne serait jamais ce frère dont il avait rêvé.

Il se versa un verre de chianti, but plusieurs gorgées rapidement, fouilla dans son sac et mit la main sur un flacon de comprimés. Il en avala un avec du vin, sentit la chaleur de l'alcool se propager dans ses veines tandis qu'il se détournait de Michaël et contemplait les lumières de la ville. Le comprimé ferait bientôt effet, il serait moins déprimé. Il n'aimait pas penser que ces pilules avaient appartenu à Claude, il devait s'habituer à s'en moquer. Il regarda de nouveau Michaël. Il était trop sévère avec lui. Comment pouvait-il deviner qu'ils étaient unis par le sang alors qu'il n'avait jamais eu vent de son existence ?

Trevor ôta les chaussures de Michaël, prit la couverture qui était dans le garde-robe et l'en couvrit. Il raconterait tout à Michaël dans quelques heures. Quand le soleil découperait les gratte-ciel de Montréal en silhouettes longilignes.

Il n'avait pas envie de rentrer à Québec. Mais avec tout ce qu'avait bu Michaël, il était quasiment certain qu'il ne s'éveillerait pas très tôt. Ensuite, ils parleraient. Et peut-être que Michaël préférerait rester encore un peu à Montréal pour digérer ses révélations. Apprendre que Marie-Catherine lui avait menti durant des années, lui avait caché son existence l'ébranlerait certainement. N'avait-il pas été choqué lorsqu'il avait su que Claude n'était pas sa mère ?

Il s'allongea à côté de Michaël qui s'était tourné sur le ventre, avait cessé de ronfler. Il entendait maintenant sa respiration et la compara malgré lui à celle de Claude, la maudit aussitôt. Mais comment ne pas y penser ? Elle était la seule personne avec qui il avait dormi avant de se retrouver dans cette chambre d'hôtel avec Michaël. Il se redressa sur un coude, se pencha vers l'adolescent, le vit froncer les sourcils, s'agiter. Bientôt, il marmonna des paroles incompréhensibles avant de pousser un gémissement.

— Eh ! Michaël ! Tu rêves !

Michaël repoussa la main de Trevor d'un geste brusque, puis se recroquevilla en serrant son oreiller.

Michaël aussi faisait des cauchemars. À quoi rêvait-il ? Trevor l'observa de longues minutes, l'enviant d'avoir pu continuer à dormir. Il se rapprocha un peu de lui, posa une main sur son dos, goûta sa chaleur apaisante. Pourquoi devaient-ils rentrer à Québec si tôt ? Il n'y avait pas de cours la fin de semaine. Où était le problème ? L'année était quasiment terminée, et Michaël semblait confiant de bien réussir. Sauf les maths. Encore un point qu'ils avaient en commun. Claude avait déploré plus d'une fois qu'il n'ait pas le talent de son père pour les chiffres, les calculs. Quel était donc l'héritage de Marcus Duncan, hormis l'argent et le revolver ?

Il avait eu envie de montrer l'arme à Michaël mais y avait renoncé. Demain, peut-être. Qu'avait laissé Patrick à son fils, de son côté ? Il ne semblait pas savoir beaucoup de choses sur son père. Il avait simplement dit qu'il s'était noyé quand il était bébé.

Trevor fouilla dans son sac, caressa le revolver, se demanda s'il l'aurait utilisé pour tuer Claude s'il l'avait trouvé plus tôt. Il aimait le sentiment de puissance que l'arme lui procurait.

Québec, 9 h 30

Aucune odeur de cigarette ne flottait dans l'air quand Joël et Marie-Catherine poussèrent la porte de la maison. Rien n'avait bougé.

— Il n'y a pas eu de party ici, c'est sûr! dit Marie-Catherine.

Elle monta à l'étage sans même enlever son manteau, poussa la porte de la chambre de son fils. Vide. Le lit n'avait pas été défait.

— Il n'est pas ici! cria-t-elle.

— Il est peut-être sorti pour déjeuner, tenta Joël sans conviction.

— Il n'a pas couché à la maison. Je l'appelle!

Elle composa le numéro fébrilement, pinça les lèvres en entendant le message de la boîte vocale.

— Il a éteint. Évidemment…

— Téléphone à Maxime. Il doit être au courant.

— Il le couvrira. Il me racontera qu'il est parti au dépanneur ou qu'il est sous la douche, puis il préviendra Michaël qui me rappellera.

Joël haussa les épaules. Il n'y avait plus qu'à attendre le retour de Michaël. Il se dirigeait vers l'escalier, décidé à boire un bon café et à lire enfin les journaux, quand Marie-Catherine se leva d'un bond, passa devant lui et dévala les marches.

— Je vais aller chez Maxime. J'en aurai le cœur net!

— Il n'est même pas dix heures!

— Ne bouge pas d'ici, au cas où il reviendrait.

— Marie! Attends!

Mais elle était déjà sortie et il entendit la voiture démarrer quelques secondes plus tard. Il resta debout dans l'escalier, la main sur la rampe, sans savoir ce qu'il devait faire maintenant. Où était Michaël? L'angoisse de Marie-Catherine commençait à déteindre sur lui. Et si Michaël avait été victime d'un accident ?

Il se dirigea vers le bureau, sortit le bottin du tiroir du bas et chercha le numéro de téléphone des principaux centres hospitaliers de Québec. Il fallait qu'il se rende utile pour apaiser le sentiment de culpabilité qui naissait en lui. Il aurait dû écouter Marie-Catherine hier soir et rentrer après le souper chez ses parents au lieu de dormir là-bas. Mais il était tellement certain que Michaël avait organisé une fête. Il s'était dit aussi que Marie-Catherine dramatisait la situation, comme elle le faisait avec tout ces derniers jours. Il ne reconnaissait plus la femme qu'il avait épousée quelques mois auparavant.

Il fut légèrement soulagé d'apprendre que Michaël n'avait été admis dans aucun hôpital, il pourrait au moins rassurer Marie-Catherine sur ce point. Mais où était-il, alors ? Il espéra de tout son cœur que Maxime les éclaire sur l'absence de son beau-fils.

CHAPITRE 12

Québec, 21 mai, 9 h 55

Maud Graham tendit d'abord la main vers le téléphone de la table de chevet, puis se redressa dans le lit en même temps qu'Alain. Ce n'était pas la sonnerie de l'appareil, mais bien celle de la porte d'entrée qui les avait réveillés.

— Si ce sont des prêcheurs qui veulent me convertir, ils vont m'entendre ! Il n'est même pas dix heures ! Pour une fois que je pouvais dormir !

— J'y vais, fit Alain.

— Non, laisse-moi le plaisir de les virer.

Elle nouait le cordon de sa robe de chambre tout en maugréant. Alain était arrivé la veille, mais elle n'était pas là pour l'accueillir. Elle avait dû se rendre à L'Ancienne-Lorette, où on avait découvert un corps dans un boisé. Il s'agissait apparemment d'un suicide, une lettre avait été retrouvée sur la victime indiquant les gens à prévenir et le code d'un ordinateur où l'homme expliquait plus longuement pourquoi il avait mis fin à ses jours. Quand elle était rentrée, elle avait bu plus d'un verre avec Alain, et ils s'étaient couchés très tard après qu'elle lui eut relaté les événements qui avaient jalonné l'enquête sur la mort de Tamara. Ils avaient aussi discuté de l'attitude de

Maxime. Alain avait promis d'essayer d'en savoir plus.

Maud Graham ouvrit la porte de l'entrée, prête à fondre sur les importuns et demeura interdite en reconnaissant Marie-Catherine Lemaire. Elle était toujours aussi belle même si la pâleur de son visage ternissait son éclat. Elle semblait extrêmement nerveuse, mais la regardait droit dans les yeux.

— Michaël est ici ?

— Non.

— Et Maxime ?

— Oui. Il dort.

— Je dois lui parler, fit Marie-Catherine tandis que Maud l'invitait à entrer.

— Que se passe-t-il ?

— C'est ce que je veux savoir. Mon fils n'a pas couché chez nous hier soir. Il m'a raconté qu'il était avec Tommy. Vous savez quelque chose ?

— Je vais chercher Maxime, assoyez-vous. Ce ne sera pas long. Alain ? Je te présente la mère de Michaël.

— Nous nous sommes déjà vus, un soir où je ramenais Michaël après le cinéma, rappela-t-il avant de serrer la main de Marie-Catherine. Voulez-vous un café ?

— Je suis déjà trop fébrile… J'aurais dû vous appeler au lieu de débarquer comme ça, mais je ne connais pas ce Tommy.

— C'est le capitaine de l'équipe de soccer.

— Michaël ne m'avait jamais parlé de lui avant hier soir. Il va m'entendre quand il rentrera, car…

La voix de Graham qui s'entretenait avec Maxime leur fit tourner la tête.

— Où habite Tommy? J'ai besoin de son numéro de téléphone.

Maxime échangea un regard avec Alain qui hocha la tête. Il était temps de dire la vérité, même si son ami lui en voudrait quelque temps d'avoir trahi sa confiance.

— Mike n'est pas avec Tommy. Il est à Montréal.

— À Montréal?

— Il est parti avec Trevor hier soir.

— Trevor?

— Je ne sais pas son nom de famille.

— Il n'étudie pas? s'étonna Maud Graham.

— Non, il est plus vieux. On l'a rencontré il n'y a pas longtemps.

Maud Graham sentit Marie-Catherine Lemaire se raidir à côté d'elle et s'efforça de conserver un ton calme pour questionner Maxime.

— On? Toi et Michaël? Ou d'autres gars de votre équipe de soccer? Il est beaucoup plus âgé?

Maxime secoua la tête. Trevor avait dix-huit ans. Il venait de Rimouski.

— Qu'est-ce qu'il fait à Québec? demanda Marie-Catherine.

— On dirait qu'il a pris des vacances.

— Il n'étudie pas? fit Graham.

— Oui, mais pas cette semaine. Je n'ai pas trop compris pourquoi il traîne ici.

— On a tous besoin d'un café, décréta Alain. Je reviens dans quelques minutes.

Marie-Catherine s'était dirigée vers un fauteuil, tremblante, sembla-t-il à Maud.

— Raconte-nous tout, de A à Z.

— Il est à Montréal. Ils sont allés sur la montagne et ils ont loué une super chambre.

— Une chambre ?

— Michaël n'a pas l'air d'avoir joint ses amis. Je n'en sais pas plus. Sauf qu'il a dit qu'il rentrait à midi.

— Tu en es sûr ?

La voix de Marie-Catherine tremblait d'espoir.

— Oui. Il voulait juste revoir ses anciens chums.

— Et ce Trevor ? Pourquoi a-t-il pris l'autobus avec lui ?

— Ils n'ont pas pris le bus, Trevor a une voiture.

— Tu as vu cette voiture ?

— Une Acura. Il venait de l'avoir. Il voulait conduire. C'est pour ça qu'il nous a proposé d'aller à Montréal.

— Toi, ça ne te tentait pas ? s'informa Graham.

Maxime haussa les épaules. Il était maintenant tout à fait réveillé. Il n'allait certainement pas aggraver les craintes de Marie-Catherine en avouant qu'il trouvait que Trevor était bizarre, mais il en parlerait à Maud dès que la mère de son ami serait partie. Maxime se répétait les paroles de Michaël. Il lui avait bien dit qu'il s'amusait avec Trevor, que tout allait bien.

— Que peux-tu nous apprendre de plus ? Où habitait-il, à Québec ?

— À l'hôtel, mais je ne sais pas lequel. Un bel hôtel, j'imagine. Il a de l'argent.

— De l'argent ?

— J'ai vu un paquet de dollars quand il a payé les sous-marins pour nous.

— Il n'a pas de famille ici ? demanda Alain qui portait un plateau avec des tasses fumantes.

— Pas d'amis ? reprit-elle. Comment l'avez-vous connu ?

Maxime fixa la tasse à café qu'Alain venait d'avancer vers Marie-Catherine avant de se résigner à raconter la dispute de Michaël et Tommy.

— On allait dîner, mais Tommy est venu écœurer Michaël et ils se sont tiraillés.

— Tiraillés ?

— Battus.

— Trevor était là, il a pris notre parti. C'est tout. Une niaiserie.

— Qu'est-ce qu'il faisait dans le coin ? Il attendait quelqu'un ?

— Non, il était juste là. Après, il est venu dîner avec nous.

— Comment est-il ?

— De la même grandeur que Michaël. Aussi mince.

— De quoi avez-vous jasé pendant votre lunch ? demanda Alain.

— De rien. De Québec. Trevor posait des questions sur Québec. Sur nous.

— Quelles questions ? insista Graham.

Maxime soupira ; il ne se rappelait pas, c'était une discussion sans intérêt. Ils étaient revenus au collège à l'heure pour le premier cours de l'après-midi.

— On ne s'est pas absentés, si c'est ça qui te tracasse !

— Et ce Trevor ? Il vous a quittés devant le collège ?

— Il est reparti avec sa voiture. Je ne sais pas où.

— Et maintenant, ils sont à Montréal ?

— Michaël m'a dit qu'ils iraient à Rimouski.

— À Rimouski ? s'écria Marie-Catherine.

— Trevor vient de là. Mais ça ne devrait pas être aujourd'hui. Il a dit qu'il rentrerait vers midi.

Maud Graham perçut une fêlure dans la voix de Marie-Catherine et posa une main sur son avant-bras pour la rassurer avant de prier Maxime d'appeler Michaël.

— J'ai essayé. Il a coupé son cellulaire, dit Marie-Catherine.

— Envoie-lui un texto.

— Il ne me répondra pas, protesta Maxime.

— Un message ! Je ne te demande pas la lune !

La voix de Graham s'était durcie, et Maxime retourna dans sa chambre pour récupérer son iPhone, revint vers le salon, mais s'assit un peu à l'écart pour écrire son message : *Appelle-moi TOUT DE SUITE. Ta mère est chez nous. Elle badtripe.* Il vit que Michaël lui avait envoyé une photo de Trevor et lui, souriants, dans un restaurant. Devait-il la montrer à Maud tout de suite ou attendre que la mère de Michaël soit partie ?

— C'est fait, annonça-t-il en regardant Maud. Il ne me rappellera peut-être pas tout de suite.

— Ça ne devrait pas être si long s'il veut être ici à midi. Il devrait déjà avoir quitté Montréal.

— Quand il me fera signe, je vous le dirai aussitôt.

Maxime espérait que la mère de Michaël rentrerait chez elle, mais, à sa grande déception, Alain lui resservit du café et ils restèrent un moment silencieux, fixant le téléphone sur la table du salon.

— Tu n'as rien à rajouter sur Trevor? s'enquit Maud. À quoi ressemble-t-il?

Maxime hésita, puis sortit l'iPhone de la poche de son pantalon et le tendit à Maud qui le remit à Marie-Catherine. Celle-ci fronça les sourcils, se mordit la lèvre inférieure et fit un mouvement vers l'arrière, frappée de stupeur.

— Vous le connaissez?

— Je… l'ai vu cette semaine, bredouilla Marie-Catherine. Dans un café. Il était assis derrière moi. C'est bizarre…

Elle avançait l'appareil vers son visage pour mieux examiner l'image quand elle blêmit soudainement, laissant tomber l'appareil sur la table du salon, portant la main à son cœur en secouant la tête. Elle se leva et courut vers le hall et sortit, laissant le trio médusé.

— Elle le connaît, en déduisit Alain.

— Je vais la rejoindre, dit Maud.

Marie-Catherine s'était assise sur les marches du perron et essayait de respirer profondément sans y parvenir.

— Vous le connaissez.

— J'étouffais. Je ne sais pas. Ce n'est pas possible. Je pense que… Il faut que vous retrouviez Michaël.

— On va faire des recherches pour savoir dans quel hôtel se trouvait Michaël. Trevor n'est pas un prénom si commun. Et c'est mon métier. Qui est ce garçon?

Marie-Catherine secoua la tête.

— Je l'ai pris pour quelqu'un d'autre. Je ne suis pas certaine. Je pense que je devrais appeler nos anciens voisins et les amis de mon fils à Montréal. Puis je reviendrai ici. Je ne veux pas vous déranger… Je ne sais pas ce que Michaël a dans la tête pour être parti ainsi…

— Ce n'est pas facile, l'adolescence, mais on apprécie vraiment Michaël, Alain et moi.

— Il a pourtant collectionné les bêtises. Et il continue.

— Je suis au courant de ce qui est arrivé à Montréal. L'incendie à son ancienne école.

— C'est vrai ? Vous devez penser que…

— Je ne sais pas ce qui s'est passé réellement, mais ça ne signifie pas que Michaël n'est pas un bon garçon. Les malsains, les tordus, les vrais durs, je les repère assez vite…

— Je vous remercie, fit Marie-Catherine en se relevant, je vais revenir. Il faut juste que je vérifie des choses…

Maud Graham hocha la tête en s'interrogeant sur ces choses, justement, que lui cachait Marie-Catherine. Lui dirait-elle qui était Trevor quand elle reviendrait ? Reviendrait-elle ?

— On jurerait que vous avez vu un fantôme.

— Je reviens très bientôt, promit Marie-Catherine en s'assoyant dans sa voiture. Maxime aura sûrement des nouvelles de Michaël, non ?

— Sûrement, ils s'envoient des textos sans arrêt. Ça va aller ? s'inquiéta Graham.

— Oui, je… Ce ne sera pas long…

Un fantôme. Oui, Maud Graham avait raison, songea Marie-Catherine. Le garçon qui souriait aux côtés de Michaël était le sosie de Marcus Duncan. L'homme qu'elle avait tant maudit. Qui l'avait fait s'exiler hors du Québec durant des années. Même après son assassinat, elle n'avait pas osé revenir. Elle sentit la nausée monter en elle, baissa la vitre de la voiture, tenta de respirer. C'était impossible! Elle ne pouvait avoir vu ce qu'elle avait vu. Le sosie de Marcus Duncan. Son fils.

Les souvenirs qu'elle s'était forcée à enfouir au plus profond de sa mémoire jaillissaient comme des diables d'une boîte à malice, l'assaillaient cruellement, et elle se mit à trembler. Parviendrait-elle à regagner la maison?

Que dirait-elle à Joël? Elle aurait voulu être seule pour réfléchir. Avoir du temps pour réfléchir. Non. Elle aurait voulu ne pas avoir à réfléchir.

Comment annoncer à son mari qu'elle lui avait caché son passé? Il savait seulement qu'elle avait vécu avec Patrick, le père de Michaël, qui s'était noyé quand celui-ci était bébé.

Elle n'avait jamais prononcé le nom de Marcus Duncan devant lui. Elle aurait eu l'impression de tout salir. Son silence lui ferait peut-être tout perdre. Mais comment révéler que Marcus Duncan avait abusé d'elle un soir d'ivresse? Duncan les avait invités à souper, Patrick et elle. Ils s'étaient soûlés et, tandis que Patrick ronflait sur le canapé, Marcus Duncan l'avait entraînée dans la chambre. Elle avait protesté, répété qu'elle était avec Patrick, mais elle était tellement étourdie. Ils avaient fumé du hasch, bu toute la soirée. Elle avait pourtant l'habitude ; depuis qu'elle s'était enfuie de la maison pour rejoindre Patrick, c'était leur principale activité. Boire et fumer. Fumer et boire. Et baiser aussi. Patrick avait prétendu ce soir-là qu'elle était la huitième merveille du monde au lit. Il avait voulu se vanter de sa chance d'avoir une fille comme elle devant Marcus. Pour épater son patron. Et il l'avait épaté. Il avait aiguisé sa curiosité. Et Marcus l'avait emmenée dans la chambre de son luxueux condo. Il n'avait même pas pris la peine de se déshabiller, avait soulevé sa robe, déchiré son collant avant de s'écrouler sur le lit. Elle avait attendu qu'il ronfle pour s'éloigner de la pièce. Avait secoué Patrick sans parvenir à le réveiller. Elle avait fouillé dans ses poches, avait tiré vingt dollars de son portefeuille et était sortie. Elle avait marché jusqu'à ce qu'elle trouve un taxi et était rentrée à leur appartement. Elle se souvenait d'avoir eu tellement mal au cœur entre la douche et le bain qu'elle avait pris, sans parvenir à se débarrasser de cette sensation poisseuse et délétère qui tatouait sa peau. Patrick était revenu au matin. Elle ne lui avait rien dit. C'était inutile. Elle ne porterait pas plainte contre Marcus Duncan. On ne se dressait pas contre ce genre d'homme. Il avait le double de son âge et les avait rencontrés, Patrick et elle, dans un bar du centre-ville de Montréal. Ils étaient allés dans un restaurant chic avant de faire la tournée des bars branchés. Elle se rappelait comme elle avait trouvé ça grisant. Qu'elle avait donc bien fait de quitter la maison ! Elle avait l'impression que tout était possible alors ; le monde lui appartenait. Patrick était un petit génie avec les nombres, il trouverait un emploi payant. Et elle aussi. Elle prouverait à ses parents qu'elle pouvait très bien se débrouiller sans eux, sans leurs stupides règles. Elle n'avait plus revu Marcus Duncan jusqu'à ce soir à Québec, où il les avait invités à son condo après leur avoir payé la traite au Château Frontenac, mais elle savait que Duncan avait depuis engagé Patrick pour s'occuper de ses comptes. Duncan possédait une chaîne de teintureries. Il brassait de « grosses affaires », avait dit Patrick. Il y avait toujours des hommes avec lui, son chauffeur et son bras droit. Patrick ignorait s'il faisait vraiment partie de la mafia, il ne pouvait lui poser la question directement, mais c'était excitant. « Vraiment excitant », pour un gars de vingt-deux ans qui avait toujours eu un talent pour les chiffres et se demandait où ça le mènerait. Ça les avait menés à consommer de la cocaïne sans jamais s'inquiéter d'en manquer. À boire des *margaritas* sous le soleil du Mexique et au bar du Clarendon. À vivre entre Québec et Montréal. À louer un chalet dans le Bas-Saint-Laurent. Elle s'était dit alors qu'elle inviterait sa famille à venir les voir au chalet. Qu'elle oublierait ce qui s'était passé avec Marcus Duncan. Son dégoût. Sa honte.

Puis elle avait compris qu'elle était enceinte.

Pourquoi avait-elle gardé l'enfant ? Parce qu'elle s'était déjà fait avorter l'année précédente ou parce qu'elle avait réussi à se convaincre que Patrick était le père ? C'était mathématique : elle avait fait l'amour avec lui des dizaines de fois alors que Marcus Duncan ne l'avait pas agressée de nouveau. Elle avait cru qu'un enfant lui attacherait davantage le beau Patrick qui rentrait de plus en plus tard, qui était de plus en plus secret avec elle. Elle s'était efforcée de ralentir sa consommation de drogue et d'alcool pour le bébé, mais ce n'était pas facile aux côtés de Patrick qui faisait la fête. Quand Laurent était né, il s'était pourtant calmé, et Marie-Catherine avait pensé qu'ils formaient une jolie famille. Qu'elle pourrait même présenter son fils à ses parents quand elle aurait complètement arrêté la coke. Marcus Duncan avait envoyé un énorme cheval en peluche comme cadeau de naissance. Il était passé deux fois à leur appartement et s'était approché du berceau, avait souri en regardant Laurent. Est-ce que parce qu'il avait remarqué que le bébé avait les cheveux aussi noirs que les siens, alors que Marie-Catherine et Patrick étaient blonds ?

Avait-elle inventé tout cela ? Laurent était-il le fils de Marcus ou de Patrick ?

Lorsque Patrick et Laurent s'étaient noyés, elle s'était dit qu'elle ne saurait jamais la vérité sur ce point crucial. Mais plus tard, bien après ce jour de juillet où les policiers étaient venus lui apprendre que la chaloupe de Patrick et Laurent s'était renversée, elle s'était souvenue que Patrick affirmait que Marcus demandait toujours des nouvelles de leur bébé. Elle avait cru à l'accident, mais les enquêteurs avaient semé le doute dans son esprit. Patrick avait-il pu se suicider avec leur fils ? S'il avait cru qu'il n'était pas de lui ? S'il avait voulu la punir ? Elle avait chassé cette idée ; il y avait Michaël. Michaël, le si blond Michaël.

Michaël qui devait être l'enfant qui réparerait tout en ressemblant à Patrick. Les enquêteurs Lescure et Poirier avaient ensuite posé des questions sur les liens qui unissaient Patrick Jolin à Marcus Duncan, et Marie-Catherine avait raconté qu'elle avait croisé Duncan à quelques reprises, l'année précédente, mais qu'elle ne l'avait plus revu. Ce qui était la vérité. Et elle ignorait ce que Patrick et lui faisaient ensemble. C'était presque la vérité. Elle ne voulait pas savoir d'où venait l'argent. Elle avait deux fils dont il fallait s'occuper, qu'il fallait nourrir et habiller.

L'autopsie avait démontré que Patrick était drogué au moment où il s'était noyé. Mais était-ce une surprise ? Marie-Catherine avait reconnu que son compagnon avait des problèmes de toxicomanie. Anne Poirier, chargée de l'enquête, avait remarqué qu'elle n'était pas dans son état normal, elle non plus, lors d'une de ses visites, et lui avait fait comprendre que les services sociaux lui retireraient Michaël si elle ne cessait pas immédiatement de boire. Elle était en deuil, oui, mais elle n'avait pas le droit de bousiller la vie de son autre enfant.

Quelques semaines après l'accident, elle avait reçu un paquet contenant trente mille dollars. Marcus Duncan l'avait appelée dans la même journée ; c'était le salaire qu'il devait à Patrick.

Le salaire de quoi ? Qu'avait fait Patrick pour Marcus ?

Quand ?

Cette semaine où il avait disparu trois jours, où elle avait dû se contenter d'un appel téléphonique pour expliquer son absence. Cette semaine où il y avait eu une tempête de neige, où elle était restée enfermée trois jours à la maison avec Laurent alors qu'elle était enceinte, où elle s'était sentie si seule qu'elle avait failli appeler sa mère. Cette semaine où un vol à main armée avait fait les manchettes des journaux.

Quand Patrick était revenu, il lui avait offert un bracelet en or et avait affirmé que leur vie allait changer.

Elle avait effectivement changé. Il avait disparu avec Laurent. Les enquêteurs étaient venus l'interroger. Puis Anne Poirier lui avait dit d'arrêter de boire. Et le paquet était arrivé. Marcus lui avait téléphoné et conseillé de refaire sa vie ailleurs. De tout oublier.

Elle n'avait pas voulu savoir si c'était un conseil ou une menace ni d'où provenait tout cet argent. Elle était partie pour Toronto. Elle avait eu souvent envie de revenir au Québec, mais avait attendu trois ans après la mort de Marcus Duncan pour déménager à Montréal.

Et voilà qu'il ressuscitait. Qu'il était à côté de Michaël sur l'iPhone de Maxime.

Marie-Catherine arrêta la voiture et sortit juste à temps pour vomir au bord du trottoir.

Qui était Trevor ? Marcus Duncan avait-il eu un fils sans qu'elle le sache ? Ou alors…

Montréal, 11 h 45

Trevor écarta doucement les tentures de velours afin de laisser le soleil entrer progressivement dans la chambre pour réveiller Michaël. Il avait une drôle

268

de tête avec ses cheveux dressés en épis. Dans la nuit, Trevor s'était senti si seul qu'il s'était imaginé qu'une balle dans la tête réglerait tous ses problèmes. Il avait caressé longuement l'arme de son père avant de la remettre dans son sac à dos. Mais ce matin, il croyait qu'il devait s'accorder plus de temps.

— Michaël?

— Laisse-moi dormir, marmonna l'adolescent en ramenant les couvertures vers lui dans un mouvement qui s'arrêta net.

Il écarquilla les yeux, parut étonné de découvrir Trevor au pied de son lit.

— Mais qu'est-ce que… tu fais là?

Il jeta un regard effaré autour de lui, finit par reconnaître la chambre, gémit en se laissant retomber sur l'oreiller.

— J'ai mal à la tête.

— Ça ne m'étonne pas. Tu as bu un peu vite en rentrant à l'hôtel. Veux-tu des aspirines?

Trevor s'éloignait déjà vers la salle de bain, revenait avec un verre d'eau et des comprimés.

— On peut rester ici, si tu veux, proposa-t-il. On n'est pas obligés de retourner tout de suite à Québec.

Michaël but avec avidité, fronça les sourcils en voyant l'heure affichée au réveil.

— Il est passé onze heures? Ma mère a dit qu'elle revenait en début d'après-midi. Il faut qu'on parte tout de suite. On ne sera pas à Québec avant deux heures!

Il repoussa les couvertures et se leva, mais il eut un étourdissement et battit des paupières pour chasser les étoiles qui dansaient devant ses yeux.

— Je pense que… j'ai mal au cœur.

Trevor l'attrapa aussitôt par le bras et l'entraîna vers les toilettes, referma la porte tandis qu'il vomissait. Il sourit ; Michaël se sentirait probablement trop mal en point pour prendre la route. Il aurait tout le temps de discuter. Il n'avait pas envie de lui révéler leur secret sur l'autoroute, à la hauteur de Saint-Hyacinthe ou de Drummondville. Ils se rappelleraient tous les deux, leur vie durant, à quel moment ils étaient devenus réellement frères. Il aurait dû, bien sûr, lui parler quand ils étaient sur le mont Royal, quand les lumières de la ville rivalisaient avec les étoiles, il ne comprenait pas pourquoi il avait attendu. Claude lui reprochait d'être incapable de prendre des décisions, qu'il avait de la chance qu'elle soit là pour agir.

Claude. Encore Claude qui venait parasiter son esprit ! Il grimaça comme s'il avait mangé un fruit aigre et vida une bouteille d'eau. Il n'était pas aussi nauséeux que Michaël, mais il avait la bouche sèche. Il entendit le bruit de la chasse d'eau, puis celui de la douche. Pensa à Claude qui venait le rejoindre trop souvent sous la douche et jura. Des larmes de rage lui montèrent aux yeux, il se pencha vers la fenêtre ; il devait se concentrer sur le va-et-vient des voitures, se calmer, ne pas laisser Claude lui gâcher ses moments avec Michaël. Depuis les ténèbres où la mort l'avait emportée, elle s'entêtait à exercer son pouvoir. Au fond, elle était jalouse de Michaël. Il ne lui permettrait pas de détruire cette relation si particulière. Il colla ses mains, son front contre la vitre panoramique, et continua à observer les véhicules qui passaient près de l'hôtel. Il ne pouvait pas parler d'elle à Michaël, mais peut-être qu'elle disparaîtrait quand ils seraient vraiment frères ? Elle ne pourrait pas lutter contre leur lien de sang ! Ensemble, ils seraient plus forts qu'elle. Oui. Aujourd'hui. Il ne fallait pas qu'ils repartent pour Québec.

Trevor souleva le sac à dos de Michaël, saisit son téléphone, l'ouvrit et effaça les messages qu'il avait reçus avant de le replacer où il l'avait pris.

Michaël sortit de la salle de bain, enroulé dans une serviette épaisse.

— Tu te sens mieux ?

— Oui. Je m'excuse…

— Voyons ! Ça peut arriver à tout le monde. Tu étais fatigué et tu sembles stressé.

Michaël hocha la tête ; oui, c'était ça, il était nerveux.

— À cause de ma mère. Si elle rentre plus vite que prévu et ne me trouve pas chez nous, elle va paniquer.

— Mais pourquoi rentrerait-elle plus tôt ? Elle est chez ses parents à la campagne, c'est ce que tu m'as raconté hier.

— Je sais, mais je vais vérifier si j'ai des messages.

Il fouilla dans le sac à dos, prit l'appareil et parut surpris de n'avoir aucun message.

— C'est bizarre qu'il n'y en ait pas…

— Tant mieux. Tout se passe bien, sinon Maxime t'aurait prévenu, non ? À moins qu'il soit un peu jaloux qu'on s'amuse sans lui ?

— Je l'appelle, au cas où…

— Attends après notre déjeuner.

Michaël protesta ; il ne pouvait rien avaler maintenant. Sauf de l'eau.

— Pourquoi tu ne te recoucherais pas un peu ? Tu as dit toi-même que tu n'avais pas de messages…

Trevor cherchait vainement d'autres arguments pour empêcher Michaël de joindre Maxime, mais celui-ci composait déjà le numéro.

— Maxime ? C'est moi, je…

Trevor vit Michaël blêmir, l'entendit crier « Maman ? » et échanger avec lui un regard stupéfait.

— Je vais bien, affirma-t-il. Je vais bien ! Tout est OK. Arrête de paniquer !

Il écouta Marie-Catherine l'implorer de revenir après lui avoir expliqué qu'elle était allée chez Maxime. Parce qu'elle l'avait cherché là. Et que tous s'inquiétaient pour lui. Elle avait ajouté qu'elle devait discuter avec ce Trevor dont Maxime lui avait révélé l'existence. Celui-ci lui parlerait ensuite.

— Trevor ? Qu'est-ce que tu lui veux, à lui ?

Trevor tressaillit. Marie-Catherine voulait lui parler ? Ça ne devait pas se passer ainsi ! Il fallait qu'ils s'apprivoisent et que…

— Arrête de dire n'importe quoi ! Trevor est super cool. On est juste allés voir notre maison, on s'est promenés sur le mont Royal. On n'a rien fait de mal. Tu ne peux l'accuser de rien ! Tu ne le connais même pas. Tu juges toujours tout le monde ! Tu me fais chier !

Il se tut quelques secondes, puis dit d'un ton encore plus véhément qu'il n'avait plus aucune envie de rentrer à Québec.

— Au lieu de m'engueuler, tu devrais penser que tes menaces ne me donnent pas le goût de revenir à la maison. Oublie-moi! Non! Tu ne parleras pas à Trevor, il n'a rien à voir avec nos histoires de famille. Je n'ai plus l'âge de me faire dire avec qui je dois être ami. Tu peux rendre son téléphone à Maxime, je ne l'appellerai plus jamais! Et ce n'est pas la peine de déranger tous nos anciens voisins pour savoir où je suis! Passe une belle fin de semaine avec ton chum, je ne rentrerai pas maintenant, tu peux crier tant que tu voudras, ça ne changera rien. Bye!

Il éteignit son cellulaire, le jeta au fond de son sac à dos d'un geste rageur.

— C'est tout le temps comme ça, avec elle! Elle veut me contrôler. En quoi ça la dérange, qu'on tripe à Montréal?

— Qu'est-ce qu'elle a dit sur moi?

— Que veux-tu qu'elle dise? Rien d'intelligent, elle ne t'a jamais vu! Elle répétait que tu étais responsable, que tu es majeur, que c'est un détournement de mineur, que si tu es sérieux on va revenir tout de suite à Québec. Qu'elle contactera Maud si je ne reviens pas.

— Maud?

— C'est elle qui a adopté Maxime. Elle est dans la police. Maud n'embarquera pas là-dedans…

Le ton de Michaël était un peu moins assuré quand il prononça cette dernière phrase. Et si Marie-Catherine avait réussi à persuader Maud de l'aider à le rechercher?

— Dans la police?

— La mère de Maxime est enquêteur. C'est elle qui s'est occupée de l'affaire de l'enlèvement de la petite fille. Elle est correcte.

— Vraiment ?

— J'espère que oui.

— De toute manière, que veux-tu qu'elle fasse ? Je ne me suis pas inscrit à l'hôtel sous mon nom. Quand bien même ils chercheraient un Trevor et un Michaël dans les hôtels de Montréal, ils ne nous trouveront pas. Personne ne sait où on est.

Trevor marqua une pause avant d'ajouter que c'était dommage que Marie-Catherine l'ait jugé sans le connaître.

— C'est moi qui ai voulu venir à Montréal, mais elle parle de toi comme si tu m'avais enlevé ! Elle exagère toujours tout !

Trevor garda le silence quelques instants. Marie-Catherine le décevait, même s'il devait admettre qu'elle ne pouvait pas savoir si son fils était en sécurité ou non avec lui puisqu'ils n'avaient échangé qu'un regard en tout et pour tout dans ce café en face de son bureau. Elle ignorait qui il était vraiment. Ignorait même qu'il était vivant, qu'il ne s'était pas noyé.

— Tu devrais la rappeler, je lui dirai que tout va bien. Qu'on rentre aujourd'hui.

— Es-tu fou ?

— Elle ne voudra jamais me voir si elle pense que c'est ma faute si tu as fugué.

— Eh ! De quel bord es-tu ? s'écria Michaël. Je pensais que tu étais mon ami !

— Je ne suis pas ton ami, je suis ton frère ! rétorqua Trevor en se maudissant aussitôt d'avoir révélé la vérité aussi sèchement.

— Mon frère ? répéta Michaël.

Il esquissa un sourire, mais l'air grave de Trevor l'alarma. Que voulait-il dire ? Son frère ? Il ne pouvait pas être à ce point ami avec lui pour prétendre qu'ils étaient comme des frères. Trevor exagérait. Pourquoi voulait-il être autant ami avec lui ? Il repensait à Maxime qui l'avait prévenu de se méfier de Trevor. Maxime avait raison. Et il ne pouvait même plus lui téléphoner !

— Tu ne dis rien ?

Michaël haussa les épaules, hésitant à expliquer à Trevor qu'il l'aimait bien, mais qu'ils n'étaient pas encore les meilleurs amis du monde.

— On ne se connaît pas assez pour être comme des frères, mais ça se pourrait que…

— Je n'ai pas dit *comme* des frères. On *est* des frères. On a la même mère.

Michaël dévisagea Trevor ; il délirait ! Il venait juste de dire qu'il ne connaissait pas Marie-Catherine. Maxime avait raison, il était trop bizarre. Il fallait qu'il sorte de cet hôtel rapidement.

— Je ne comprends pas tout à fait ce que tu me racontes, mais on pourrait aller prendre un café dehors pour jaser tranquillement…

Il ne quittait pas Trevor des yeux. Celui-ci s'était assis sur un bras du fauteuil et lui souriait aussi.

— Tu dois penser que je suis fou et ça t'effraie. Je le comprends. On peut boire un café où tu veux si ça te rassure. J'étais dans le même état que toi quand j'ai appris la nouvelle.

— Ça ne se peut pas...

— J'ai pensé la même chose.

— De quoi parles-tu ?

L'attitude calme de Trevor avait légèrement apaisé Michaël, mais il tenait toujours des propos étranges.

— Allons faire un tour.

— Et nos affaires ?

— On peut retarder notre départ.

— Pourquoi ne m'as-tu rien dit avant ?

— Je ne savais pas comment te l'annoncer. J'ai failli te le raconter vingt fois, dans l'auto et hier soir sur la montagne, mais c'est tellement bizarre. Je ne savais pas comment tu réagirais.

— Tu aurais pu m'en parler à Québec !

— Je voulais du temps avec toi pour voir...

— Pour voir quoi ?

— Si on se ressemblait un peu. Si on allait s'entendre. Habille-toi.

Trevor attrapait déjà sa veste de cuir.

Michaël hésitait ; il souhaitait quitter l'hôtel, mais il se sentait toujours nauséeux. Et cette conversation si insolite n'arrangeait rien.

— Attends un peu. Je ne comprends pas ce qui se passe. Ça n'a pas de bon sens !

— Je te jure que c'est vrai ! Sur la tête de notre mère.

— Tu ne la connais pas, c'est ce que tu as dit.

— C'est tout de même autant ma mère que la tienne. Je suis né deux ans avant toi. J'ai été adopté et j'ai vécu à Rimouski.

— Tu te trompes, tu n'as pas eu les bonnes informations…

— Oui, j'ai des noms, des dates.

— Il a dû y avoir un mélange dans les papiers quand tu as cherché ta mère biologique. Ça ne doit pas arriver souvent, mais c'est sûr que c'est ça. Je n'ai jamais entendu parler de toi. C'est trop capoté.

— Parce que j'étais un enfant illégitime.

— Eh ! On n'est pas dans un film.

— Ton père s'appelait bien Patrick ? Il s'est bien noyé ? Tu avais deux mois, alors ?

— Oui, mais…

— Notre mère a eu une aventure avec mon père quand elle était avec le tien. Et voilà le résultat, dix-huit ans plus tard.

Trevor fit un geste ample se désignant, esquissa de nouveau un sourire, mais la gravité de son regard s'était intensifiée. Il aurait aimé que Michaël lui fasse confiance, le croie sur parole. Ne voyait-il pas qu'il était sérieux ?

— C'est impossible.

Michaël détaillait pourtant le visage de Trevor comme s'il ne l'avait jamais vu, scrutant d'éventuelles ressemblances. Les yeux, oui, c'étaient bien ceux de Marie-Catherine. Mais des tas de gens ont les yeux bleus. Il y avait une erreur. Sûr et certain. Une erreur et une explication. Ils n'avaient ni la même forme de visage ni de traits communs.

277

— Je trouve ça dommage pour toi, mais c'est clair qu'il y a un problème quelque part. J'ai une idée : la mère de Maxime est enquêteur. Je peux lui demander de t'aider à retrouver tes vrais parents.

Trevor ouvrit son sac à dos et tendit le dossier qu'il avait reconstitué avec des photocopies. L'une était un entrefilet sur la noyade de Patrick. Et l'autre parlait de la disparition d'un enfant.

— Ton père, Patrick Jolin, est mort noyé deux mois après ta naissance.

— Je le sais. Ça ne veut pas dire que…

— Mon père s'appelait Marcus Duncan, il faisait partie de la mafia. Il a été tué plusieurs années après la noyade de ton père. Dans les journaux, on a écrit que la chaloupe s'était renversée et que j'avais péri avec Patrick, mais Marcus m'avait recueilli. J'étais son fils.

— Qu'est-ce que mon père a à voir avec le tien ?

— Ta mère. Notre mère ! Elle a eu une histoire avec mon père pendant qu'elle vivait avec le tien. J'imagine que ton père l'a su. Il doit s'être arrangé avec le mien pour faire croire à notre mère que j'avais disparu et que je m'étais noyé. Je pense qu'elle ne sait pas que je suis toujours vivant.

— Mais Patrick s'est noyé pour vrai !

— Je ne sais pas exactement comment ça s'est passé, mais tout le monde a cru que j'avais coulé, moi aussi. Comme la petite Tamara. Mais même si j'ai été enlevé comme elle, je ne suis pas mort. Ce que j'ai appris, c'est par recoupements et dans les lettres que Claude m'a laissées. C'est elle qui m'a adopté. Elle était mariée avec Marcus Duncan. J'ai grandi à Rimouski où Claude s'était installée. On avait une grosse maison. Je suis allé aux archives du *Soleil*, j'ai trouvé ces articles sur ma disparition et la noyade de ton père. Patrick Jolin. Jette un coup d'œil. Tout est là. Mais si tu ne me crois pas, on peut passer des tests par l'ADN.

Michaël regardait les coupures de journaux sans réussir à se persuader de leur réalité, de leur vérité. Il avait la tête qui tournait, la bouche sèche, ses mains tremblaient tellement qu'il laissa échapper les photocopies. Elles glissèrent au sol dans le silence, mais Trevor se garda de bouger pour ne pas effrayer Michaël, visiblement choqué.

Il finit par se lever pour prendre dans le minibar une bouteille de coca qu'il déboucha et tendit à Michaël. Il but de longues gorgées avant de secouer la tête.

— Ça ne se peut pas…

— C'est écrit dans le journal, je n'ai rien inventé.

— Ta mère a pu te…

— J'ai appris que j'étais adopté quand j'ai voulu donner du sang pour elle à l'hôpital. Claude m'a caché la vérité toute ma vie. Comme Marie-Catherine avec toi.

— *Fuck!*

Trevor hocha la tête avant de dire qu'il était tout de même content d'avoir un frère.

— Je ne savais pas si j'allais bien m'entendre avec toi ou non.

— C'est sûr que ce n'est pas évident…

Par cette simple phrase, Trevor comprit que Michaël commençait à admettre leur parenté.

— Il y a plein de choses que je ne sais pas, avoua Trevor. Ça ne fait pas longtemps que je suis au courant. J'étais tellement en colère quand j'ai tout compris. Au début, j'étais comme toi, assommé par la nouvelle. Ensuite, j'avais envie de tuer Claude, mais elle était déjà à moitié morte. Et je ne voulais pas aller en prison.

— Ton père était vraiment dans la mafia ?

Trevor hocha la tête, attrapa son sac à dos et en sortit l'arme de Marcus.

Michaël ouvrit grand les yeux avant d'esquisser un geste de recul.

— Qu'est-ce que...

— C'est l'arme de mon père. C'est mon héritage.

— Cache ça ! C'est... c'est malade !

Trevor fit un geste d'apaisement, assura que l'arme n'était pas chargée. Qu'elle était simplement la preuve que son père avait des raisons de posséder une arme.

— Je n'ai jamais su ce qu'il faisait exactement, poursuivit Trevor en rangeant l'arme dans son sac. Je ne l'ai pas connu beaucoup, il n'était jamais avec nous.

— Je ne comprends pas comment Marie a pu connaître un criminel. Elle est super stricte. Elle paniquait parce qu'elle avait peur que Maud apprenne que j'avais mis le feu. Elle ne fait jamais rien de croche. Même pas un excès de vitesse. Elle ne boit pas, ne fume pas, elle a toujours peur de ce que les autres vont penser. Tu vois bien que ce n'est pas la bonne personne ! Il y a une erreur...

— Tu ne m'aimes pas, c'est ça ? murmura Trevor. Claude disait toujours qu'elle était la seule qui pouvait m'aimer.

— Je n'ai jamais dit ça ! protesta Michaël, ému par le désarroi soudain de Trevor. Je ne serais pas ici si je ne te faisais pas confiance. C'est seulement que c'est trop gros, ton histoire.

Trevor ramassa alors les feuilles éparses, les reposa devant Michaël en les tapotant.

— Tout ce que j'ai pu découvrir est là. Le reste, c'est Marie-Catherine qui pourra nous l'apprendre.

— Je n'ai pas envie de la voir tout de suite, marmonna Michaël.

— Qu'est-ce qu'on fait ? Il faut qu'on décide si on reste ici une autre nuit, que j'appelle à la réception.

— Ça va te coûter trop cher, tout ce que tu dépenses pour…

Trevor eut un sourire plus doux ; Michaël se souciait de lui.

— Ne t'inquiète pas avec ça. C'est l'argent de Claude. Il y en a tant qu'on veut ! Je ne suis pas gêné de le dépenser après ce qu'elle m'a fait. Ce qu'elle *nous* a fait.

— Nous ?

— Si elle avait posé des questions quand Marcus m'a emmené à la maison au lieu de se sauver avec moi à Rimouski, on aurait découvert qui était ma mère. On n'aurait pas été séparés.

— Elle savait pourtant que tu avais été enlevé à ta mère ?

— Oui. Mais son mari était vraiment mon père.

— Est-ce qu'elle connaissait Marie-Catherine ?

— Pas personnellement. Elle savait peut-être qui elle était. D'après ce que j'ai compris, Marcus a toujours trompé Claude. Et Claude m'a juré qu'elle était morte, que ça ne servait à rien de la rechercher. Mais je n'ai pas suivi son conseil ! Je ne pouvais pas lui faire confiance. Heureusement que je me suis fié à mon intuition, sinon je ne t'aurais pas retrouvé.

Michaël poussa un long soupir ; tout était si abracadabrant ! Il se pencha sur les photocopies, s'efforça de les relire lentement, cherchant un détail qui renverserait la situation, qui lui permettrait de croire que le raisonnement de Trevor était faux, mais les faits qui étaient relatés étaient conformes aux explications qu'il lui avait données. Et Patrick Jolin était bien le nom de son père. Ce père dont Marie-Catherine refusait toujours de lui parler. Ce père dont il ne portait pas le nom. Marie affirmait qu'ils avaient décidé qu'il s'appellerait Lemaire pour faire plaisir à ses parents avec qui elle avait été longtemps fâchée. Pour les amadouer, en quelque sorte. Mais elle avait été évasive sur les motifs de leur conflit et répétait, chaque fois qu'il abordait ces sujets, qu'il valait mieux laisser dormir le passé au lieu de rouvrir de vieilles blessures. Michaël avait toujours cru que Marie-Catherine avait été très éprouvée par la mort de Patrick. Mais si c'était plutôt par la disparition de Trevor ? Elle avait systématiquement éludé toutes ses questions. Et faisait la même chose avec Joël. Lui aussi s'interrogeait sur son passé. En tout cas, il tenait là l'explication des crises d'angoisse de sa mère à cause de Tamara.

Il fallait en savoir davantage, mais il n'avait pourtant pas envie de parler tout de suite à Marie-Catherine.

— J'ai besoin d'air, bredouilla-t-il.

— Allons faire un tour, on verra ensuite, d'accord ?

Trevor hésita, puis proposa à Michaël de le laisser sortir seul.

— Peut-être que tu veux avoir la paix…

Michaël secoua la tête, il préférait sa compagnie. Il ne vit pas le sourire illuminer la figure de Trevor. Il était content de quitter l'hôtel, il avait envie de gâter Michaël. Ce serait chouette s'il dénichait une veste de cuir semblable à la sienne.

CHAPITRE 13

Québec, midi

Marie-Catherine était assise sur le canapé et gardait les bras croisés contre sa poitrine, comme si elle devait se tenir ainsi pour éviter de s'effondrer, comme si elle craignait que son corps ne la trahisse, et Maud Graham quitta le fauteuil où elle avait pris place pour s'asseoir à côté d'elle. Alain fit signe à Maxime de le suivre, afin de les laisser seules. L'échange téléphonique que Marie-Catherine avait eu avec Michaël semblait l'avoir vidée de toute son énergie. Elle les avait surpris en se jetant sur le cellulaire de Maxime à la première sonnerie, mais peut-être regrettait-elle maintenant cet acte impulsif.

— Vous avez réagi quand vous avez vu Trevor, tantôt, sur l'iPhone, commença Maud. C'est un visage familier ?

Marie-Catherine acquiesça. Elle croyait reconnaître en Trevor un homme de son passé. Il devait être le fils de cet homme, Marcus Duncan, un type dangereux dont elle n'avait pas gardé de bons souvenirs.

— Dangereux ?

— Je n'ai jamais voulu savoir qui il était au juste. Mais il a été assassiné aux États-Unis. Dans les journaux, on a écrit qu'il était sans doute dans la mafia. C'est un fantôme qui réapparaît. Trevor est son sosie. Et je l'ai vu cette semaine. Il a mangé à côté de moi au café.

— Ce n'est pas un hasard.

— Non. Je ne peux plus me taire si Michaël est en danger.

— Il serait donc le fils de ce Duncan ? Et sa mère ? Vous la connaissiez ?

Marie-Catherine se passa la langue sur les lèvres. Elles étaient trop sèches, comme sa bouche, sa gorge ; elle avait du mal à parler. Elle déglutit avant de dire que c'était plus compliqué. Et incroyable.

— Reprenons au début, fit doucement Graham. Comment avez-vous connu Marcus Duncan ?

— Dans un bar. Patrick, le père de Michaël, a ensuite travaillé pour lui.

— Patrick qui ?

— Jolin.

— Que faisait-il ?

— Il s'occupait de ses comptes. C'était un crack avec les chiffres. Il est mort noyé avec Laurent. Mon autre fils.

— Michaël avait un frère ? s'étonna Maud Graham.

— Il ne l'a pas connu. Il a disparu dans le fleuve quand il était bébé.

— Disparu ?

— On a repêché le corps de Patrick, mais pas celui de Laurent.

— Les recherches n'ont rien donné ? Que vous ont dit les enquêteurs ? Vous vous souvenez d'eux ?

Marie-Catherine hocha la tête. Elle avait oublié beaucoup de choses de ces jours sombres, mais elle revoyait la tête grise de Camille Lescure, se souvenait de l'énergie que dégageait Anne Poirier.

— Ils ont d'abord évoqué l'idée d'un suicide. Un drame familial, que Patrick s'était tué avec Laurent parce que je voulais le quitter. C'était faux. On venait d'avoir Michaël, ça ne tenait pas debout, mais je ne les ai pas contredits. Je me demandais de mon côté si Patrick avait voulu me punir. Ils m'ont posé ensuite des questions sur le travail de Patrick, ils ont même fouillé la maison, mais il n'y avait rien à trouver. À part des bouteilles vides. Je buvais. J'ai failli perdre Michaël. C'est lui qui m'a sauvée. On a déménagé, je me suis construit une nouvelle vie. Quand je repense à celle que j'étais dans la vingtaine, j'ai l'impression que c'est une étrangère qui vivait en moi. Une créature noire. J'ai toujours peur que Michaël ait hérité de ces gènes-là. Mes parents étaient sévères mais bons. Je ne sais pas pourquoi j'ai quitté la maison. Rompu avec eux. Mon frère a été élevé de la même façon et il ne leur a jamais infligé ça…

— Vous avez combattu votre côté ténébreux, plaida Graham. Vous vous êtes reprise en main, non ?

— Oui. Un jour à la fois. Je boirais bien un verre, là, maintenant.

— Parlez-moi de Duncan. À quel point était-il dangereux ?

— Quelques semaines après la noyade, un ami de Patrick a eu un accident de voiture. Marco travaillait aussi pour Duncan. J'ai reçu de l'argent, trente mille dollars. Et on m'a conseillé de quitter le Québec, d'oublier ce qui s'était passé ici. Que c'était préférable pour Michaël.

— Duncan faisait-il vraiment partie de la mafia ?

Marie-Catherine haussa les épaules ; elle n'avait pas vérifié. Mais elle avait eu peur et était partie.

— J'ai pensé que la disparition de Laurent était ma punition pour toutes mes bêtises. J'avais eu deux enfants en menant une vie de dingue… C'était n'importe quoi. J'avais honte.

— Trevor ressemble à ce point à Marcus Duncan ? insista Maud.

— Oui, et il me ressemble un peu aussi.

— Il vous ressemble ?

— Marcus Duncan m'a… prise… un soir où j'étais ivre…

— Prise ?

— Je ne voulais pas, mais je n'ai pas vraiment résisté. J'étais soûle, gelée.

— Vous lui aviez dit non ?

— Oui.

— Ça s'appelle un viol.

Marie-Catherine inspira longuement avant de murmurer qu'elle n'avait jamais su si Laurent était de lui ou de Patrick.

— Je l'ai regardé tous les jours en me disant qu'il fallait qu'il soit le fils de Patrick. Mais il avait les cheveux si noirs ! Comme ceux de Duncan. Du jais. Pensez-vous que c'est possible que ce soit mon fils ? J'ai l'impression de devenir folle depuis que j'ai vu cette photo de lui avec Michaël. Je ne sais plus si je veux y croire ou pas. Mais ça signifierait qu'il ne s'est pas noyé. Que quelqu'un l'a sauvé.

— Et que ce quelqu'un n'a pas cru bon de ramener l'enfant rescapé aux autorités. Qu'il a préféré le garder. Et qu'il s'est peut-être débarrassé de Patrick, témoin gênant... D'une manière ou d'une autre, il y a eu crime.

Marie-Catherine se couvrit la figure de ses mains en disant qu'elle devait faire un cauchemar.

— Je pensais que je pourrais avoir une famille normale avec Joël ! Je me suis torturée durant des années à me demander ce qui était arrivé cet été-là, à tout étouffer.

— Et chaque fois qu'un enfant disparaissait, vous reviviez le drame... C'est pour cette raison que l'histoire de Tamara vous a tellement angoissée ?

Marie-Catherine hocha la tête.

— Je sais trop ce que c'est que d'attendre que des policiers viennent te dire qu'ils ont retrouvé ton enfant. La mère de Tamara peut au moins enterrer sa fille. Moi, tout ce qu'il me reste, ce sont des photos de Laurent. Et un chausson vert et bleu...

— J'imagine que le corps de Patrick a été autopsié. Quelles étaient les conclusions ?

— Qu'il y avait de la drogue dans son sang. Ce n'était pas étonnant. Il fumait quand je l'ai rencontré. Ensuite, il est passé à des choses plus sérieuses. Moi aussi, je consommais. J'étais insouciante. C'était... Patrick était si beau. Et si immature. Comme moi. On errait, oui, on errait. On ne savait même pas ce qu'on cherchait.

— De quoi viviez-vous ?

— Patrick a vite travaillé pour Marcus Duncan. Il venait, lui aussi, d'un milieu bourgeois. Il pensait qu'il se révoltait contre ses parents, contre la société, qu'il se donnait le droit de tout faire en étant dans l'orbite de Duncan. Patrick voyait ça comme un jeu. Comme les *hackers* aujourd'hui qui s'infiltrent, qui percent les systèmes informatiques. Il était fier que Marcus Duncan lui fasse confiance. Il ne se rendait pas compte qu'il le manipulait. Comme tout le monde. Je ne peux pas croire que Marcus Duncan a enlevé Laurent…

— S'il pensait que c'était son fils, tout est possible. Qu'est-ce qui s'est passé ce jour-là ?

— Patrick a annoncé qu'il allait pêcher avec Laurent. Je trouvais que c'était une drôle d'idée, qu'il était trop jeune, mais, d'un autre côté, c'est le genre d'activité qu'on fait quand on loue un chalet. On avait loué pour tout le mois de juillet. J'étais contente qu'ils partent ensemble. J'étais tellement fatiguée avec le bébé, Michaël ne dormait jamais. Il devait sentir mon angoisse. Et maintenant…

— Maintenant, je vais joindre un ami à la Sûreté du Québec, fit Maud Graham en tendant la main vers le téléphone. Il va nous aider à retrouver Michaël et Trevor.

— Je retourne chez nous. Joël… Je ne lui ai pas encore tout raconté.

— Vous avez eu raison de me faire confiance. On retrouvera Michaël.

Graham avait envie d'ajouter que tout s'arrangerait, mais quels dommages avaient causés tant de secrets ?

Pierre-Ange Provencher n'arriverait jamais à savoir s'il préférait l'été où il pouvait rester des heures dehors à observer les astres dans la nuit ou l'hiver qui offrait ces ciels bleu de Prusse qui rehaussaient la brillance des étoiles. Il se rappela les commentaires de Lucie, à Paris lors de leur dernier voyage alors qu'ils admiraient la salle des bijoux du musée des Arts Décoratifs. Elle s'était exclamée que les parures de Lalique épinglées sur un fond de velours foncé ressemblaient à ces constellations qui le retenaient captif durant des heures, l'œil rivé à son télescope. Il avait répondu qu'elle était bien contente d'avoir la paix pour dévorer ses romans, puis il s'était promis de lui offrir un très beau collier pour son anniversaire. Mais Lucie avait été emportée avant son anniversaire, et le bijou qu'il avait acheté à Paris à son insu était resté dans un tiroir.

Il célébrait dorénavant ce jour-là en solitaire. C'était peut-être mieux ainsi. Il ouvrit l'écrin, toucha le collier des jours heureux et se demanda s'il retournerait un jour à Paris. Il aimait beaucoup l'antique Observatoire, toujours en service. Combien d'astronomes avaient admiré les astres depuis sa construction au XVIIe siècle ? Il y était allé avec Lucie après avoir bu un café à la terrasse de la fameuse Closerie des Lilas.

La sonnerie du téléphone le tira de ses pensées moroses. Il regarda l'afficheur. Que lui voulait Maud Graham ?

— Connais-tu du monde à Rimouski ?

— Évidemment. Pourquoi ?

— Je n'ai pas beaucoup d'informations, mais j'ai besoin de tes lumières. As-tu dîné? Viendrais-tu luncher chez nous? C'est au sujet de Michaël, l'ami de Maxime.

— J'arrive.

Provencher souriait en reposant l'appareil, ravi de quitter la maison ce jour-là. De toute manière, il ne pourrait rien observer dans le ciel avant des heures. En se garant devant la maison, il éprouva un pincement au cœur, enviant le bonheur de Maud et Alain. Savaient-ils à quel point tout était fragile? Oui, bien sûr. Avec leurs boulots…

Même s'il doutait qu'on fasse honneur à sa cuisine compte tenu de l'angoisse qui régnait à la maison, Alain avait préparé une salade de crabe, pamplemousse et avocat, et une vinaigrette au yuzu pour l'entrée. Pour détendre l'atmosphère, il racontait à quel point il était ravi d'étrenner le nouveau barbecue qu'il avait commandé au Vermont.

— On ne trouve plus de grilles en fonte assez épaisses ici. Je préfère le goût du charbon de bois à la cuisson au gaz. C'est moins pratique, mais je vais te servir le meilleur filet mignon de Québec! Avec une sauce aux poivres, tu m'en donneras des nouvelles.

Pendant qu'Alain s'activait, Maud relatait les événements et les révélations de Marie-Catherine Lemaire à Pierre-Ange Provencher qui l'écouta sans l'interrompre. Quand elle se tut, elle songea que c'était une des qualités qu'elle appréciait chez l'enquêteur de la SQ. Il lui laissait le temps de développer ses idées, ses impressions. Comme le faisait Rouaix. Elle n'était pas étonnée qu'ils soient amis et elle regrettait que Rouaix n'ait pu se joindre à eux pour ce dîner improvisé.

— Marie-Catherine est retournée chez elle au cas où des amis ou des voisins de Montréal téléphoneraient. Et pour parler à son mari. Ce passé qui ressurgit, ces morts suspectes ; ça fait beaucoup à digérer pour un seul homme. Joël savait seulement qu'elle avait perdu son conjoint quand Michaël était bébé. En tout cas, la disparition de Laurent me permet de comprendre pourquoi Marie-Catherine est hyper protectrice avec Michaël…

Graham fit une pause, puis reprit :

— Je ne suis peut-être pas mieux avec Maxime. Avec tout ce qu'on voit dans notre boulot, on sait mieux que quiconque ce qui peut arriver à des jeunes. D'un autre côté, c'est normal qu'ils veuillent leur indépendance. Dans le cas de Michaël, j'ai cru saisir que les dernières semaines ont été assez houleuses, qu'il y a eu plus d'une prise de bec avec sa mère, qu'il est ambivalent face à son beau-père.

— Il a sauté sur la première occasion pour les défier.

— Et il est parti avec Trevor. J'ai besoin d'informations sur ce Trevor Duncan. Tu dois connaître du monde, à Rimouski, qui pourrait nous aider. Trevor vient tout juste d'avoir dix-huit ans. Il conduit une Acura.

— Je vais appeler une femme formidable, Anne Poirier. Elle a travaillé à Québec, Montmagny, Rimouski et Matane. L'informatique, c'est bien, mais Anne Poirier connaît tout le monde.

— Quand avez-vous bossé ensemble ?

Pierre-Ange Provencher sourit.

— Tu n'étais pas à l'école de police. Et moi, j'étais un beau jeune homme.

— Ne me dis pas que tu songes à la retraite, toi aussi ! pesta Graham.

— Ne t'inquiète pas, je n'en ai aucune envie. Et ne t'en fais pas trop avec Rouaix. Il prétend qu'il veut partir, mais il est toujours très lent quand il s'agit de prendre une décision personnelle. Si tu savais combien de temps il a mis à demander sa femme en mariage ! On ne se ressemble pas. Moi, je n'ai pas tardé avec Lucie, elle était tellement belle !

Provencher garda le silence quelques instants avant d'ajouter que c'était l'anniversaire de Lucie.

— Tu ne me l'as pas dit quand je t'ai appelé ! s'exclama Graham, confuse. Je ne me serais pas permis de te déranger.

— Non, je suis content d'être ici. Je pensais que je voulais rester seul, mais j'aime mieux être entouré, finalement.

Étonnée par les confidences de Provencher, Maud Graham se contenta de hocher la tête en se demandant si elle devait lui proposer de les accompagner, Alain et elle, au resto où ils devaient souper. Mauvaise idée, cela manquerait de naturel, il croirait qu'elle s'y sentait obligée. Elle accueillit le retour de Maxime avec soulagement.

— Pierre-Ange voudrait que tu racontes comment Trevor agissait avec vous.

— Vous l'avez reconnu ? C'est un malade ? C'est pour ça que vous êtes ici ?

— Calme-toi, Maxime, on essaie juste d'en savoir plus.

— Où est Marie-Catherine ? Est-ce qu'elle a eu des nouvelles ?

— Oui, mais elle avait des choses à régler chez elle. Pierre-Ange aimerait avoir ton impression générale, insista Maud Graham. Tu as un bon jugement sur les gens, habituellement. C'est ça qui nous intéresse. Un détail qui t'aurait surpris. N'importe quoi.

Maxime s'assit sur le bord du canapé, fronça les sourcils, fouillant dans sa mémoire, et finit par dire que Trevor et Michaël avaient les mêmes yeux.

— Bleus, c'est ça ?

— La même couleur et la même forme. Sur le coup, je remarquais seulement que Trevor passait son temps à regarder Michaël. C'est pour ça que je me suis demandé s'il était gay. Mais au téléphone, Michaël ne m'a rien raconté là-dessus. Si Trevor l'avait achalé, il me l'aurait dit. Et il l'aurait replacé. Ou planté là. Il connaît du monde à Montréal.

— Autre chose ?

— Il avait un veston de cuir. Il nous a dit' qu'il venait de l'acheter. C'est pareil pour l'auto ; il venait de l'avoir.

— Un vêtement et un véhicule neufs ? Ses parents sont riches ? Il travaille ?

— Pas à temps plein, répondit Maxime après un moment de réflexion. Il nous a dit qu'il étudiait. Il doit être au-dessus de ses affaires pour prendre une semaine de congé à la veille des examens. Il est au cégep. En tout cas, il a de l'argent, il a sorti un paquet de fric quand il a payé les sous-marins pour nous.

— A-t-il un emploi ? s'enquit Alain qui les avait rejoints pour leur annoncer qu'ils pouvaient passer à table.

— Aucune idée. Il ne nous a pas tellement parlé de lui, finalement… Il posait toutes sortes de questions à Michaël.

— Pas à toi ?

— Pas vraiment. Juste assez pour que ça ne paraisse pas trop que c'était Michaël qui l'intéressait.

— Comment était Michaël au téléphone quand tu lui as parlé ?

— Il tripait avec Trevor. Il était content d'être à Montréal.

— Penses-tu que Trevor se prostitue ? demanda Graham en fixant Maxime.

— Comme Grégoire avant ?

Elle acquiesça sans quitter des yeux l'adolescent, attristée à l'idée de l'angoisser davantage.

Il secoua la tête ; Trevor venait de toucher un paquet d'argent.

— Comme s'il avait gagné le 6/49.

— Il n'a pas du tout parlé de ses parents ?

— Je ne m'en souviens pas. Je l'écoutais à moitié. Vous allez être capables de retrouver Michaël, hein ?

— On fera le nécessaire, promit Provencher. J'ai un cousin qui travaille au SPVM.

— On passe à table, annonça Alain. Maxime, viens m'aider au barbecue.

— Tu nous donnes cinq minutes avant de mettre les steaks sur la grille ? demanda Maud avant de se tourner vers Provencher.

— Maxime a mentionné un paquet de billets, mais il peut s'agir de quelques centaines seulement.

— Je vérifie d'abord si on a des traces d'un Trevor Duncan là-bas. Sinon il faut trouver quel est son nom. Et ce qui s'est passé à Rimouski ces derniers jours. S'il y a eu un vol de voiture. Si quelqu'un a porté plainte pour effraction : Trevor a pu s'introduire dans une maison, piquer des bijoux, de l'argent.

— Mais l'Acura peut appartenir à sa mère. Dont on ne sait rien. Vivait-elle avec Marcus Duncan ?

Provencher composa le numéro d'un collègue à Rimouski, lui expliqua la situation avant de s'informer : Anne Poirier était-elle toujours dans les parages ?

— Elle a pris sa retraite depuis un bon bout de temps, répondit le policier. Elle commençait à souffrir d'alzheimer.

Provencher se tut, attristé par cette nouvelle, puis demanda au policier si on avait signalé le vol d'une Acura ou un cambriolage au cours des derniers jours. La réponse fut négative. Il le pria ensuite de chercher un certain Trevor.

— Je ne sais pas si son nom de famille est Duncan ou non. C'est pour ça que je voulais parler avec Anne Poirier. Elle était à Rimouski depuis longtemps, j'espérais qu'elle se souviendrait de ce prénom étrange…

— Je vais voir avec les plus vieux du poste et je vous rappelle, promit le policier.

Maud Graham fit signe à Provencher de lui passer l'écouteur. Elle se présenta au policier, puis l'interrogea : le nom de Camille Lescure lui était-il familier ?

— Notre capitaine !

— Votre capitaine ?

— Il s'est acheté un bateau quand il a pris sa retraite. C'est un homme très actif. Je vais tenter de le joindre. J'ignore s'il est à Rimouski ces jours-ci. Il avait vraiment hâte de naviguer.

Après avoir remercié le policier, Maud Graham déclara qu'il fallait chercher du côté de Montréal.

— On doit faire le tour des hôtels. J'espère que quelqu'un le reconnaîtra sur la photo. Ou que Balthazar trouvera quelque chose dans les dossiers. Et maintenant, on mange !

— C'est un pro en informatique, dit Provencher en se dirigeant vers la salle à manger. Il va vous dénicher des tas d'infos sur Marcus Duncan et, avec un peu de chance, Lescure ne sera pas parti bien loin…

— Tu ne pensais pas t'occuper à ça aujourd'hui, commença Graham. J'aurais pu…

Provencher balaya ses scrupules d'un geste de la main ; il était toujours content de lui rendre service.

— Et de profiter du lunch ! Il manque Grégoire à votre trio habituel…

— Il est en amour, je le vois moins. Mais je suis contente pour lui.

Elle ajouta dans un sourire qu'elle aimait beaucoup son amoureux, avant de soupirer.

— Grégoire et Michel semblent avoir une relation harmonieuse. En revanche, je me demande comment ça se passe maintenant entre Marie-Catherine et son mari… Tant de secrets ! Ça devait peser lourd, dans cette maison. Michaël nous a toujours semblé un peu renfermé, même sombre, mais il est vraiment gentil. J'avoue avoir été surprise par son look gothique au début. J'y suis habituée maintenant. Maxime a un peu imité son ami, comme tu as pu le remarquer…

Graham faisait allusion au long pull noir orné d'un dragon métallique que portait Maxime.

Elle se tut pour répondre au téléphone, croisa les doigts, espérant que ce soient de bonnes nouvelles.

— Balthazar ? Qu'as-tu découvert ?

— Neuf noyades, sept corps retrouvés. Dont celui de Patrick Jolin. Je n'ai pas de Trevor Duncan, et Marcus Duncan n'a pas laissé beaucoup de traces. On sait qu'il a été assassiné. Et qu'il a vécu avec une certaine Claude Beaulieu. À Rimouski. Mais il avait aussi un condo à Québec, un appartement à Montréal et un autre à Miami. C'est là qu'on l'a abattu.

Provencher rappelait déjà de son côté à Rimouski pour en apprendre davantage sur Claude Beaulieu.

Montréal, 13 h

Michaël n'avait pas dit un mot depuis que Trevor et lui étaient sortis de l'hôtel, mais marcher à l'ombre des gratte-ciel de Montréal l'apaisait. Il avait toujours aimé ces immeubles aux lignes nettes, franches, qui semblaient protéger les piétons. Quand il habitait Outremont, il prenait souvent l'autobus pour descendre au centre-ville. Il s'imaginait alors qu'il se baladait à New York ou Chicago dans une forêt de béton, de verre, d'acier et d'angles droits. Il désigna un banc à Trevor. Michaël lui était reconnaissant de ne pas avoir cherché à rompre le silence, mais il l'avait dit lui-même, il comprenait son trouble pour l'avoir vécu.

Était-il vraiment son frère ? Était-ce pour cette raison qu'il avait eu souvent l'impression d'un vide dans son existence ? Pressentait-il que Trevor lui manquait ? Il finit par dire qu'il en voulait à Marie-Catherine.

— Pourquoi ne m'a-t-elle pas dit que j'avais un frère ?

— Elle devait avoir ses raisons.

— Elle aurait pourtant dû m'apprendre ton existence ! Il n'y a aucune raison qui lui permettait de me mentir là-dessus ! C'est comme si elle avait…

— Honte ? Honte de moi ?

Michaël le corrigea. Marie-Catherine se sentait sûrement coupable d'avoir trompé son père.

— Peut-être que Patrick n'a jamais su que je n'étais pas son fils biologique, avança Trevor. Et peut-être que tu ne l'es pas non plus…

— Non, je ressemble à Patrick d'après la scule photo que j'ai vue de lui. Je suis prêt à parier que ma mère n'a rien raconté à Joël.

— Il y a une autre possibilité : on l'a persuadée que j'étais mort. Ou bien elle voulait te protéger.

— Me protéger ?

— Peut-être que mon père l'a fait chanter. Elle a été obligée de me donner pour pouvoir te garder. Tout le monde avait peur de Marcus Duncan.

— Il était vraiment dangereux ?

Trevor soupira, se rappelant l'attitude des gens envers lui. Les enseignants qui les prenaient, Claude et lui, en pitié. Les voisins qui restaient distants même si Marcus était rarement présent. Ses camarades de classe qui n'avaient pas le droit de l'inviter chez eux.

— On nous enviait aussi la belle maison, la grosse piscine. J'étais un *reject*, Michaël. Pas d'amis. Sais-tu ce que ça veut dire ?

Michaël hocha la tête. Il avait vécu la même chose en déménageant à Québec, jusqu'à sa rencontre avec Maxime. Mais pourquoi ce dernier avait-il remis son téléphone à Marie-Catherine ? Il ne pouvait plus le joindre pour lui raconter les incroyables révélations de Trevor, lui demander ce qu'il en pensait.

Maud devait l'avoir obligé à remettre son appareil à sa mère. Il n'aurait jamais accepté de son plein gré.

— La seule qui peut nous révéler ce qui s'est passé quand on était petits, c'est Marie-Catherine, murmura Trevor.

— À condition qu'elle nous dise la vérité. Si elle m'a menti si longtemps, pourquoi changerait-elle d'idée, maintenant ?

— À cause des preuves qu'on lui montrera en rentrant. Les photocopies. J'ai aussi autre chose : un chausson de bébé. Ça devait être à moi. Je le montrerai à notre mère.

— Moi, je n'ai pas le goût de la voir aujourd'hui.

— On peut rester ici.

Michaël hésitait, Trevor lui rappela qu'il n'avait réussi à voir aucun de ses amis, ce serait idiot de quitter Montréal sans en avoir rencontré un.

— Tu as raison. On passe la fin de semaine ici. *Fuck* ma mère !

— Notre mère, le corrigea Trevor. On rentrera demain, mais appelle-la pour la rassurer. Fais-le pour moi. Sinon elle va me détester, elle refusera de me voir quand on reviendra à Québec.

— Ta mère devait avoir peur que Marie-Catherine la retrouve, laissa tomber Michael. Pour te reprendre.

— Elle devait faire confiance à mon père. Quand il décidait quelque chose…

— Il était vraiment dans la mafia ? C'est incroyable ! Tu es sûr que ce n'est pas une invention de ta mère ? Elle a l'air d'avoir été une aussi bonne menteuse que Marie-Catherine.

— On l'a abattu à Miami. Je suppose qu'on avait de bonnes raisons de le faire.

— Ta mère a dû virer folle.

Trevor sourit. Non, Claude était soulagée par la disparition de Marcus Duncan.

— Tu ne t'entendais pas mieux avec elle que moi avec Marie-Catherine…

— Pourquoi tu ne t'entends pas avec elle ? Qu'est-ce qu'elle t'a fait ?

Michaël s'étonna. Après lui avoir appris que Marie-Catherine lui mentait depuis des années, Trevor ne considérait-il pas que c'était suffisant pour lui en vouloir ?

— Tu étais déjà fâché contre elle avant que je te raconte tout ça. Sur les plaines, tu m'as dit qu'elle ne te comprenait pas, qu'elle essayait de te contrôler.

— Qu'est-ce que tu veux de plus ?

— Il n'y a pas autre chose ?

— Comment ça, autre chose ? Elle m'étouffe, elle pose cent mille questions, veut tout savoir. Elle est toujours en train de paniquer pour rien. Ça doit faire seulement deux ou trois ans qu'elle ne vient plus me border quand je me couche. On riait de moi à l'école parce qu'elle m'accompagnait jusqu'à la porte. Quand elle a cessé, il était trop tard.

— Quand tu te couchais, elle était près de toi ?

Trevor fixait Michaël avec intensité. Marie-Catherine ressemblait-elle à Claude ? Avait-elle eu les mêmes gestes que Claude ?

— Près de moi ? demanda Michaël. Comment ça ?

— Tu as dit qu'elle venait dans ta chambre.

— Marie venait me border. Elle s'assoyait sur un pouf et attendait que je m'endorme. J'ai souvent fait semblant pour qu'elle sorte de la chambre plus vite.

— Pourquoi ?

— Parce que je n'étais plus un bébé. J'étais écœuré qu'elle me couve tout le temps. Qu'elle vienne me chercher à l'école. Qu'elle s'inquiète tout le temps pour moi comme si j'étais en chocolat.

— Juste pour ça ?

— Ça paraît que ta mère n'était pas aussi collante, souffla Michaël. Parce que…

— On change de sujet, OK ? Je n'aime pas trop penser à Claude.

Michaël s'excusa. Il aurait dû être plus délicat, sa mort était si récente.

Il dit sur un ton plus gai qu'il se sentait mieux.

— Je vais téléphoner chez Julien. Il est peut-être là. Il est super cool. Si je t'attendais ici au lieu de rentrer avec toi à l'hôtel ? J'appellerais mes amis pendant que tu…

— Ton téléphone est dans la chambre, tu l'as jeté dans ton sac. Il y a des téléphones publics à la gare.

Le silence qui s'installa mit Michaël mal à l'aise. Il n'avait pas voulu vexer Trevor. Il était simplement bien dehors, sur ce banc. Ça lui ferait du bien de revoir son copain Julien ; les choses étaient si simples du temps de leur amitié. Qu'est-ce qui serait arrivé si sa mère n'avait pas rencontré Joël, n'était pas retournée vivre à Québec ? Trevor aurait-il pu les retrouver, alors ? Il lui avait fait part de ses recherches aux archives du *Soleil*, de ses coups de fil à tous les Lemaire du bottin téléphonique. Il avait supposé que Marie-Catherine était restée à Québec après l'accident de son mari, mais où aurait-il cherché s'ils n'étaient pas revenus dans la capitale ? Aurait-il tenté sa chance dans toutes les villes de la province ?

Il aurait vraiment aimé parler à Maxime. Il regarda les nuages qui se dédoublaient dans les vitres d'un gratte-ciel argenté, songea à un kaléidoscope dont les images se fragmentent à l'infini. Sa vie ressemblait maintenant à un kaléidoscope. Il se sentait à la fois épuisé et surexcité, lucide et confus. Surtout confus ; tout allait trop vite. Tout était trop incroyable. Trevor avait-il tout inventé ? Trafiqué les photocopies ?

On faisait tant de choses sur ordinateur, maintenant. Et si Trevor avait fabriqué les preuves?

Non, Patrick Jolin était mort noyé. Marie-Catherine lui avait au moins révélé cette partie de son passé. De leur passé. Mais peut-être qu'elle lui avait caché les vraies raisons de leur déménagement à Toronto après le décès de son père. Peut-être qu'elle avait des documents, des images de Patrick contrairement à ce qu'elle avait toujours affirmé. Il s'était contenté d'une petite photo durant toutes ces années, mais si elle en avait caché d'autres?

Et s'il tentait de joindre Maxime chez lui? Il n'aurait qu'à raccrocher si Maud répondait.

— On rentre? On commande un lunch à la chambre? proposa Trevor.

Michaël acquiesça parce qu'il ne savait pas quoi répondre.

Montréal, 14 h 20

Au coin de Parc et de Mont-Royal, Michaël n'entendait que les battements de son cœur. Ses tympans allaient-ils éclater, et le sang gicler de son cerveau par les oreilles en l'emportant? Mourir serait-il la meilleure solution? Il marchait depuis qu'il était parti du Reine Elizabeth dans un état d'hébétude qui ne l'avait plus quitté. Il revoyait constamment le visage ensanglanté de Trevor, tourné vers la gauche, tachant la moquette de la chambre. Il se rappelait sa peau lisse, mais ne savait pas si elle était chaude ou non. Alain Gagnon avait-il déjà dit devant lui combien de temps mettait un corps à se refroidir dans la mort ? Il ne s'en souvenait plus. Il savait seulement que Trevor ne bougeait plus, qu'il l'avait secoué en vain, qu'il n'avait senti aucun pouls quand il avait posé un doigt sur son poignet. Il aurait dû chercher le pouls à la gorge, mais le sang l'avait effrayé. Est-ce que Trevor était vraiment mort ? Il lui avait seulement donné un coup de poing. Un seul. Pas cinq ni dix ! Il était impossible que son coup de poing l'ait tué ! C'était parce qu'il s'était frappé la tête contre le mur et non à cause du coup qu'il lui avait donné. Pourquoi ne s'était-il pas relevé ?

Michaël croisait des promeneurs et leur enviait leur sérénité. Eux aussi marchaient sans but précis, mais ils rentreraient à la maison ensuite ; ils ne se demanderaient pas où ils allaient souper ni dormir. S'ils devaient retourner au Reine Elizabeth pour vérifier s'il y avait une voiture de police dans les parages. Ou une ambulance. S'ils allaient être arrêtés et emprisonnés. Si leurs vies étaient finies.

C'était peut-être le comprimé que Trevor avait avalé en rentrant à l'hôtel, après leur promenade, qui l'avait tué ? Il avait dit à Michaël qu'il en prenait pour se sentir mieux quand il était fébrile d'avoir trop fêté la veille, que ce n'était pas dangereux, qu'il devrait essayer, lui aussi.

— Ça met juste un peu de bonne humeur, avait promis Trevor. Tu te sentiras plus léger. Et tu n'auras pas mal au cœur, c'est l'avantage par rapport à l'alcool. On aurait pu fumer un joint dehors, mais je n'y ai pas pensé.

— Ça m'a fait du bien de marcher, je me sens mieux, maintenant. Je n'aime pas trop le chimique, avait avancé Michaël.

— T'es un peu peureux, hein ? Ça paraît que ta maman t'a couvé.

— Je t'ai rien demandé !

Trevor s'était aussitôt excusé. Il avait mal dormi, il était mal à l'aise à cause de Marie-Catherine.

— Elle ne me connaît pas, mais elle pense que je suis un malade qui t'a emmené ici de force ou…

— Elle n'a jamais dit ça, avait protesté Michaël. Elle a juste paniqué, comme d'habitude.

— Elle va me détester ! Ça sera ta faute !

— Ma faute ?

— Tu ne veux pas la rappeler !

Michaël avait soupiré. Il regrettait d'avoir accepté de rester à Montréal une autre nuit. Plus tôt, pourtant, ils s'étaient mis à rire en se tapant dans les mains. Michaël présenterait ses amis à Trevor, ils iraient au cinéma, ils traîneraient dans les parcs. Ou ailleurs. Ils étaient libres toute la journée. Personne ne leur donnerait d'ordres.

— C'est ça, la vraie vie !

Trevor avait fait un signe de la main pour freiner l'enthousiasme de Michaël.

— Si tu n'appelles pas Marie-Catherine, elle te fera chercher par la police !

— Et après ? La chambre est au nom de ta mère. Elle ne pourra jamais nous trouver. Tu l'as dit toi-même.

— Elle va me haïr. Je n'ai pas envie qu'elle me haïsse !

— Tu t'énerves pour rien. Je vais lui expliquer quand on rentrera…

— Tu as dit qu'elle panique pour tout. Elle ne va pas attendre que tu reviennes chez vous.

— On rentre demain. Je l'appellerai tantôt pour la rassurer.

— Quand, tantôt ?

— Tu es fatigant avec ça. Tantôt, c'est quand ça me tentera.

— Elle s'inquiétait pour toi. Elle peut m'accuser de détournement de mineur. Je n'ai pas envie de me retrouver en prison. Je viens d'avoir dix-huit ans, je pourrais être…

— Elle ne ferait jamais ça ! avait protesté Michaël. Voyons donc ! Tu es aussi paranoïaque qu'elle !

— C'est normal, c'est ma mère.

— Justement, si c'est ta mère, elle ne t'accusera pas. Voir si quelqu'un enlèverait son frère !

Trevor avait attrapé le poignet de Michaël, l'avait serré. Michaël avait tenté de se libérer.

— Qu'est-ce qui te prend ?

— Tu as dit : « si c'est ta mère ». Tu ne me crois pas ? Après tout ce que je t'ai raconté sur nous ? Tu as vu les photocopies ! Tu penses que je mens ?

Michaël était interloqué. Pourquoi Trevor s'excitait-il ainsi ? Il l'avait vu fouiller dans son sac à dos, en ressortir un sac plastique, le lui jeter à la figure.

— Regarde ce qu'il y a là ! Je suis sûr que *ta* mère le reconnaîtra !

Michaël avait ouvert le sac contenant un chausson de laine vert et bleu dont Trevor lui avait parlé plus tôt.

— C'était à moi quand j'étais bébé ! Je suis autant le fils de Marie-Catherine que toi ! Tu ne veux pas l'appeler parce que tu as peur qu'elle m'aime autant, c'est ça ?

— Tu es malade !

— Tu n'as pas le droit de m'insulter !

— Qu'est-ce que tu veux que je te dise ? Tu capotes et je ne sais même pas pourquoi !

Des voix dans le corridor les avaient fait sursauter. Michaël n'avait pas aimé le tour qu'avait pris cette discussion. Ils étaient à Montréal pour s'amuser, mais il n'avait pas vraiment eu de plaisir ces dernières heures. Trevor avait tout compliqué avec ses révélations. Il aurait préféré qu'il lui en parle à Québec. Là, au moins, il aurait pu se confier à Maxime. C'était trop gros pour lui. Vraiment trop. Et si Trevor avait raison ? Si Marie-Catherine paniquait ? Il regardait la chambre, la moquette beige, les tableaux sur les murs comme s'il les découvrait. Que faisait-il là ? Dans quel pétrin s'était-il fourré ? Trevor marchait de long en large en secouant la tête, il fallait le calmer. Quitter cette chambre. Ils étaient mieux dehors. Tantôt, tout allait mieux. Il fallait appeler Maxime. Peut-être que ça ne serait pas lui qui répondrait, mais il devait au moins essayer de le joindre. Et si Maud ou Alain décrochait, il improviserait.

— Je vais appeler maman, avait-il dit d'une voix unie pour apaiser Trevor. Après le dîner, OK ? On ressort ? Je mangerais une pizza.

— Encore ? Tu ne veux pas qu'on commande et qu'on reste ici ?

— Non, il fait beau. C'est parce qu'on en a mangé hier, ça ne te tente pas ?

Trevor avait semblé se détendre, lui avait souri, il adorait la pizza !

— On était bien, au soleil, avait insisté Michaël. Il y a peut-être des terrasses ouvertes. J'aimerais manger dehors. Ça serait la première fois, pour moi, cette année.

— Pour moi aussi. Il fait beaucoup plus froid à Rimouski.

— À cause du fleuve ? Est-ce que tu pêches ?

— Tu penses que c'était le genre de mon père de m'emmener au bord de l'eau avec une canne et des hameçons ?

— Je ne sais pas…

— Il était dans la mafia. Les poissons qui devaient l'intéresser devaient être ceux qu'il pouvait arnaquer.

La voix de Trevor avait semblé vibrer davantage, et Michaël s'était empressé de dire qu'évidemment son père ne l'avait pas non plus traîné à la pêche.

— Mais j'irai peut-être cet été. Maxime m'en a parlé.

— Max, Max, Max. Es-tu en amour avec lui ? Tu en parles tout le temps… Tu le trouves de ton goût ?

Trevor s'était approché de Michaël et l'avait subitement enlacé en disant qu'il était aussi beau que Maxime. Michaël, après le premier instant de surprise, avait repoussé Trevor.

— Es-tu malade ? Lâche-moi !

Trevor ne l'avait pas lâché, Trevor s'était mis à ricaner tandis que Michaël tentait de desserrer ses bras autour de son torse. Il avait fini par se libérer mais Trevor avait attrapé un de ses poignets. Alors qu'il cherchait à atteindre l'autre, le coup était parti. Michaël avait entendu un bruit mat, vu la tête de Trevor heurter le mur, le sang gicler. Trevor avait poussé un petit cri avant de s'affaler au sol.

Pour n'en plus bouger. Il s'était penché vers lui, il avait l'impression que Trevor ne respirait plus.

Il y avait plusieurs voitures sur le belvédère. Des enfants se pourchassaient en riant, tandis que leurs parents les rappelaient à l'ordre et que des touristes admiraient la ville. La veille, Trevor et lui étaient là, eux aussi, avec une bouteille de vin. Ils avaient bu en riant. C'était impossible qu'il soit mort !

Michaël se mit à courir jusqu'en bas de la côte. Il entendait son souffle se mêler aux battements de son cœur, son cœur qui sortirait bientôt de sa poitrine, son cœur qui pompait son sang, son sang qui était le même que celui de Trevor.

Était-il mort ? S'était-il cogné la tête si fort ?

Tout semblait tellement irréel. Il reconnut la bâtisse au coin de Parc et de Mont-Royal, c'était là que Marie-Catherine et lui choisissaient le sapin chaque Noël.

Il obliqua vers Hutchison, puis Saint-Joseph, remonta jusqu'à la rue de l'Épée et à l'avenue Elmwood sans réfléchir. Les muscles de ses jambes semblaient décider pour lui, ils le brûlaient, et cette brûlure le réconfortait parce qu'il retrouvait une sensation familière, celle des courses sur les plaines avant les parties.

Ce n'est qu'en s'arrêtant devant leur ancienne demeure, avenue Outremont, qu'il se mit à pleurer. Qu'allait-il devenir s'il avait tué Trevor?

Il se sentait tellement nauséeux. Le sol vacillait sous ses pieds, le ciel se rapprochait dangereusement pour l'écraser. Il s'écroula sur le trottoir, ramena ses jambes contre lui, enfonça sa tête contre ses genoux et se mit à sangloter; il aurait dû écouter Maxime. Il avait eu raison de refuser de venir à Montréal.

— Eh? Qu'est-ce qui se passe?

Michaël releva la tête et reconnut Derek Caine qui le scrutait d'un air inquiet.

— Je t'ai vu arriver de la fenêtre du salon. *What's happening?*

— Je ne sais pas...

— Tu vas me raconter ça. Viens avec moi.

Derek Caine tendit les bras vers l'adolescent, l'aida à se relever et l'entraîna à l'intérieur de la maison dont la porte était restée ouverte. Il appellerait Marie-Catherine Lemaire dès qu'il aurait vérifié si Michaël était blessé ou en danger.

CHAPITRE 14

Montréal, 14 h 50

Pourquoi Michaël l'avait-il abandonné ? Après tout ce qu'il avait fait pour lui ! Il n'en avait pas le droit, ils étaient frères ! Il l'avait laissé à l'hôtel, inanimé, après l'avoir assommé. Son propre frère ! La colère que ressentait Trevor était presque palpable, elle le brûlait comme s'il avait avalé de l'acide chlorhydrique. En reprenant connaissance, il avait mis du temps à se rappeler où il était et il avait vu des cubes de couleur danser sous ses yeux avant que Claude lui apparaisse, puis s'évanouisse pour laisser place à des billes d'une intensité lumineuse qui lui vrillaient le cerveau. Il avait réussi à se rendre à la salle de bain juste à temps pour vomir et s'était senti un peu mieux ensuite, malgré les étourdissements et les pulsations douloureuses de son nez. Il s'était lavé le visage, avait changé de tee-shirt avant de fouiller dans les poches de sa veste de cuir, à la recherche d'une de ces petites pilules bleues qui le réveillaient. Il boirait du Guru. Il aurait besoin de toutes ses énergies pour retrouver Michaël.

Il avait fourré toutes ses affaires dans son sac à dos, pris celles de Michaël, ramassé son cellulaire. Il faudrait qu'il le supplie, qu'il s'excuse à genoux s'il voulait le récupérer. Qu'il rampe, qu'il lui lèche les bottes.

Trevor écraserait alors sa petite face d'hypocrite avec ses talons, il en ferait de la bouillie. Michaël verrait ce que c'est que d'être piétiné, trahi par sa propre famille !

Comment avait-il pu être assez stupide pour s'imaginer qu'il pourrait s'entendre avec ce frère qui lui avait tout pris ? Qui avait eu Marie-Catherine. Elle ne voudrait sûrement pas de lui quand Michaël lui raconterait leur rencontre. C'était clair, maintenant.

Claude était la seule, au fond, à avoir vraiment tenu à lui et, plus les jours passaient, plus elle lui manquait. Il avait tenté de toutes ses forces de repousser son souvenir, de se rappeler qu'il la détestait, de se remémorer à quel point il était confus quand elle quittait son lit. Il se sentait à la fois sale et puissant, déprimé et fébrile, vidé de toute énergie et surexcité, perdu, mais, au moins, il n'était pas seul dans la vie. Trevor regardait les gens dans les rues qui se souriaient en se parlant, ces ados qui se saluaient en se tapant dans le dos, ces filles qui se faisaient la bise. Il n'appartenait pas à ce monde d'humains pour qui les choses sont faciles. Qui peuvent se toucher sans se demander s'il y a une signification derrière chaque geste. Une invitation. Un désir. Une volonté. Une obligation. Une condamnation. Claude l'avait marqué au fer brûlant de sa passion, et il avait cru pouvoir lui échapper en retrouvant sa vraie famille, mais il ne pouvait pas compter sur celle-ci. Il n'était qu'un pauvre imbécile.

Il mit du temps à sortir de Montréal, car la circulation était dense aux abords du pont Jacques-Cartier et, quand il fut enfin au-dessus du fleuve, il retrouva cette envie familière d'aller se jeter dans le Saint-Laurent. Il aurait dû y céder depuis longtemps. Pour un faux noyé, c'était une évidence. Voilà la solution. Personne ne le pleurerait. Il irait là où il aurait dû disparaître réellement seize ans plus tôt. Boucler la boucle. Comme la jolie boucle de son chausson bleu et vert.

Québec, 16 h 20

Le store était déroulé à demi et, lorsque le soleil éclaboussa sa tasse en porcelaine blanche, Graham jeta un coup d'œil à l'horloge murale. Le soleil se couchait de plus en plus tard. Peut-être arriverait-elle à la maison assez tôt pour profiter des dernières heures de clarté. Elle regarda la tête de Provencher, penchée sur les notes qu'il avait prises au cours de l'après-midi, puis celle de Joubert et celle de Rouaix, inclinées elles aussi sur les documents que leur avait envoyés Camille Lescure. Sauraient-ils vraiment tout ce qui s'était passé seize ans plus tôt?

Et où étaient Michaël Lemaire et Trevor Duncan? Dans quel état?

— Rien n'indique qu'ils soient gravement blessés, finit par dire Joubert sur un ton réconfortant. Les enquêteurs n'ont trouvé qu'un peu de sang dans la chambre. Ils n'auraient pas pu quitter l'hôtel à moitié morts. Des clients, des employés les auraient remarqués. Il y a toujours du monde dans un hôtel.

— Il n'y a pas de caméras dans les chambres ni dans les toilettes publiques, poursuivit Provencher.

Par contre, il y en a dans le hall, et un de nos agents a reconnu Michaël sur une des bandes vidéo. On le voit quitter les lieux. Plus tard, on y voit un jeune adulte correspondant à la description de Trevor donnée par Maxime et à la photo de son iPhone.

— Mais pourquoi se sont-ils séparés ?

Le téléphone sonna et Graham décrocha aussitôt. Elle constata que ses mains étaient moites, détesta cette sensation qui trahissait son impuissance, mais se redressa dès les premiers mots de Maxime, agita le bras droit pour faire le silence autour d'elle.

— Michaël est en sécurité chez son ancien voisin, tu en es sûr ?

Graham perçut les soupirs de soulagement autour d'elle avant de s'exclamer.

— Il pense qu'il a tué Trevor ? Quand ? Calme-toi, Maxime.

Elle lui jura qu'elle aiderait Michaël avant de répéter qu'il fallait que son ami l'appelle et lui raconte tout.

— Tu sais que je l'aime, non ? Tout va bien se passer. Mais il faut qu'il dise la vérité. On a eu assez de mauvaises surprises ces dernières heures, d'accord ? Est-ce qu'il a parlé à Marie-Catherine ?

Au moment où elle coupait la communication, son cellulaire vibra. Marie-Catherine la prévenait qu'elle avait reçu à l'instant un appel de son fils.

— Il est chez notre ancien voisin, mais il n'est pas dans son état normal. Je n'ai pas compris la moitié de ce qu'il me disait. Il pleurait. Il répétait qu'il avait tué Trevor à l'hôtel. Pourtant, vous m'avez informée tantôt que vous aviez retrouvé sa trace, qu'il n'était

315

pas dans la chambre, qu'il avait quitté l'hôtel. C'est ce que je lui ai dit.

— On peut vous confirmer que Trevor n'est pas le fils de Claude Beaulieu. Cette femme a subi une hystérectomie alors qu'elle avait vingt ans.

— Trevor peut donc être mon…

— Oui. Comme il peut être le fils d'une autre femme et de Marcus Duncan. Mais l'âge correspond. Et il n'y a d'extrait de naissance au nom de Trevor Duncan nulle part. Trevor ne semble pas exister avant la maternelle. C'est sa présumée mère qui l'a inscrit à l'école. Quand on sait que Duncan faisait partie du monde interlope, il est facile d'imaginer qu'il s'est procuré un numéro d'assurance sociale pour Trevor, que Claude a pu fournir à l'école.

— Et cette Claude ? Vous lui avez parlé ?

— Elle est morte récemment. D'après les infirmières de l'hôpital, Trevor savait qu'elle était sa mère adoptive. Peut-être qu'il n'a pas voulu chercher sa mère biologique tant que Claude vivait, mais qu'ensuite il a décidé de la retrouver.

— De *me* retrouver… Mon Dieu ! Il faut que Michaël me dise ce qu'il lui a raconté ! Il ne peut pas…

— Des agents de la SQ vont aller le chercher chez Derek Caine, fit Graham. Ils sauront le rassurer et nous garantir qu'il est en sécurité. Ils nous appelleront très vite. Je serai chez vous dans cinq minutes.

Elle raccrocha tandis que Joubert et Provencher avançaient des hypothèses à la suite des informations que leur avait livrées Lescure. Il y avait eu un vol à main armée dans une banque, à Montréal, en mars 1995.

Et quatre mois plus tard, Jolin se noyait. On avait soupçonné Duncan d'être un des quatre hommes masqués qui s'étaient introduits dans l'établissement et avaient perpétré ce vol qui s'élevait à plusieurs centaines de milliers de dollars, mais on n'avait pas pu le prouver. Puis Jolin était mort. Ainsi qu'un autre complice.

— Peut-être qu'il y en avait un de plus pour abattre Duncan en Floride.

— Et l'argent ? Où est l'argent ? Duncan a envoyé trente mille dollars à Marie-Catherine, mais le reste ?

— Claude Beaulieu ? Elle connaissait Marcus depuis leur enfance. D'après les photos qu'on a reçues, ce n'est pas sa beauté qui a convaincu cet homme de l'épouser...

— Elle n'a pas étalé sa richesse après la mort de Duncan.

— Elle avait une belle maison, un travail. Elle s'est tenue tranquille avec son fils.

— Quelle sorte d'enfance a pu avoir Trevor ? soupira Graham. Bon, je rejoins Marie-Catherine Lemaire.

— On continue à creuser tout ça.

Provencher lissa ses cheveux vers l'arrière avant de rassurer Graham. Il poursuivrait les recherches, tandis qu'elle et Rouaix continueraient à éclaircir certains points avec Marie-Catherine Lemaire.

— Je dois rejoindre Grégoire, dit Joubert, mais si tu veux, je peux...

— Non, tu es censé être en congé.

— De toute façon, dès qu'on a des nouvelles de Trevor Duncan, je vous appelle, dit Provencher. S'il utilise la carte de crédit de sa mère, on le saura tout de suite. Mais pour quel motif pourra-t-on l'interpeller ? Michaël n'a pas porté plainte contre lui.

— Au moins, Michaël est en sécurité. Je respire un peu mieux…

Dehors, la force du vent surprit Graham. On annonçait de la pluie le lendemain, mais elle irait peut-être au marché acheter les plants de tomates. Ou elle irait au restaurant avec Alain et Maxime. Elle n'aimait pas les brunchs, mais Maxime adorait les buffets, et il avait bien besoin de se changer les idées.

Dans la voiture, Rouaix chercha un poste qui diffusait du jazz avant de demander à Graham si elle aurait pu garder des secrets aussi longtemps que Claude et Marie-Catherine.

— Oui. Et toi aussi, si tu avais pensé protéger ton fils.

16 h 50

En sortant de la voiture avec Rouaix, Maud Graham remarqua tout de suite que Joël se tenait aux côtés de Marie-Catherine, à la fenêtre du salon. Elle s'étonna de voir Joël enserrer la taille de son épouse, alors qu'il avait dû être sérieusement secoué par ses révélations. Ou par ses mensonges par omission. Marie-Catherine avait les yeux rouges quand elle lui ouvrit, et Graham nota qu'elle portait un sac à main en bandoulière.

— Je pars pour Montréal rejoindre Michaël. J'aurais dû vous rappeler.

— Je viens de recevoir un appel : tout va bien chez Derek Caine. Votre fils est en sécurité, maintenant.

— Mon cadet est en sécurité, la coupa Marie-Catherine, mais mon aîné ? Si c'est mon aîné ? Si Trevor est vraiment Laurent ?

— Des agents de la SQ le recherchent. En attendant, reparlez-moi de mars 1995. On a su qu'il y avait eu un hold-up dans une banque montréalaise.

— J'ai toujours eu un doute, avoua Marie-Catherine. À cause des trente mille dollars. Duncan avait dit que c'était le salaire de Patrick, mais je ne savais pas ce qu'il avait fait. J'ai juste compris que ce montant n'était pas grand-chose pour lui. En fait, je suis toujours surprise qu'il ne m'ait pas fait exécuter. Il aurait pu...

— Et Patrick ? Il n'a jamais parlé du vol ?

— Non, mais il répétait sans cesse que notre vie changerait à partir de l'automne, que nous déménagerions en septembre dans une belle maison. Qu'il aurait de l'argent... Il a été assez con pour y croire. Pour penser que Duncan séparerait le magot également. Si Patrick a vraiment participé au hold-up, il a dû s'impatienter, réclamer sa part et contrarier Marcus Duncan.

— Vous n'avez jamais su ce qui s'est passé ?

— Anne Poirier m'a parlé du hold-up. Et du décès suspect d'un employé de la banque, un hypothétique complice. C'est elle qui m'a dit que je devais être plus vigilante, sinon je perdrais aussi Michaël. Elle ne parlait pas seulement de ma dépendance à l'alcool.

Marie-Catherine fit une pause avant de rapporter l'avis d'Anne Poirier. Celle-ci lui avait confié qu'elle ne croyait pas à un accident en ce qui concernait Patrick Jolin.

— Si j'ai été épargnée, c'est tout simplement parce que j'étais inoffensive, à moitié gelée ou ivre à partir de midi.

— Vous buviez à ce point-là ? s'enquit André Rouaix.

— J'ai bu, j'ai pris de la coke avant de tomber enceinte de Laurent, mais j'ai arrêté la drogue pendant ma grossesse, sauf un petit joint de temps à autre. J'ai cessé de nouveau de consommer quand je portais Michaël, mais j'ai bu après sa naissance, pour dormir. Deux mois plus tard, Laurent disparaissait. J'ai vu là une raison supplémentaire de picoler. Sans Anne Poirier, je ne serais pas ici pour en parler. Elle m'a tenue à bout de bras !

Une tendresse empreinte de respect et de nostalgie adoucit le visage de Marie-Catherine alors qu'elle évoquait l'aide, la générosité, la détermination d'Anne Poirier.

— Elle m'a poussée à me ressaisir, à sauver Michaël, à déménager à Toronto. En venant me voir quotidiennement, elle m'aidait, mais elle me gardait en même temps dans la ligne de mire de Marcus Duncan qui devait se demander ce que Patrick m'avait raconté de leurs affaires. Si j'allais tout rapporter à Anne Poirier ou Camille Lescure. Mais je n'ai rien dit parce que je ne savais rien. Parce que je n'ai rien voulu savoir de ses combines. Vous êtes sûre que Michaël est en sécurité ?

Joël enserra les épaules de Marie-Catherine qui se blottit contre lui avant d'avouer qu'elle aurait dû rechercher davantage Laurent, qu'elle y avait renoncé trop vite, qu'elle aurait dû se douter que Duncan était capable de tout.

— Mais justement, vous aviez raison d'avoir peur de lui.

— C'est vrai, je craignais pour Michaël et pour moi. J'ai toujours eu peur pour lui. Il était tout ce qu'il me restait. Je l'ai trop protégé, je rêve encore qu'il disparaît. Et c'est arrivé.

— Il sera ici dans quelques heures, promit Graham. Quand il a parlé à Maxime, il lui a dit que Trevor avait un chausson de bébé bleu et vert.

Marie-Catherine ouvrit la bouche, mais aucun son n'en sortit.

— Ça vous rappelle quelque chose ?

— J'en… j'en ai un aussi. Il faut retrouver Laurent !

— Il est possible qu'il vienne ici. Il connaît votre adresse. Il n'est pas tombé sur Michaël par hasard.

— Personne ne sait où il est maintenant ?

— On a la description de sa voiture, enfin, si c'est bien celle de Claude Beaulieu, expliqua Graham, mais pour l'intercepter, il faudrait qu'on ait un motif valable. Michaël est sain et sauf. C'est plutôt Trevor qui est mal en point d'après ce que nous a raconté votre fils. Il était inconscient lorsque Michaël a quitté la chambre d'hôtel. Il pensait même l'avoir tué !

— C'est moins dramatique, heureusement, dit Joël. Il faudrait qu'on rencontre Trevor.

— Laurent, le corrigea Marie-Catherine.

— Vous ne savez pas pourquoi ils se sont disputés ? interrogea Rouaix. Ils se sont battus dans cette chambre d'hôtel.

— Michaël a dit que Trevor était jaloux de ses amis. Probablement qu'il voulait voir ses copains et que ça ennuyait Trevor. Enfin, Laurent… Michaël dit qu'il a fait une crise, qu'il est devenu fou.

Un frisson parcourut l'échine de Maud Graham. Les amis de Michaël. Qui était le meilleur ami de Michaël ? Elle enfouit aussitôt la main dans sa poche pour saisir son cellulaire et se leva d'un mouvement brusque qui surprit tout le monde.

— Qu'est-ce qui se passe ?

Graham ne répondit pas à la question de Rouaix, collant son oreille à l'appareil, espérant entendre Maxime qui lui confirmerait que tout allait bien à la maison. Ou Alain. Mais il n'y avait pas de réponse et elle se souvint qu'Alain avait dit qu'il emmènerait Maxime à la piscine, que ça lui ferait du bien de bouger pour évacuer le stress de cette journée.

— Il faut que je retourne chez nous, laissa-t-elle tomber d'une voix rauque.

17 h 50

C'est à la hauteur de Daveluyville que Trevor Duncan modifia ses plans. Entre Montréal et Plessisville, il s'était décidé à sonner chez Marie-Catherine, à lui jeter les affaires de Michaël à la figure après lui avoir dit ce qu'il pensait d'elle et de son fils. Il s'était répété qu'il avait vécu des années sans avoir de frère et que ça ne l'avait jamais dérangé. Il aurait une blonde et il ne serait plus jamais seul. Il s'arrêterait avenue Maguire, au café, pour parler avec Sophie, la serveuse, qu'il inviterait à souper dans un grand restaurant. Il s'achèterait un pull noir, il serait élégant et les filles le regarderaient. Il était certain que Sophie trouvait qu'il avait un beau corps, car il avait surpris son regard sur lui.

Il irait ensuite à Rimouski pour brûler la maison. Il n'y aurait plus de trace de Claude.

À Villeroy, il s'arrêta pour boire un café à l'aire de service où la taille des camions garés en file l'impressionna. Les chauffeurs devaient se sentir grands et forts au volant de tels engins. Peut-être qu'il devrait les imiter, aller au bout du monde et n'en jamais revenir, bouger constamment puisqu'il n'y avait de place pour lui nulle part. Il était stupide de croire que Sophie voudrait de lui. Personne ne s'intéressait à Trevor Duncan.

Il n'avait qu'à se jeter dans le fleuve. À Québec ? Pourquoi pas ? Michaël saurait au moins qu'il s'était suicidé, s'il sautait du pont. Peut-être qu'il se sentirait un peu coupable ? Non, Maxime le raisonnerait, il le convaincrait qu'il n'était pas responsable. Il ajouterait qu'il l'avait toujours trouvé bizarre. Trevor avait bien vu que Maxime l'observait avec méfiance, comme s'il mettait toutes ses paroles en doute. Et toutes ces questions qu'il lui posait ! Qui était-il pour se permettre de le juger ?

C'était sa faute si tout avait foiré avec Michaël ! C'était lui qui avait tout gâché en semant le doute dans son esprit. S'il avait félicité Michaël d'aller s'amuser à Montréal au lieu de lui dire qu'il s'attirerait des ennuis, rien ne serait arrivé. Michaël n'aurait pas été aussi stressé, et tout se serait bien passé. Ils seraient encore ensemble à cette heure-ci, ils riraient en apprenant à mieux se connaître.

Heureusement, il savait où habitait Maxime. Il avait eu de l'intuition en le suivant jusque chez lui quelques jours plus tôt. C'était le signe qu'il avait eu raison de se rendre chez lui. Il y repenserait la prochaine fois qu'il voudrait détruire les liens entre deux frères ! Trevor eut un instant de panique ; se rappellerait-il la maison ? Il ferma les yeux pour se concentrer, revit le devant du garage où était vissé un panier de basket. Il trouverait ce panier, ce garage, cette maison, ce garçon.

Il remonta dans la voiture après avoir vérifié que le revolver était toujours caché sous le siège avant. Il n'avait jamais tiré avec cette arme-là, mais il en avait manipulé à la chasse, quand son oncle l'y avait emmené avant de mourir, lui aussi, d'un cancer. Il ne le voyait pas souvent puisqu'il habitait aux États-Unis, mais ils avaient passé de bons moments ensemble après la mort de son père. Son oncle ne s'était jamais présenté chez eux du vivant de Marcus Duncan. Il savait qu'il n'était pas le bienvenu ; il avait refusé d'assister au mariage de sa sœur avec Marcus Duncan.

Trevor savait que c'était du recul d'une arme qu'il fallait se méfier, que ce soit d'une carabine ou d'un revolver. Il se souvenait d'avoir été surpris par la puissance du coup, du bruit, de l'odeur de poudre mêlée à celle du métal, de sa transpiration la première fois qu'il avait tiré. Claude avait dit qu'il sentait le mâle quand il était rentré du chalet loué par son oncle. Plus tard, elle lui avait avoué que c'était à partir de ce jour-là qu'elle l'avait regardé différemment, qu'elle l'avait trouvé excitant.

Ne pas penser à Claude. Penser à Maxime.

La maison était tout près du parc avant les plaines. Tourner à gauche. Continuer. Rouler doucement pour voir le panier de basket. Le temps était ensoleillé, et Trevor s'en réjouit. Il verrait bien distinctement Maxime quand il pointerait le revolver sur lui. Il jouirait quand Maxime le supplierait de l'épargner.

Et s'il se tuait aussitôt après avoir tiré sur Maxime ? Au lieu de se rendre jusqu'au fleuve ? Qu'est-ce que ça changerait ?

Mais si Claude l'attendait de l'autre côté ? Son cœur se crispa, il n'avait pas songé à l'après. À ce qui se passait ensuite. Il avait souvent pensé à la mort pour être libéré de Claude, mais si c'était le contraire ? S'il la retrouvait ? S'il était lié à elle pour l'éternité ? Il ralentit. On klaxonna derrière lui. Il accéléra, jura. Il devait refaire le tour de ce pâté de maisons, il avait été distrait, n'avait pas vérifié s'il voyait un panier de basket. Sentirait-il la chaleur du métal quand il tirerait sur Maxime ? Il tourna à droite, puis à gauche, puis encore à droite. Son cœur battait trop vite, maintenant, il devait se calmer, sinon il tremblerait et raterait sa cible. Quand il serait mort, Michaël et Marie-Catherine hériteraient-ils de lui ? Mais pourquoi dépenseraient-ils son argent sans lui ? C'était injuste. Ils n'avaient rien fait pour mériter cet argent, alors que lui avait subi Claude.

Trevor sourit en distinguant le panier de basket, en reconnaissant Maxime juste en dessous. Un signe de plus ! Il avait raison de s'arrêter devant cette maison, de demander à Maxime de lui rendre des comptes. Il n'avait pas le droit de lui voler son frère !

Il gara la voiture quelques mètres plus loin. Un autre signe positif : il n'avait pas eu à chercher une place. Il sortit du véhicule, se pencha pour récupérer le revolver qui lui sembla plus lourd qu'au moment où il l'avait caché là. Mais alors qu'il s'approchait de la maison, un homme en sortit et fit signe à Maxime de le rejoindre à l'intérieur. Trevor vit Maxime monter les marches du perron. Il le raterait. Il lui échapperait, il disparaîtrait ! Il fallait se dépêcher.

Il tira.

L'odeur de poudre était semblable à celle qu'il avait respirée à la chasse, mais les sons n'étaient pas les mêmes. Il y avait des cris. Et encore des cris. Il vit un homme se ruer vers Maxime, étendu au sol. Il releva l'arme et la pointa contre sa tempe, mais la brûlure du métal le fit sursauter. Les hurlements le gênaient. Peut-être qu'il valait mieux se noyer. L'arme lui paraissait tellement lourde maintenant.

Il entendit des pas derrière lui, une voix grave qui répétait : « Couchez-vous ! » Il se retourna, songea qu'il serait mieux couché, oui, car la tête lui tournait. Le débit de son sang avait ralenti. S'était-il blessé en tirant ? Comment était-ce possible ? Il effleura sa tempe, là où le canon de l'arme l'avait marqué. Devant lui, l'homme restait immobile en braquant une arme sur lui. Trevor avait conscience que des gens commençaient à s'agiter plus loin dans la rue, mais l'homme restait très calme, comme s'il n'était pas gêné par les cris, comme s'il n'avait pas entendu la détonation ni le bruit de la voiture qui en avait embouti une autre. Il s'approchait de lui très lentement, ses pieds semblant glisser sur le sol. Il tenait son arme haut devant lui. Elle ne paraissait pas aussi lourde que la sienne.

— Trevor, c'est bien toi ? dit Michel Joubert. Trevor ? Il faut que tu baisses ton arme. Tu pourrais te blesser.

Qui était cet étranger ? Comment pouvait-il le connaître ? Il cligna des yeux plusieurs fois pour mieux le distinguer, mais le sang qui palpitait à ses tempes lui brouillait la vue comme s'il faisait tressaillir chacun des petits vaisseaux autour de ses iris. Ses iris bleu saphir. Les iris de Marie-Catherine. Les iris de Michaël.

— Trevor, il faut que tu baisses ton arme si tu veux que je t'aide. Veux-tu qu'on se parle, Trevor ?

Trevor regarda les mains de l'homme, paumes ouvertes vers le ciel. Il nota que ses bras étaient écartés comme pour l'accueillir.

— Trevor, reprit Michel Joubert. Il y a trop de bruit ici, viens avec moi. On discutera tranquillement.

— C'est toi, Grégoire ? Je pensais que tu étais plus jeune. Michaël m'a parlé de toi.

Joubert hésita à mentir. Devait-il ou non emprunter l'identité de son amoureux ? Qu'avait raconté Michaël à propos de Grégoire ? Il opta pour la vérité, redoutant que Trevor le sente s'il lui mentait et réagisse en s'emportant.

— Non, Grégoire est mon amoureux. Il est là, avec Maxime.

Joubert désigna la maison avant de lui demander s'il souhaitait parler à Grégoire.

— On peut arranger ça. Dès que tu auras baissé ton arme.

Dans la ville, à quelques rues de là, la plainte d'une sirène qui s'approchait fit frémir Trevor, et ce bruit qui s'amplifiait, qui s'ajoutait à tous les autres, augmentait son angoisse. Il n'aurait pas besoin de se tuer, le bruit s'en chargerait, le bruit l'écraserait, l'annihilerait. Il voyait maintenant les lèvres de l'homme remuer, mais il n'entendait plus rien. Peut-être qu'il était mort ? Qu'il pensait qu'il n'avait pas encore appuyé sur la détente, mais qu'il l'avait fait et qu'il était de l'autre côté. Mais Claude n'était pas là. Il jeta un coup d'œil à droite pour s'en assurer. Dans cette infinitésimale seconde, Joubert leva la jambe très haut, frappa l'avant-bras de Trevor qui lâcha le revolver. L'arme tomba trois mètres plus loin, tandis que Joubert se ruait sur Trevor, qu'il maîtrisa sans peine. En le menottant, il eut l'impression de tenir un épouvantail sans vie. Il hurla ensuite le nom de Grégoire. Avait-il été touché par la balle de Trevor ? Ou Maxime ? Qui ?

— On est corrects, cria Grégoire. Tous les deux !

Michel Joubert hésita un instant, fut tenté de courir vers Grégoire, mais celui-ci lui adressa un signe pour le rassurer, pour lui certifier qu'il n'avait rien. Il serrait Maxime contre lui, la main enfouie dans sa chevelure, lui répétant probablement des paroles apaisantes. Maxime semblait figé, tétanisé, et Joubert se souvint qu'il avait reçu une balle des années auparavant. Pourrait-il surmonter le choc une seconde fois ?

Il se pencha vers Trevor, le releva lentement, scruta son visage hagard. Il marmonnait qu'il aurait dû choisir le fleuve, qu'il s'était trompé, qu'il avait tout raté, que Michaël l'avait rejeté alors que c'était son frère. Il poussa un gémissement de douleur quand le bruit de la sirène s'intensifia, annonçant l'arrivée de renforts.

Des portières claquèrent, Graham se précipita vers Maxime et Grégoire qui s'étaient assis sur les marches du perron.

— Tout est beau, Biscuit, ne panique pas, fit Grégoire.

— C'est Léo qui m'a sauvé la vie, lança Maxime en s'écartant légèrement de Grégoire. Il a miaulé, je me suis baissé pour le prendre, et la balle m'a raté. J'ai toujours dit qu'il était super intelligent !

— C'est sûr, approuva Maud en l'enlaçant. Il est aussi intelligent que toi !

— Il faut retrouver Léo. Il s'est caché à cause du bruit.

Maxime se dégagea de l'étreinte de Maud pour jeter un coup d'œil autour de lui.

— Il doit être dans la cour.

Il se leva, un peu chancelant, mais contourna la maison pour chercher le chat gris blotti sous les cèdres. Graham le regarda s'éloigner en essuyant ses larmes.

— J'ai eu tellement peur ! confia-t-elle à Grégoire. Qu'est-ce que tu faisais ici, toi ?

— Alain m'avait téléphoné pour me dire que Maxime était bouleversé à cause de tout ce qui arrivait à Michaël. Ils sont allés nager, puis il l'a déposé avant d'aller faire les courses. C'est toi qui as appelé Michel ? Il aurait pu se faire tuer !

— Ce n'est pas moi qui l'ai envoyé ici, protesta Graham. Il a entendu mes appels radio aux patrouilles et il est venu directement en entendant mon adresse ou parce qu'il savait que tu étais chez moi.

Elle faillit ajouter que c'était le métier de Michel Joubert que d'intervenir en situation de crise, mais elle se tut. Grégoire devrait apprendre à mieux vivre avec ce genre d'inquiétude. S'il s'y était un peu habitué avec elle, la situation était différente avec un amoureux…

Elle revint vers Rouaix qui surveillait la voiture de patrouille, tandis que Grégoire se retenait de serrer Joubert dans ses bras. Elle se pencha vers Trevor, assis à l'arrière de sa voiture, et le regarda quelques secondes avant de détourner les yeux. Elle n'oublierait jamais les tremblements qui l'agitaient, ce regard qui papillonnait sans cesse, aussi perdu qu'affolé. Trevor pourrait-il sourire à nouveau un jour ? Marie-Catherine pourrait-elle, voudrait-elle l'aider à revenir à la vie ? Et Michaël ?

— Je m'en occupe, fit Rouaix. Tu serais trop émotive. Reposez-vous, on en discutera plus tard. Je l'emmène à l'hôpital, c'est clair qu'il doit être évalué en psychiatrie, qu'il a besoin de soins.

— Je vous rejoindrai tantôt, commença Graham, dès que…

— Non, tu passes la soirée ici avec tes hommes. Provencher me retrouvera là-bas. Je doute qu'on apprenne quelque chose de la part de Trevor ce soir…

— J'appelle Marie-Catherine.

Juste avant que la voiture démarre, Graham eut le temps d'apercevoir Trevor, le front collé contre la vitre de la portière, si blême qu'il semblait porter un pansement. Un remède existait-il pour ses blessures ? Elle avait lu tous les documents qui concernaient Claude et Marcus Duncan, avait réussi à parler à une des enseignantes de Trevor et était persuadée d'une chose : il n'avait pas eu une enfance normale.

Alors qu'elle revenait vers Joubert, il lui raconta en détail ce qui s'était passé.

— C'est étrange qu'il m'ait parlé de Grégoire.

— Je ne l'ai jamais vu, assura ce dernier.

— Je ne lui ai pas parlé de toi quand on est allés manger un sous-marin avec lui, jura Maxime. C'est Michaël. Ils ont passé du temps ensemble.

— Qu'est-ce qu'il a pu lui raconter ?

Maxime haussa les épaules un peu trop vite ; Graham s'en aperçut, mais se tut, car Grégoire n'avait rien remarqué. Elle interrogerait ultérieurement l'adolescent. Demain. Ou après-demain. Elle apprendrait alors qu'il avait raconté le passé houleux de Grégoire à Michaël, les abus dont il avait été victime, sa vie dans la rue comme prostitué, sa résilience. Des semaines plus tard, lorsqu'elle reparlerait avec Marie-Catherine, celle-ci lui dirait que Trevor progressait en thérapie. Qu'ils essayaient de se comprendre, qu'il lui avait fait assez confiance pour lui révéler son plus noir secret, son enfance incestueuse. Il avait peut-être cru pouvoir partager ce fardeau avec Grégoire.

Maud Graham demeura avec Joubert devant la maison, tandis que des agents photographiaient les lieux, établissaient la trajectoire de la balle. Elle reconnut la voiture d'Alain qui tournait à l'angle de l'avenue Holland. Il sortit en trombe du véhicule en voyant les deux voitures de police. Elle lui fit immédiatement signe de ralentir, mais il courut vers elle et elle s'émut de son inquiétude. Il n'avait peut-être pas encore envie de tout recommencer avec une femme plus jeune…

Elle entendit Maxime crier qu'il avait trouvé Léo sous un cèdre et elle sourit à Grégoire. Ils resteraient tous ensemble à la maison. En famille. Sa famille.

SUIVEZ **MAUD GRAHAM**

Saccages

Un homme est retrouvé mort, poignardé. Le voisinage est sous le choc. Pourquoi ce comptable tranquille et dévoué a-t-il été tué ? Mais cet homme était-il si innocent ? C'est ce que la détective Maud Graham se demande...

La chasse est ouverte

Un célèbre homme d'affaires est assassiné. Beaucoup d'indices, trop de pistes : il avait tellement d'ennemis... Maud Graham comprend peu à peu que ce drame prend ses racines loin dans le temps.

Silence de mort

Un homme et sa conjointe sont assassinés. On soupçonne que l'homme était lié au crime organisé et au trafic de drogue, et on conclut vite à un règlement de comptes. Pourtant, Maud Graham a des doutes...

Sans pardon

Pour venger la mort de sa sœur, assassinée par un détenu en liberté conditionnelle, Thomas Lapointe se transforme en justicier. Maud Graham interviendra-t-elle à temps ?

DANS SES ENQUÊTES

Sous surveillance
Alexandre Mercier est obsédé par Gabrielle. Comme une araignée, il tisse sa toile. Il la possédera, qu'elle le veuille ou non. Il ne tolérera aucun obstacle. Il tuera, s'il le faut.

Promesses d'éternité
Un mort, un détective inconscient après avoir été battu, une femme et sa petite-fille disparues, un être inquiétant obsédé par le feu... L'automne s'annonce chargé pour Maud Graham.

Indésirables
Un policier, collègue de Maud Graham, veut se débarrasser de sa femme. Il tente de convaincre une adolescente de l'éliminer à sa place. Mais la jeune fille est aussi une grande manipulatrice...

Soins intensifs
Denise Poissant a conduit son fils Kevin, deux ans, dans tous les hôpitaux de Québec, mais aucun médecin n'arrive à trouver de quelle maladie il souffre. Le personnel hospitalier commence à se poser des questions...

Les fiancées de l'enfer

Pour découvrir qui se cache derrière le Violeur à la croix, Maud Graham doit pénétrer sa pensée, se noyer dans son âme. Un voyage au cœur du Mal l'attend.

C'est pour mieux t'aimer, mon enfant

Un enfant est retrouvé mort. Près du cadavre, un homme se réveille, amnésique. Est-il coupable du crime? Une enquête troublante pour Maud Graham. On ne s'habitue jamais à la mort d'un enfant...

Le Collectionneur

Un meurtrier rôde dans Québec. Il ne commet jamais la moindre erreur et semble tuer au hasard. Mais est-ce bien le hasard qui le guide? Maud Graham questionne et cherche à comprendre.

Préférez-vous les icebergs?

Dans le milieu théâtral de Québec, de jeunes comédiennes sont sauvagement assassinées. Découvrez la toute première enquête de Maud Graham.